T3-BRL-503

Wolfgang Harnisch

Eschatologische Existenz

WOLFGANG HARNISCH

Eschatologische Existenz

Ein exegetischer Beitrag
zum Sachanliegen
von 1. Thessalonicher 4,13–5,11

GÖTTINGEN · VANDENHOECK & RUPRECHT · 1973

Forschungen zur Religion und Literatur
des Alten und Neuen Testaments
Herausgegeben von
Ernst Käsemann und Ernst Würthwein
110. Heft der ganzen Reihe

ISBN 3-525-53257-1
Als Habilitationsschrift gedruckt mit Unterstützung der Deutschen Forschungsgemeinschaft. Gesamtherstellung: Hubert & Co., Göttingen

VORWORT

Die vorliegende Untersuchung wurde im Sommersemester 1971 von der Theologischen Fakultät der Philipps-Universität in Marburg als Habilitationsschrift angenommen. Sie erscheint hier, von kleineren Korrekturen abgesehen, in unveränderter Fassung.

Besonderen Dank schulde ich meinem verehrten Lehrer, Herrn Professor D. Ernst Fuchs. Er forderte mich auf, die neutestamentliche Relevanz meiner Studien zur Apokalyptik exemplarisch darzulegen, und hat auch das Entstehen dieser Arbeit mit großem Interesse begleitet. Mein Dank gilt ferner der Theologischen Fakultät der Marburger Universität, insonderheit Herrn Professor Dr. Werner Georg Kümmel für die Bereitschaft, das Korreferat zu erstellen, sowie dem damaligen Dekan der Fakultät, Herrn Professor Dr. Otto Kaiser, für die vielseitige Förderung, die er mir zuteil werden ließ.

Zu danken habe ich schließlich der Deutschen Forschungsgemeinschaft, die mein Studium durch ein Forschungsstipendium unterstützte und die Drucklegung des Buches ermöglichte, sowie dem Verlag und den Herausgebern der Reihe für die Annahme der Untersuchung.

Beim Lesen der Korrekturen waren mir Herr Vikar Wilfried Scholl und meine Frau behilflich. Dafür sei ihnen herzlich gedankt.

Rommelsbach, im Oktober 1972 Wolfgang Harnisch

INHALT

I. Vorbemerkungen

In seiner die Eigenart urchristlicher Eschatologie ausarbeitenden Untersuchung ‚Geschichte und Eschatologie' bemerkt R. BULTMANN: „Im Urchristentum ist *die Geschichte von der Eschatologie verschlungen worden.* Die urchristliche Gemeinde versteht sich nicht als geschichtliches, sondern als eschatologisches Phänomen. Sie gehört schon nicht mehr zu dieser Welt, sondern zu dem kommenden geschichtslosen Äon, der im Anbrechen ist."[1] BULTMANN problematisiert diese grundlegende Feststellung im Folgenden allerdings insofern, als er die Möglichkeit in Betracht zieht, daß dieses eschatologisch bestimmte Selbstverständnis der urchristlichen Gemeinde nur eine singuläre, nämlich an eine bestimmte Zeit gebundene und durch sie bedingte Einstellung darstellen könnte, die durch den Fortgang der Geschichte überholt wurde und sich damit als nicht reproduzierbar erwies: „Es ist die Frage, wie lange dieses Bewußtsein bestehen konnte, wie lange die Erwartung des drohenden Weltendes unerschüttert bleiben konnte. Bald macht es sich ja geltend, daß die erwartete Parusie des Menschensohnes ausbleibt, und bald erwachen Enttäuschung und Zweifel. Daher denn die sich mehrenden Mahnungen, nicht müde zu werden, geduldig zu warten (Jak. 5,7ff.; Hebr. 10,36ff. usw.), daher die Bekämpfung des ausgesprochenen Zweifels, der sich 2. Petr. 3,4 zu Worte meldet: ‚Wo bleibt die Verheißung seiner Ankunft? Denn seitdem die Väter entschlafen sind, bleibt alles, wie es seit Anfang der Welt gewesen ist.' Die Antwort lautet hier, daß Gott andere Zeitmaßstäbe hat als die Menschen; vor ihm sind tausend Jahre wie ein Tag; ferner sei zu bedenken, daß Gott langmütig ist und auf die Bekehrung der Menschen wartet (vgl. 1. Clem. 23,3–5; 2. Clem. 11 u. 12). Sonst wird auch einfach auf den verborgenen Ratschluß Gottes hingewiesen: Niemand kennt den Tag und die Stunde, auch nicht die Engel im Himmel, nicht einmal der Sohn, sondern nur der Vater (Mark. 13,32; vgl. Acta 1,7; 2. Clem. 12). *Aber mit solchen Antworten konnte das Problem auf die Dauer nicht gelöst werden.*"[2]

Nun gilt aber zu beachten, daß sich bereits bei Paulus eine Aussage findet, die mit den von BULTMANN genannten Stellen durchaus vergleichbar und denselben insofern sachverwandt ist, als sie den eschatologi-

[1] A.a.O., S. 42; vgl. DERS., Geschichte und Eschatologie im Neuen Testament, in: GuV Bd. III, S. 99. 106.

[2] Geschichte und Eschatologie, S. 42f. (Hervorhebung von mir).

schen Termin ebenfalls allein Gott anheimstellt und ihn somit als ein menschlicher Berechnung entzogenes Ereignis zu verstehen lehrt: ‚Denn ihr selbst wißt genau, daß der Tag des Herrn kommt, und zwar wie ein Dieb in der Nacht‘ (1Thess 5,2). Wie wenig sich diese „Warnung, daß der Tag überraschend kommen wird wie der Dieb in der Nacht“[3], von dem soeben angeführten Aussagenkreis isolieren läßt, zeigt gerade der literarische Zusammenhang von 2Petr 3,5ff., wo die der Frage von 3,4 begegnende Argumentationsreihe (vgl. 3,5–10) mit der 1Thess 5,2b fast wörtlich entsprechenden Ankündigung schließt: ‚Kommen aber wird der Tag des Herrn wie ein Dieb‘ (2Petr 3,10a; vgl. Apk 3,3; 16,15). BULTMANN selbst nennt an anderer Stelle neben Mk 13,32; Apg 1,7; 2Clem 12 auch 1Thess 5,2–4 sowie Apk 3,3; 16,15 und 2Petr 3,10 (vgl. Lk 12,39f. Par.) als Belege dafür, daß „die Ungeduld sich regt, daß zweifelndes Fragen laut wird“[4]. Derartige Aussagen reflektieren s.E. sowohl das Faktum der Erfahrung der Parusieverzögerung als auch den (freilich unzureichenden) theologischen Versuch, die daraus resultierende Aporie zu lösen. Stand also schon Paulus „unter dem Eindruck der *Verzögerung* der eschatologischen Endoffenbarung des Herrn“[5]? Läßt sich angesichts der herausgestellten sachlichen Zusammengehörigkeit von 1Thess 5,2 mit solchen Aussagen der christlichen Überlieferung, die nach BULTMANNS Auffassung erwiesenermaßen das Problem der Parusieverzögerung widerspiegeln, der Schluß vermeiden, daß sich bereits die paulinische Denkbemühung im Grunde einem Negativum (Ausbleiben der Parusie) verdankt oder — vorsichtiger formuliert — durch dieses Negativum und die daraus erwachsende Verlegenheit wenigstens mitveranlaßt ist? Und weiter: Ist der von BULTMANN gegenüber Mk 13,32 (vgl. 2Petr 3,5ff.) erhobene sachkritische Einwand dann nicht ebenfalls auf die paulinische Aussage 1Thess 5,2 anzuwenden? Muß sich auch Paulus von dem Vorwurf betreffen lassen, unbeschadet der Leistung seiner theologischen Reflexion im ganzen das ihm aufgegebene Problem zumindest an dieser Stelle mit einem äußerst fragwürdigen Argument gelöst zu haben?

BULTMANN selbst äußert sich in ‚Geschichte und Eschatologie‘ nicht ausdrücklich zu der Frage, wie 1Thess 5,2 im Rahmen des vorliegenden literarischen Zusammenhangs und der paulinischen Escha-

[3] R. BULTMANN, Der Mensch zwischen den Zeiten nach dem Neuen Testament, in: GuV Bd. III, S. 37.

[4] GuV Bd. III, S. 37.

[5] A. STROBEL, Untersuchungen zum eschatologischen Verzögerungsproblem, S. 200; zur Sache vgl. auch E. GRÄSSER, Das Problem der Parusieverzögerung in den synoptischen Evangelien und in der Apostelgeschichte, 2. Aufl. 1960 S. 9ff.

tologie überhaupt zu beurteilen ist[6]. Er gibt auch nicht eindeutig zu erkennen, ob er das Problem der Parusieverzögerung tatsächlich als das (sogar ausschlaggebende?) ‚movens' zur Ausbildung der „Geschichtsanschauung des Paulus"[7] beanspruchen will. Immerhin ist bemerkenswert, daß er das stark pointierte „Problem der ausgebliebenen Parusie"[8] nicht nur äußerlich und mehr zufällig, sondern sachlich und thematisch als den Ansatzpunkt einer Erörterung der paulinischen Eschatologie verwendet[9] und bei Paulus eben „die Lösung des Problems von Geschichte und Eschatologie gegeben" sieht, „wie es durch das Ausbleiben der Eschatologie (?[10]) gestellt wurde"[11]. Wir lassen die Frage, welche sachlichen Implikationen mit dieser Anlage der Darstellung zwangsläufig verbunden sind, auf sich beruhen. Festzuhalten bleibt zunächst, daß 1 Thess 5,2 mit einer Reihe von Aussagen der urchristlichen Tradition zusammengehalten werden kann, die (nach BULTMANN) dem Problem der Parusieverzögerung (und zwar in unzureichender Weise) Rechnung tragen, zum anderen, daß (wiederum nach BULTMANN) in der paulinischen Theologie aufs Ganze gesehen eine sachgerechte Lösung eben dieses Problems vorgezeichnet ist.

Es hat den Anschein, als ließe sich gerade der Text 1 Thess 5,1ff. (trotz der darin enthaltenen Warnung 5,2) als Paradigma und Beleg für die zuletzt genannte These in Anspruch nehmen. So bemerkt H. CONZELMANN unter deutlicher Anspielung auf den Abschnitt 1. Thess 5,1ff. (bzw. 4,13–5,11): „Schon bei Paulus, bevor die Verzögerung bewußt wurde, also bevor man sich mit ihr auseinandersetzen mußte, sind die Gedanken konzipiert, durch die das Problem

[6] Eine Anspielung auf die Stelle findet sich bei R. BULTMANN, Jesus Christus und die Mythologie, S. 32f. BULTMANN nimmt die Aussage vom überraschenden Kommen des Herrentages dort positiv in Anspruch und interpretiert sie existential, indem er sie als Anzeige der im christlichen Glauben radikal erfaßten Offenheit für die Zukunft versteht: Man kann „diesen Glauben ein Bereitsein für die unbekannte Zukunft nennen, die Gott geben wird. Kurz, es ist Offensein für Gottes Zukunft angesichts des Todes und des Dunkels. Das ist dann die tiefere Bedeutung von Jesu mythologischer Predigt: offen sein für Gottes Zukunft, die uns, wirklich jedem einzelnen, bevorsteht; bereit sein für diese Zukunft, die wie ein Dieb in der Nacht kommen kann, wenn wir es nicht erwarten; bereit sein, denn diese Zukunft wird ein Gericht sein über alle Menschen, die sich selbst an diese Welt gebunden haben und die nicht frei sind, nicht offen für Gottes Zukunft" (s. dazu die Ausführungen zu M. HEIDEGGERS Interpretation von 1 Thess 5,1ff. u. S. 57ff.).

[7] Geschichte und Eschatologie, S. 46 (dort hervorgehoben); zur Sache vgl. E. JÜNGEL, Paulus und Jesus, S. 79 Anm. 2.

[8] Ebd. (im Original hervorgehoben).

[9] Vgl. ebd., S. 42f. 44ff. mit S. 46ff.

[10] Gemeint ist wohl: ‚des Eschaton'.

[11] Ebd., S. 53.

der zeitlichen Distanz der Parusie im voraus als Problem überholt wird. Paulus ist überzeugt: ‚Der Herr ist nahe'; aber diese Überzeugung ist für ihn kein Satz des Credo. Er begründet die Hoffnung nicht mit dieser apokalyptischen Vorstellung, sondern mit dem Credo, das von Terminen unabhängig ist. Daher belehrt er die Gläubigen, daß sie sich um Termine keine Sorge zu machen brauchen, weil sie schon Kinder des Tages, des Lichtes sind (1 Thess 5,1ff.). Eschatologie ist von Anfang an primär nicht apokalyptische Vorstellung, sondern Verstehen des Seins im Glauben. Die Hoffnung bleibt dem Warten vorgeordnet. Ist das verstanden, wird die Verzögerung der Parusie nicht zum Existenzproblem des Glaubens."[12] Auch CONZELMANN erörtert den paulinischen Entwurf im Rahmen einer am Problem der Parusieverzögerung orientierten Fragestellung. Doch widersteht er ausdrücklich dem naheliegenden Gedanken, das Problem der Parusieverzögerung als ‚agens' schon der paulinischen Reflexion selbst zu bemühen. In den Aussagen von 1 Thess 5,1ff. (vgl. 4,13f.) macht sich s.E. vielmehr eine diesem Problem *zuvorkommende* Konzeption geltend. Charakteristisches Merkmal dieser Konzeption ist, daß sie das Eschaton nicht abgesehen von der Existenz des Glaubenden zur Sprache bringt, sondern beides zusammendenkt, Eschatologie somit einzig und allein existential wahrnimmt als verstehendes Auslegen ‚des Seins im Glauben'. Noch unbeeinflußt vom Problem der Parusieverzögerung gilt das paulinische Denken einer Explikation des Sachverhalts, „daß im Glauben leben heißt, als eine eschatologische Existenz leben, jenseits der Welt leben ..."[13] Wenn diese Charakteristik, die auch als Voranzeige des eigentlichen paulinischen Sachanliegens in 1 Thess 5,1ff. zu gelten vermag, zutrifft, wird man kaum umhinkönnen, mit E. FUCHS prinzipiell festzustellen: Das „Problem der Parusieverzögerung ist ein den paulinisch verstandenen Glauben schon von vornherein verfehlendes, typisch innerapokalyptisches Problem"[14].

Damit verschärft sich allerdings die Frage nach dem Sinn einer Aussage wie 1 Thess 5,2 innerhalb des vorliegenden Kontextes sowie des Sachzusammenhangs paulinischer Theologie überhaupt. Worauf zielen die Warnung vor dem überraschenden Eintreffen des Herrentages sowie die sich anschließende Behauptung der Unentrinnbarkeit dieses Ereignisses (vgl. 1 Thess 5,3) ab, wenn sie *nicht* einer aus der Verzögerungsproblematik resultierenden Aporie begegnen wollen? Kommt dem Vergleich mit dem nächtlichen Dieb im Rahmen der paulinischen

---

[12] Grundriß der Theologie des Neuen Testaments, 2. Aufl. 1968, S. 338f.; vgl. DERS., RGG³ V, 131.

[13] Formulierung R. BULTMANNS (Jesus Christus und die Mythologie, S. 96).

[14] Über die Möglichkeit, Gott zu erfahren, in: GA Bd. III, S. 177.

Konzeption eine sachkritischen Einwänden[15] von vornherein überlegene und insofern ganz andersartige Funktion zu als in 2 Petr 3,10 (vgl. Apk 3,3; 16,15 — Lk 12,39f. Par.)? Oder besteht Anlaß zu der Vermutung, daß BULTMANNS Prämisse, nach der die urchristlichen Aussagen über die Unberechenbarkeit des eschatologischen Termins (vgl. noch Mk 13,32; Apg 1,7; 2 Clem 12) reaktiv auf das Problem der Parusie*verzögerung* Bezug nehmen, selbst einer Revision bedarf[16]?

Mit diesen Fragen ist ein weiterer Problemkreis berührt. In der Regel sieht man die Aussagen 1 Thess 5,1–3 (im Widerspruch zu der beobachteten apokalyptischen Terminologie) von einem antiapokalyptischen Interesse geleitet[17]. Wie erklärt sich dann aber der innere Sachzusammenhang von 1 Thess 5,1–3 mit den vorhergehenden Ausführungen des Apostels (1 Thess 4,13ff.), die nach übereinstimmender Auffassung der Exegeten gerade durch einen Rekurs auf eindeutig apokalyptische Tradition (vgl. 4,15–17) gekennzeichnet sind? Welche Funktion übernehmen diese apokalyptisch geprägten Aussagen von 4,15ff., wenn das paulinische Sachanliegen selbst von einer antiapokalyptischen Tendenz (5,1ff.) bestimmt ist? Oder läßt sich nachweisen, daß das in 5,1–3 Gesagte nicht nur in terminologischer, sondern eben auch in sachlicher Hinsicht gerade apokalyptischem Denken verpflichtet ist? In diesem Fall bliebe zu prüfen, in welchem Sachverhältnis die übereinstimmend apokalyptischer Überlieferung entsprechenden Aussagen der Abschnitte 4,15–17 und 5,1–3 zu den übrigen paulinischen Darlegungen in 1 Thess 4,13–5,11 stehen.

Im Folgenden soll versucht werden, die damit angezeigten Probleme im Rahmen einer exegetischen Analyse des Aussagezusammenhangs 1 Thess 4,13–5,11 zu klären. Hauptanliegen der Untersuchung ist, das sich in den Ausführungen von 1 Thess 5,1–11 bekundende *paulinische Verständnis der eschatologischen Existenz* nachzuzeichnen und auszuarbeiten. Dieses Arbeitsvorhaben setzt voraus, daß die Absicht und Zielsetzung des paulinischen Gedankenganges profiliert wird. Es gilt, das Gefälle und die innere Bewegung des Textes sowie den Stellenwert der Einzelaussagen in 1 Thess 5,1–11 präzise zu erheben. Dabei wird insonderheit zu untersuchen sein, welche *theologische Funktion* dem in

---

[15] Vgl. den o. zitierten Satz BULTMANNS: „Aber mit solchen Antworten konnte das Problem auf die Dauer nicht gelöst werden“ (Geschichte und Eschatologie, S. 43).

[16] Daß sich gegenüber der gekennzeichneten Position BULTMANNS Einwände erheben lassen, erhellt z.B. aus der Beobachtung der antignostischen Frontstellung von 2 Petr 3,5–10 (s. dazu u. S. 98ff.); vgl. ferner R. PESCHS Analyse von Mk 13,30–33, nach der sich das redaktionell bearbeitete Logion Mk 13,32 jedenfalls im Rahmen der markinischen Konzeption nicht gegen Zweifler, sondern gegen ‚Parusieschwärmer‘ richtet (vgl. Naherwartungen, S. 181–195).

[17] Vgl. nur die o. zitierten Sätze H. CONZELMANNS.

1Thess 5,1–3 Gesagten im Rahmen des vorliegenden literarischen Zusammenhangs zufällt und wie die *Sachbeziehung* zwischen 1Thess 5, 1–3 und 5,4–11 zu beurteilen ist. Der paulinische Aussagewille in 1Thess 5,1–11 läßt sich freilich nur unter der Voraussetzung sachgemäß erfassen, daß der Abschnitt 1Thess 4,13–18 in die Analyse einbezogen wird. Wenn es sich nämlich bei den Ausführungen von 1Thess 4,13–5,11 — wie generell anerkannt — um eine in sich geschlossene Einheit handelt, wird jeder Interpretationsversuch, der sich entweder nur auf 1Thess 4,13–18 oder ausschließlich auf 1Thess 5, 1–11 bezieht und ohne Rücksicht auf die sachliche Zusammengehörigkeit beider Teile das paulinische Anliegen zu ermitteln sucht, unzureichend bleiben[18]. Soll also die Interpretation von 1Thess 5,1ff., auf der das Schwergewicht unserer Untersuchung liegt, gelingen, ist die Einbeziehung von 1Thess 4,13ff. unerläßlich. Auch dieser Abschnitt (4,13–18) ist insonderheit daraufhin zu untersuchen, wie sich der Sachzusammenhang zwischen 4,13f. und 4,15ff. im Blick auf die paulinische Intention darstellt, welche Funktion die in 4,15ff. angeführte Tradition übernimmt, wie sie vom Apostel rezipiert und zum Zuge gebracht wird. Dieses Arbeitsvorhaben entspricht der Einsicht, „daß eine Erörterung der Theologie des Paulus für uns nur sinnvoll sein kann, wenn sie hinter den Bestand der Begriffe und Traditionen zurückgeht, die Paulus mit den anderen Christen gemeinsam hatte, hinter die zeitbedingten Strukturen, die er solchem Material angesichts einer konkreten Situation gab, zurück auf die Ausarbeitung seiner jeweiligen eigentlichen Anliegen. Indem man diese Anliegen in ihrer Kontinuität — freilich nicht ohne die Sprache, in der sie zum Ausdruck kamen — zur Sprache bringt, kann man versuchen, das historische Phänomen ‚Theologie des Paulus' nuancierter und eindringender zu verstehen, als es die deuteropaulinische Zeit konnte oder selbst manche gegenwärtige Paulusforschung vermag."[19]

Die Notwendigkeit der Berücksichtigung von 1Thess 4,13ff. für unsere Fragestellung erhellt nun nicht nur aus dem Sachverhalt, daß die Äußerungen des Apostels in 5,1–11 eng mit dem zuvor Erörterten

[18] Es stellt sich die Frage, ob der Sachverhalt, daß insonderheit der Abschnitt 1Thess 4,13–18 das Interesse der Exegeten affiziert, nicht schon eine verhängnisvolle Fehleinschätzung des Gefälles der paulinischen Aussagen anzeigt; vgl. die sich auf eine Erörterung von 1Thess 4,13–18 beschränkenden Ausführungen bei U. Luz, Das Geschichtsverständnis des Paulus, S. 318ff.; W. Marxsen, Auslegung von 1Thess 4,13–18, ZThK 66/1969, 22ff.; E. Grässer, 1.Thess. 4, 13–18, in: Bibelarbeiten (Rhein. Landessynode Bad Godesberg 1967), S. 10ff.; H.-A. Wilcke, Das Problem eines messianischen Zwischenreichs bei Paulus, S. 109ff. (allerdings erklärt sich die spezielle Bezugnahme auf 1Thess 4,13–18 bei Wilcke aus der besonderen Fragestellung seiner Untersuchung).

[19] J.M. Robinson, Kerygma und Geschichte im Neuen Testament, ZThK 62/1965, 332f.

verflochten sind und daß die Beurteilung einer Reihe von Einzelproblemen, die 5,1–11 betreffen, vom Verständnis der paulinischen Ausführungen in 1Thess 4,13–18 abhängt. Sie ist auch und vor allem in der Einsicht begründet, daß eine Entscheidung über *das Verhältnis von Situation und Text* in 1Thess 5,1ff. nicht unabhängig von 1Thess 4,13ff. getroffen werden kann. Das aus 1Thess 4,13ff. zu erschließende Urteil über die Situation der Adressaten ist von erheblicher Bedeutung für die Interpretation von 1Thess 5,1ff., wie sich auch umgekehrt aus dem Einblick in die Interdependenz von Text und Situation in 5,1ff. Konsequenzen für die Auslegung von 4,13ff. ergeben können. Damit ist bereits eine weitere Aufgabe unserer Untersuchung vorgezeichnet. Es gilt, die paulinischen Aussagen daraufhin zu befragen, wodurch sie motiviert, woraufhin sie entworfen, im Blick auf welche konkrete Situation sie konzipiert sind. Mit dieser Aufgabenstellung suchen wir der von J.M.Robinson erhobenen methodischen Forderung nachzukommen, „daß nur eine wirklich eindringende Analyse der besonderen historischen Situation, aus der ein Text stammt, in der Lage ist, durch die Begrifflichkeit und die verwendeten Traditionen hindurch zu dem eigentlichen Ziel vorzudringen, um das es im Text geht und das in Wahrheit die Theologie eines solchen Textes genannt zu werden verdient“[20].

Daß der Text 1Thess 4,13–5,11 ein Lehrstück der paulinischen Theologie schlechthin genannt zu werden verdient, das in vielleicht einzigartiger Weise fast alle zentralen Themen der theologischen Reflexion des Apostels anklingen läßt, soll der folgende Interpretationsversuch zeigen. Er ist von dem Bemühen geleitet, der hermeneutischen Grundforderung Rechnung zu tragen, „daß die Sprache des Textes nicht von der Existenz getrennt wird, sondern in der Existenz bleibt, die den Text hervorbrachte“[21].

[20] Ebd., 336.
[21] E. Fuchs, Hermeneutik?, in: GA Bd. III, S. 131.

II. Der literarische Aufbau des Abschnitts 1 Thess 4,13–5,11

Daß die Aussagen 1 Thess 4,13–5,11 in thematischer und auch formaler Hinsicht eine in sich geschlossene Texteinheit bilden, die sich aus dem literarischen Zusammenhang relativ deutlich heraushebt, ist allgemein anerkannt[1]. Der Abschnitt zerfällt in zwei Teile (4,13–18; 5,1–11), die einen analog gebauten Eingang und Schluß aufweisen (vgl. 4,13 mit 5,1 und 4,18 mit 5,11). Die Disposition des ersten Teiles ist leicht erkennbar. Auf eine Art Exposition, die das in Frage stehende Problem thematisch fixiert (περί[2]) und die Intention der paulinischen Stellungnahme nennt (ἵνα ...), folgt in V. 14 eine im Bekenntnisstil gehaltene grundsätzliche Auskunft des Apostels (γάρ verweist auf den

---

[1] Vgl. E. Fuchs, Hermeneutik?, in: GA Bd. III, S. 119; K.-G. Eckart, Der zweite echte Brief des Apostels Paulus an die Thessalonicher, ZThK 58/1961, 37; W. G. Kümmel, Das literarische und geschichtliche Problem des ersten Thessalonicherbriefes, in: Heilsgeschehen und Geschichte, GA 1933–1964, S. 414; H.-A. Wilcke, a.a.O., S. 112; P. Hoffmann, Die Toten in Christus, S. 208. Die Würdigung der Stellung von 1 Thess 4,13–5,11 innerhalb des engeren und weiteren Kontextes hängt vom Urteil über Echtheit und Einheitlichkeit des Briefganzen ab (zur neueren Diskussion der literarkritischen Probleme von 1 Thess vgl. einerseits E. Fuchs, a.a.O., S. 119; K.-G. Eckart, ZThK 58/1961, 30–44; W. Schmithals, Die historische Situation der Thessalonicherbriefe, in: Paulus und die Gnostiker, S. 89–157; Ders., Die Thessalonicherbriefe als Briefkompositionen, in: Zeit und Geschichte. Dankesgabe an R. Bultmann, S. 295–315, sowie andererseits W. G. Kümmel, a.a.O., S. 406–416; Ders., Einleitung in das Neue Testament, 16. Aufl. 1969, S. 183f.; H.-A. Wilcke, a.a.O., S. 110f.; W. Marxsen, ZThK 66/1969, 22ff.). „Auf alle Fälle ist dieses Stück 4,13–5,11 jetzt ein Exkurs, der für sich allein ausgelegt werden muß" (E. Fuchs, a.a.O., S. 119). Da wir im Folgenden bestrebt sind, Sachkriterien zur Erhellung der Motivation der paulinischen Ausführungen in 1 Thess 4,13–5,11 nur aus diesem Text selbst zu erheben, brauchen wir das literarkritische Problem von 1 Thess nicht zu entscheiden. Die von W. Schmithals erwogene Teilungshypothese dürfte besondere Beachtung verdienen (vgl. dazu auch U. Luz, a.a.O., S. 318 Anm. 4), wenn auch die weitreichenden Konsequenzen seiner Analyse im Blick auf 2 Thess sachkritischen Bedenken ausgesetzt sind. Eine Diskussion der von Schmithals beigebrachten Argumente würde den Rahmen unseres Arbeitsvorhabens sprengen. Folgt man seinem Teilungsvorschlag, wäre gegen K.-G. Eckart (vgl. a.a.O., S. 42ff.) allerdings an der ursprünglichen Zusammengehörigkeit jedenfalls von 1 Thess 4,3–5,28 festzuhalten (vgl. W. Schmithals, in: Zeit und Geschichte, S. 308).

[2] U. Luz fragt, „ob nicht 4,13 einen bewußten Rückbezug auf 4,9 enthält" (a.a.O., S. 318 Anm. 1; vgl. H.-A. Wilcke, a.a.O., S. 112f.). Doch gilt zu beachten, daß die Aussage von 4,9 in formaler Hinsicht eher 5,1 (2a) entspricht.

[3] Vgl. zuletzt H.-A. Wilcke, a.a.O., S. 124.

[4] Vgl. H.-A. Wilcke, a.a.O., S. 129.

vorausgehenden ἵνα-Satz[3]). Das dem οὐ θέλομεν ... ὑμᾶς ἀγνοεῖν entsprechende ὑμῖν λέγομεν V. 15[4] kennzeichnet einen Neueinsatz der paulinischen Ausführungen. Die V. 15–17 sind als zusammengehörig zu betrachten. Sie enthalten keine der ersten gleichwertig zur Seite tretende zweite Antwort, sondern wollen als eine Präzisierung (γάρ) des in V. 14 Gesagten verstanden sein[5]: Paulus bekräftigt die Stellungnahme von V. 14 durch die Anfügung eines Herrenwortes, das in zwei ὅτι-Sätzen entfaltet wird[6]. Eine Mahnung (V. 18) beschließt den ersten Aussagenkomplex.

Der Aufbau des zweiten Teils (5,1–11) scheint weniger klar ersichtlich[7]. Auf den ersten Blick ist zunächst die Zäsur erkennbar, die zwischen V. 3 und V. 4 besteht[8]: Durch das ὑμεῖς δέ werden die Ausführungen der V. 4ff. von dem in V. 1–3 Gesagten deutlich abgesetzt. Während die V. 1–3 eine folgerichtig aufgebaute Gedankenreihe repräsentieren (V. 1: Exposition; V. 2f.: Behandlung des Themas[9]), erscheint die innere Struktur des Abschnitts V. 4–11 als weniger durchsichtig. Die stichwortartige Verbindung der Sätze, der Wechsel von Indikativ und Imperativ, genauer: Kohortativ (vgl. V. 4f. 8aα. 9 mit V. 6. 8aβ), der Austausch des Personalpronomens (vgl. V. 4a. 5a. 11 mit V. 5b. 6. 8–10) und die Häufung von Partikeln erschweren den Versuch, die Gliederung des Abschnitts zu eruieren. Immerhin ist soviel ersichtlich: Auf eine Reihe indikativisch geformter Aussagen (V. 4f.) folgt wie Röm 6,12–14 eine ‚kleine Taufparänese' (V. 6–8)[10], die durch V. 5b (paränetischer Wir-Stil[11]) vorbereitet und mit typisch paulinischem ἄρα οὖν[12] (V. 6) eingeleitet ist. Das in den V. 4–8 Gesagte

---

[5] „Γάρ bezieht sich auf den gesamten Vers 14", während „τοῦτο ... auf den folgenden ὅτι-Satz hin(weist)" (H.-A. WILCKE, a.a.O., S. 129).

[6] Zur genaueren Beurteilung des Verhältnisses der beiden ὅτι-Sätze zueinander s. u. S. 41.

[7] Auf den ersten Blick scheint 1 Thess 5,1–11 eine dem Abschnitt 4,13–18 im wesentlichen entsprechende Disposition aufzuweisen, nämlich: V. 1 Thema; V. 2f. grundsätzliche Antwort; V. 4–10 weitere Ausführungen; V. 11 Mahnung (so W. BORNEMANN, Die Thessalonicherbriefe, MeyerK 10. Abt., 5./6. Aufl. 1894, S. 184; H.-A. WILCKE, a.a.O., S. 112; vgl. auch P. HOFFMANN, a.a.O., S. 229). Sachliche Erwägungen nötigen jedoch zu einer anderen Beurteilung des Aufrisses von 5,1–11 (s. dazu u. S. 52ff.).

[8] Auf den Einschnitt zwischen V. 3 und V. 4 achtet insbesondere E. FUCHS (vgl. GA Bd. III, S. 129f.); vgl. auch W. BORNEMANN, a.a.O., S. 219; B. RIGAUX, Saint Paul. Les épîtres aux Thessaloniciens, S. 560.

[9] Doch s. dazu die Einschränkung u. S. 52f.

[10] Vgl. E. FUCHS, Hermeneutik, 4. Aufl. 1970, S. 250. 257; vgl. DERS., Die Freiheit des Glaubens, S. 39 (dort wird der 1 Thess 5,6–8 vergleichbare Abschnitt Röm 6,12–14 mit dem Titel ‚eine kleine Taufparänese' charakterisiert).

[11] Vgl. G. SCHUNACK, Das hermeneutische Problem des Todes, S. 112 (dort weitere paulinische Belege für paränetische Redeweise in der 1. Pers. Pl.).

[12] Vgl. E. BRANDENBURGER, Adam und Christus, S. 232 Anm. 1.

wird durch den gedrängt formulierten, bekenntnisartig anmutenden Satz V. 9f. begründet (vgl. das ὅτι V. 9). Die Schlußmahnung könnte sich auf den Gesamtkomplex 1 Thess 4, 13–5, 10 zurückbeziehen[13].

[13] Diese Vermutung gewänne dann an Gewicht, wenn 1 Thess 4, 18 als Glosse zu beurteilen wäre (von E. FUCHS, GA Bd. III, S. 119f., erwogen; vgl. K.-G. ECKART, ZThK 58/1961, 40 Anm. 1 — anders W. G. KÜMMEL, GA 1933–1964, S. 414; H.-A. WILCKE, a.a.O., S. 112 Anm. 544. FUCHS vermutet, daß 1 Thess 4, 13–5, 11 nachträglich in den Komplex 4, 1–5, 28 eingegliedert wurde. S.E. handelt es sich bei 4, 13–5, 11 mit großer Wahrscheinlichkeit um „ein Stück, wenn nicht den Hauptteil des durch den kanonischen 2. Thess-Brief verdrängten echten 2. Briefes des Apostels an die Thessalonicher" — ebd., S. 119). Für den nachpaulinisch-redaktionellen Charakter von 4, 18 spricht, daß die Aussage im Zusammenhang blaß und angehängt wirkt (vgl. dagegen die ausgewogene und an die vorausgehenden Kohortative in 1 Thess 5, 6–8 gut anschließende Formulierung von 1 Thess 5, 11). Zu beachten ist auch der ungewöhnliche Pl. von λόγος in der Wendung ἐν τοῖς λόγοις τούτοις (vgl. dazu H.-W. KUHN, Der irdische Jesus bei Paulus als traditionsgeschichtliches und theologisches Problem, ZThK 67/1970, 315f.).

III. Hoffnung für die Toten (1 Thess 4,13–18)

Wir richten unser Augenmerk zunächst auf die Frage nach dem Angelpunkt der paulinischen Aussagen in 1 Thess 4,13–18 und suchen das Worum-willen des Textes zu erfassen, um auf diese Weise Kriterien für die Interpretation von 1 Thess 5,1ff. zu gewinnen. Dieser Aufgabenstellung kann allerdings nur mit einer ins Detail gehenden Analyse entsprochen werden.

1. *Zur Motivation der paulinischen Aussagen*

Das Verständnis der paulinischen Gedankenführung in 1 Thess 4,13–18 setzt Erwägungen über die Situation der Adressaten voraus. Andererseits ist die Bestimmung der Gemeindesituation wiederum vom Verständnis der paulinischen Aussagen abhängig. Wenn wir im Folgenden zunächst Überlegungen zur Motivation des in 4,13–18 Gesagten anstellen, so geschieht dies nicht in der Absicht, den beschriebenen hermeneutischen Zirkel einseitig aufzubrechen. Es handelt sich vielmehr darum, von einer Seite aus in den Zirkel hineinzugelangen. Die Erörterung der Motivation des Textes ist also selbst wiederum vorgängig vom Einblick in den Aussagewillen des Textes geleitet.

Die in der exegetischen Literatur begegnenden Vermutungen über den konkreten Hintergrund von 1 Thess 4,13–18 lassen sich schematisch drei Typen von Deutungsversuchen zuordnen, die knapp skizziert werden sollen. Für die beiden ersten der hier zu nennenden Hypothesen ist charakteristisch, daß sie auf der Inanspruchnahme von V. 13f. *und* V. 15(ff.) basieren. Aus V. 13 wird zunächst allgemein gefolgert, der Tod von Christen habe in der Gemeinde von Thessalonich eine der heidnischen Hoffnungslosigkeit[1] vergleichbare Trauer ausgelöst. Unterschiedlich sind hingegen die Ansichten über den eigentlichen Grund dieser Trauer — und zwar beruht die Differenz der Standpunkte auf dem jeweils verschiedenen Verständnis von V. 15. Entweder geht man von der Einsicht aus, der Apostel stelle in V. 15 einen bloß relativ gemeinten Vorzug der (bis zur Parusie übrigbleibenden) Lebenden vor den Verstorbenen in Abrede (Typ A). Dann bezieht sich die Sorge der Thessalonicher auf eine zwar schwerwiegende, aber doch vorübergehende Benachteiligung der Toten in der eschatologischen Zukunft: Die ‚in Christus Toten' (vgl. V. 16b) bleiben von den Freuden

[1] Zu οἱ λοιποί (vgl. 1 Thess 5,6) als Kennzeichnung der Heiden vgl. οἱ ἔξω 1 Thess 4,12 (vgl. 4,5); s. auch R. Bultmann, ThW Bd. II, 528f.

des durch die Parusie inaugurierten messianischen Zwischenreichs ausgeschlossen und werden erst am Ende dieser Zeitspanne auferweckt[2]. Oder man sieht in V. 15 einen absolut verstandenen Vorzug der übrigbleibenden Lebenden negiert (Typ B). In diesem Fall wäre das φθάσωμεν im Horizont eines Entweder-Oder zu interpretieren und in exkludierendem Sinn auf ein ‚(im Unterschied zu anderen) allein zum Ziel gelangen' festzulegen[3]. Dann gelten die Befürchtungen der Gemeinde in Thessalonich einer den Toten drohenden definitiven Heilsferne: Im Unterschied zu den bei der Parusie noch Lebenden bleibt den ‚in Christus Toten' das Heil überhaupt verschlossen.

Die *zuerst genannte* Lösung (A) vermag darum nicht zu überzeugen, weil die in jüdischer Eschatologie beheimatete Vorstellung vom messianischen Zwischenreich[4], die der paulinischen Theologie selbst inadäquat ist[5], in Thessalonich wohl kaum vorausgesetzt werden kann[6] und weil der Apostel schwerlich den (auf ‚verspäteter Auferstehung' beruhenden) „relativen Nachteil der bereits Verstorbenen als Grund einer Hoffnungslosigkeit hätte gelten lassen ..., die für ihn schlechthin heidnisch ist"[7]. Das letztere Argument diskreditiert auch die von H.-A.

[2] Vgl. die bei W. Schmithals, Paulus und die Gnostiker, S. 116 Anm. 131, Genannten; ferner W. Bornemann, a. a. O., S. 192f. 194f.; F. Tillmann, Die Wiederkunft Christi nach den paulinischen Briefen, S. 53; A. Schweitzer, Die Mystik des Apostels Paulus, S. 92ff.; P. Hoffmann, a. a. O., S. 232; A. L. Moore, 1 and 2 Thessalonians, S. 67.

[3] Zu diesem Verständnis des Verbs vgl. schon G. Lünemann, Kritisch exegetisches Handbuch über die Briefe an die Thessalonicher, MeyerK 10. Abt., 4. Aufl. 1878, S. 128; W. Lütgert, Die Vollkommenen im Philipperbrief und Die Enthusiasten in Thessalonich, S. 79f.; ferner F. Guntermann, Die Eschatologie des Hl. Paulus, S. 41f.; P. Nepper-Christensen, Das verborgene Herrnwort, StTh 19/1965, 144f.; auch W. Marxsen, ZThK 66/1969, 36; widersprüchlich E. v. Dobschütz, Die Thessalonicher-Briefe, MeyerK 10. Abt., 7. Aufl. 1909, S. 189 vgl. S. 193. — Das in „Zuvorkommen liegende komparativische Moment" (G. Fitzer, ThW Bd. IX, 90) — im profanen Griechisch oft durch ἤ oder πρὶν ἤ verstärkt (vgl. ebd.) — gewinnt im Bereich semitischer Sprache gern exkludierenden Sinn (vgl. J. Jeremias, Die Gleichnisse Jesu, 7. Aufl. 1965, S. 141).

[4] Zur Sache vgl. meine Dissertation ‚Verhängnis und Verheißung der Geschichte. Untersuchungen zum Zeit- und Geschichtsverständnis im 4. Buch Esra und in der syr. Baruchapokalypse', S. 118 (und ebd. Anm. 2), S. 259 (und ebd. Anm. 2), S. 261 (und ebd. Anm. 1).

[5] Vgl. H.-A. Wilcke, a. a. O., passim. Nach R. Bultmann setzt der paulinische Gedanke, daß die eschatologische Existenz der Gemeinde ‚zwischen den Zeiten' angesiedelt ist, die apokalyptischer Tradition entstammende Zwischenreichvorstellung voraus (vgl. GuV Bd. III, S. 35). Siehe dazu aber H.-A. Wilcke, a. a. O., S. 99 Anm. 468a.

[6] Vgl. U. Luz, a. a. O., S. 319 und ebd. Anm. 8; B. Henneken, Verkündigung und Prophetie im Ersten Thessalonicherbrief, S. 80.

[7] U. Luz, a. a. O., S. 319; vgl. auch W. Schmithals, Paulus und die Gnostiker, S. 117.

Wilcke bevorzugte Lösung, nach der „man sich in Thessalonich um die Toten in der Art sorgte, daß man sie von dem ‚großen Ereignis' der Parusie ausgeschlossen und dadurch benachteiligt sah, daß sie nicht in gleicher Weise und zu gleicher Zeit wie die Lebenden an der Ankunft ihres Herrn teilnehmen durften"[8].

Die *zweite* Hypothese (B) über die Motivation von 1 Thess 4, 13–18 scheint demgegenüber schon eher vertretbar. Sie beruht auf der Annahme, daß die Verzögerung der Parusie in Thessalonich Erwägungen über das Schicksal der Toten entstehen ließ. „Offenbar war für die Gemeinde das Erleben der Parusie Bedingung für die Teilnahme am Heil."[9] Die Erfahrung enttäuschter Naherwartung zwingt nun zu der Auffassung, „daß die inzwischen Verstorbenen an der Parusie und damit am kommenden Heil keinen Anteil haben werden"[10]. Die Thessalonicher „halten die Toten für verloren. Sodann müssen sie nun auch selbst befürchten, vor der Parusie zu sterben. Dann würden auch sie vom kommenden Heil ausgeschlossen sein"[11]. Doch erweist sich diese heute vielfach vertretene Deutung des Anlasses, der die paulinischen Ausführungen motiviert, bei näherem Zusehen als ebenso problematisch. Sie basiert nämlich auf der sehr fragwürdigen Prämisse, die Missionspredigt des Apostels in Thessalonich habe den Gesichtspunkt der eschatologischen Totenauferweckung nicht ausdrücklich oder jedenfalls nicht im Zusammenhang christologischer Aussagen thematisiert, sondern sich auf die Ankündigung der nahen Parusie des Kyrios beschränkt[12]. Daß eine derartige auf die Erwartung der Parusie konzentrierte christologische Formation in der urchristlichen Eschatologie

---

[8] A. a. O., S. 122. Ähnlich E. Haack, Eine exegetisch-dogmatische Studie zur Eschatologie über 1. Thessalonicher 4, 13–18, ZSTh 15/1938, 548.

[9] U. Luz, a. a. O., S. 320; vgl. auch W. Neil, St Paul's Epistles to the Thessalonians, S. 94f.; ferner E. Grässer, Das Problem der Parusieverzögerung in den synoptischen Evangelien und in der Apostelgeschichte, 2. Aufl. 1960, S. 135f.

[10] W. Marxsen, Die Auferstehung Jesu von Nazareth, S. 180; so auch U. Luz, a. a. O., S. 319f.

[11] W. Marxsen, ebd.; vgl. Ders., ZThK 66/1969, 26. 36. Zur Kritik der dabei vorausgesetzten Interpretation von V. 13 vgl. auch u. Anm. 39.

[12] So vor allem F. Guntermann, a. a. O., S. 42ff.; ferner M. Dibelius, An die Thessalonicher I. II (HNT 11, 3. Aufl. 1937), S. 23; A. Oepke, Die Briefe an die Thessalonicher (NTD 8), S. 170; neuerdings U. Wilckens, Der Ursprung der Überlieferung der Erscheinungen des Auferstandenen, in: Dogma und Denkstrukturen, S. 58f.; W. Marxsen, ZThK 66/1969, 26ff. (vgl. bes. 32); E. Brandenburger, Die Auferstehung der Glaubenden als historisches und theologisches Problem, WuD 9/1967, 19f. Bestritten wird diese Auffassung u. a. von E. v. Dobschütz, a. a. O., S. 189; H.-A. Wilcke, a. a. O., S. 119f.; W. Schmithals, Paulus und die Gnostiker, S. 117f.; U. Luz, a. a. O., S. 320f. Auch R. Bultmann betont, daß Paulus „dieses Stück seiner Predigt" (sc. die Auferstehung der Toten) „bei seiner Mission in Thessalonich nicht übergangen haben kann" (Theologie des Neuen Testaments, 5. Aufl. 1965, S. 80).

durchaus denkbar ist, soll nicht bestritten werden[13]. Fraglich erscheint hingegen, ob sie bei Paulus vorausgesetzt werden kann. Kerygmatisch geprägte Aussagen wie Röm 6,4.8; 8,11; 1Kor 6,14; 15,20 (vgl. 15, 12ff.) bekunden das paulinische Interesse an der christologisch begründeten Auferweckung der Glaubenden (vgl. auch Röm 8,29 in Verbindung mit Röm 8,11; Röm 14,8f.; Phil 3,10f.; 2Kor 4,14)[14]. Wer diese Aussagen einer erst sekundären, durch den Fortgang der Zeit und bestimmte Frontstellungen erzwungenen Entwicklungsphase der paulinischen Theologie zuordnet, bagatellisiert sie und verkennt ihre fundamentale Bedeutung für die paulinische Christologie[15]. Im übrigen ist gegenüber der gekennzeichneten exegetischen Position geltend zu machen, daß 1Thess 4,13ff. nicht den Eindruck einer ersten Information über die Anastasis der Toten hervorruft. Wie ein Vergleich mit Röm 11,25; 1Kor 10,1; 12,1 nahelegt, zielt die Einführungsformel οὐ θέλομεν δὲ ὑμᾶς ἀγνοεῖν keineswegs notwendig auf die Ankündigung eines den Adressaten bislang unbekannten Sachverhalts ab, sondern sie zeigt eher lediglich an, daß Paulus der folgenden Mitteilung ein besonderes Gewicht zumißt[16].

Der *dritte*, an Erwägungen W. LÜTGERTS[17] anknüpfende Versuch einer Deutung der Gemeindesituation (Typ C) findet sich bei W. SCHMITHALS[18]. Die von ihm vorgelegte Hypothese basiert auf der Erkenntnis, daß die V. 15–17 „nicht in der Situation in Thessalonich, sondern in der apokalyptischen Tradition verankert“ sind (vgl. 4Esr

[13] Vgl. die der Naherwartung Ausdruck gebenden Aussagen wie Mk 9,1; 13,30; Mt 10,23. Zur exegetischen Kontroverse um den Sinn dieser Stellen vgl. W. G. KÜMMEL, Verheißung und Erfüllung, 3. Aufl. 1956, S. 19ff. 53ff. 55ff.; DERS., Die Naherwartung in der Verkündung Jesu, in: Zeit und Geschichte, S. 37ff.; E. LINNEMANN, Gleichnisse Jesu, 5. Aufl. 1969, S. 139f.; zur Interpretation von Mk 9,1 vgl. G. BORNKAMM, Die Verzögerung der Parusie, in: Geschichte und Glaube, GA Bd. III/1, S. 46ff.; zu Mt 10,23 vgl. jetzt M. KÜNZI, Das Naherwartungslogion Matthäus 10,23, bes. S. 115ff. 164ff.; zum Verständnis von Mk 9,1 und 13,30 im Rahmen der theologischen Konzeption des Evangelisten vgl. R. PESCH, Naherwartungen, S. 181ff.

[14] Vgl. W. SCHMITHALS, Paulus und die Gnostiker, S. 117f.; H. SCHLIER, Auslegung des 1. Thessalonicherbriefes (4,13–5,11), BibLeb 4/1963, 21; U. LUZ, a.a.O., S. 320 (zur Position von LUZ s. auch u. S. 25).

[15] Gegen U. WILCKENS, in: Dogma und Denkstrukturen, S. 59ff. (vgl. S. 58f.); W. MARXSEN, ZThK 66/1969, 28f.; E. BRANDENBURGER, WuD 9/1967, 19f., und B. HENNEKEN, a.a.O., S. 76ff.

[16] Vgl. E. HAACK, ZSTh 15/1938, 549; A. L. MOORE, The Parousia in the New Testament, S. 108 Anm. 3; U. LUZ, a.a.O., S. 286 und ebd. Anm. 84; P. HOFFMANN, a.a.O., S. 208f. 212 — gegen F. GUNTERMANN, a.a.O., S. 44f.; H. SCHLIER, BibLeb 4/1963, 19f. Wirkliche Unkenntnis bei den Adressaten dürfte lediglich Röm 1,13 und 2Kor 1,8 vorausgesetzt sein. An beiden Stellen handelt es sich um persönliche Mitteilungen des Apostels.

[17] Vgl. die o. Anm. 3 genannte Untersuchung.

[18] Vgl. Paulus und die Gnostiker, S. 116–119.

5,41f.; sBar 30,1f.; 50,1ff.) und darum bei der Rekonstruktion des Anlasses von 1Thess 4,13ff. ausgeklammert bleiben müssen[19]. Nach SCHMITHALS wird aus V. 13f. „mit hinreichender Deutlichkeit ersichtlich, daß Paulus sich mit Bedenken der Thessalonicher wegen der Auferstehung als solcher, nicht wegen einer verspäteten Auferstehung befassen muß“[20]. Setzt man nun voraus, daß bereits die erste Missionspredigt des Apostels von der auch die Toten umgreifenden soteriologischen Bedeutung der Auferweckung Christi sprach, so erklärt sich die Beunruhigung der Gemeinde am ehesten daraus, daß ihr „die Lehre von der Auferstehung inzwischen zweifelhaft gemacht worden (ist)“[21]. SCHMITHALS führt die nach der Abreise des Apostels erfolgte Irreführung der Thessalonicher auf den Einfluß einer gnostischen Agitation „jüdischer oder judenchristlicher Observanz“[22] zurück (wie sie s.E. auch für 1/2Kor, Gal und Phil vorauszusetzen ist) — eine Vermutung, die er durch die im ganzen 1.Thessalonicherbrief nachweisbaren Sachparallelen speziell zur paulinischen Argumentation in 1/2Kor zu erhärten vermag[23]. Seine These lautet: „Innerhalb der Gemeinde konnte die Auferstehungsleugnung ... nur in Verbindung mit einer spiritualistischen Jenseitshoffnung auftreten, und das legt es nahe, W. Lütgert recht zu geben und auch hinter der Auferstehungsleugnung in Thessalonich jene gnostische Agitation zu erkennen, die uns vor allem aus 1.Kor. 15 bekannt ist, sich aber mit einiger Wahrscheinlichkeit auch für Philippi und Galatien erschließen läßt.“[24]

[19] Ebd., S. 117.

[20] Ebd.

[21] Ebd., S. 118. Ähnlich bereits W. HADORN, Die Abfassung der Thessalonicherbriefe in der Zeit der dritten Missionsreise des Paulus, S. 35: „Also muß etwas eingetreten sein, das die Thessalonicher in ihrem Auferstehungsglauben unsicher gemacht hat“ (im Original hervorgehoben). Verfehlt erscheint allerdings die mit dieser Erwägung verbundene Behauptung HADORNS, der Grund der Irreführung der Gemeinde sei „in einer Parusieerwartung zu suchen ..., die sich mit dem Auferstehungsglauben nicht vertrug“ (ebd., im Original hervorgehoben). „Es war ein *diesseitiger Parusieglaube,* der ohne Auferstehung auskam“ (a.a.O., S. 51).

[22] Ebd., S. 127 (vgl. S. 109f. 112. 115).

[23] Die Ausführungen von SCHMITHALS zu 1Thess 4,13ff. (vgl. a.a.O., S. 116ff.) wollen im Rahmen seiner Gesamtinterpretation von 1Thess verstanden und beurteilt sein. Die Stringenz seiner Beweisführung beruht auf einer Fülle von Einzelbeobachtungen zum Briefganzen, die eine in sich geschlossene Sicht der Gemeindesituation eröffnen. Zu verweisen ist insbesondere auf seine Analyse von 1Thess 2,3–12 (a.a.O., S. 103–112), aber auch auf seine Interpretation von 1Thess 4,3–8. 9–12 (a.a.O., S. 113–116) und von 1Thess 5,14–18. 19–22 (a.a.O., S. 122–126); zu 1Thess 5,1ff. s.u. S. 80ff. Wer gegen SCHMITHALS die Annahme einer gnostischen Front in Thessalonich im Blick auf 1Thess 4,13ff. grundsätzlich bestreitet, hat dies ihm gegenüber hinsichtlich des ganzen Briefes *nachzuweisen* (gegen O. MERK, Handeln aus Glauben, S. 54 Anm. 76).

[24] A.a.O., S. 118f.; vgl. W. LÜTGERT, a.a.O., S. 80f.

Auch diese Deutung der Motivation von 1Thess 4,13ff. ist eine Arbeitshypothese, „deren Brauchbarkeit die Exegese dadurch erweisen muß, daß sie möglichst viele Phänomene mit ihrer Hilfe verständlich macht“[25]. Es hat allerdings den Anschein, als ließe sich das Verhältnis von Situation und Text an Hand dieser Hypothese tatsächlich einsichtig machen, wenn man die Überlegungen von SCHMITHALS ergänzt und im einzelnen modifiziert. Zunächst ist festzustellen, daß die Aussage V. 13b keineswegs ohne weiteres den Schluß erlaubt, in Thessalonich habe „hoffnungslose Trauer“[26] geherrscht. Der Finalsatz spiegelt kaum die bereits eingetretene Verfassung der Gemeinde wider, sondern er sucht den Konsequenzen zu begegnen, die ein bestimmtes, sich den Thessalonichern aufdrängendes Denken *nach paulinischer Überzeugung* notwendig zeitigen muß. Der Apostel *unterstellt* der Gemeinde, daß sie unweigerlich einer auf Hoffnungslosigkeit beruhenden ‚Trauer‘[27] anheimfällt, sofern sie jenem Denken nachgibt[28].

[25] E. GÜTTGEMANNS, Der leidende Apostel und sein Herr, S. 64 (zu SCHMITHALS’ Darstellung der Lehrdifferenz zwischen Paulus und den Enthusiasten in Korinth). Vgl. in diesem Zusammenhang auch die Thesen zur Methode der Gnosisforschung im Arbeitsbericht über SNTS-Frankfurt (Arbeitsgruppe ‚Gnosis und Neues Testament‘) von W. SCHMITHALS, Das Verhältnis von Gnosis und Neuem Testament als methodisches Problem, NTS XVI/1969–70, 378ff., bes. 379f.: „Die Entscheidung über das Verhältnis von Gnosis und Neuem Testament muß . . . in der Exegese selbst fallen; einziges Kriterium ist dabei die Frage, unter welcher Verhältnisbestimmung sich die Texte am besten erklären lassen. Es ergibt sich deshalb allererst im hermeneutischen Zirkel, ob eine Gnosis für die Erklärung bestimmter Partien des Neuen Testaments vorausgesetzt werden muß oder nicht. In diesem Zirkel ist es möglich und methodisch angemessen, daß wir die Gnosis, die wir für die Auslegung einzelner neutestamentlicher Schriften *vorauszusetzen* haben, gegebenenfalls erst in der Exegese selbst kennen lernen“ (ebd., 379). „Angesichts der Tatsache, daß wir über die Gnosis nur sehr lückenhaft und über die Gnosis zur Zeit des Neuen Testaments überhaupt nur indirekt informiert sind, müssen wir die im Hintergrund des Neuen Testaments stehende Gnosis aus den neutestamentlichen Schriften selbst rekonstruieren, sofern die Anwendung dieses hermeneutischen Zirkels die Erklärung des Neuen Testaments fördert, wie denn auch umgekehrt die Gnosis als Entartungserscheinung des Christentums beschrieben werden muß, sofern dadurch die neutestamentlichen Texte am meisten sachgemäß zur Sprache kommen“ (ebd., 380).

[26] So z.B. U. LUZ, a.a.O., S. 319, der damit die gängige Meinung zum Ausdruck bringt; vgl. W. MARXSEN, ZThK 66/1969, 32: „Die Thessalonicher zeigen in ihrer λύπη und durch ihre λύπη, daß es ihrer πίστις an einer *wirklichen* ἐλπίς mangelt.“

[27] Das Verb (λυπῆσθε) ist hier in umfassendem Sinn verwendet (so zuletzt P. HOFFMANN, a.a.O., S. 210f.). Gemeint ist eine Grundbefindlichkeit der Existenz, die sich z.B. als Folge heidnischer Hoffnungslosigkeit (nach paulinischer Ansicht) notwendig einstellt. Zur Sache vgl. auch B. RIGAUX, a.a.O., S. 533.

[28] Paulus bedenkt die Situation seiner Opponenten häufig mit Unterstellungen. Was sich zunächst als objektives Referat der gegnerischen Position aus-

Dieses Verständnis von V. 13b entkräftet die gegen W. SCHMITHALS gerichtete Argumentation von U. LUZ[29]. Daß Paulus nach 1 Thess 4,13ff. „für die Thessalonicher gerade Hoffnungslosigkeit, aber nicht enthusiastisches Vorwegnehmen der Auferstehung und spiritualistische Skepsis annimmt"[30], ist eine These von LUZ, die sich dem ἵνα-Satz eben nicht ohne weiteres entnehmen läßt[31]. Im übrigen basiert der von LUZ indirekt geltend gemachte Einwand, Paulus hätte bei ähnlich gearteter Frontstellung wie in 1Kor 15 den Thessalonichern gegenüber anders argumentieren müssen[32], auf einer petitio principii[33]. Die von LUZ selbst vertretene Deutung der Motivation von 1Thess 4,13ff. ist dadurch belastet, daß sie *den mangelnden Bezug* vorhandener *Vorstellungen* (Parusieerwartung – Erwartung der Totenauferstehung) als *Grund* einer negativen Existenz*einstellung* (hoffnungslose Trauer) namhaft macht und somit lediglich doxographisch erklärt, was existential zu interpretieren wäre: „Der Gemeinde in Thessalonich sind vermutlich sowohl die Parusieerwartung als auch die künftige Auferstehung der Gläubigen bekannte Vorstellungen. Dennoch stürzte sie der Tod einiger Gemeindeglieder in tiefe Hoffnungslosigkeit. *M.E. zeigt dieser Befund, daß die Thessalonicher nicht systematisch-apokalyptisch dachten.*"[34] „Hätten die Thessalonicher die aus dem Kerygma sich ergebende Gewißheit einer künftigen Auferstehung der Gläubigen systematisch mit der Parusieerwartung in Zusammenhang gebracht und beides, Parusieerwartung und Gewißheit der zukünftigen Auferstehung, in einem apokalyptischen System aufeinander bezogen, so hätten sie über den Tod ihrer Gemeindeglieder nicht zu verzweifeln brauchen."[35]

Versteht man V. 13b somit als selbständige paulinische Formulierung[36], bleibt zu fragen, worauf sie Bezug nimmt. Der Thema-

---

nimmt, erscheint bei näherem Zusehen als kritische Stellungnahme. „Bei Rekonstruktionen ist daher Zurückhaltung am Platze" (N. SCHNEIDER, Die rhetorische Eigenart der paulinischen Antithese, S. 87). Als Beispiel sei nur Phil 3, 19 fin. genannt: "The last phrase of the sentence III. 19, οἱ τὰ ἐπίγεια φρονοῦντες, can by no means be understood as a description of the opponents ... When Paul ... calls the basis of the attitude of his opponents τὰ ἐπίγεια φρονεῖν, he is hurling at them the judgement that they are concerned with values which pass away, having neither divine origin nor eternal quality. Consequently, this brief phrase is *a value judgement* and, on the side of the opponents, presupposes high religious claims rather than immoral behaviour" (H. KOESTER, The Purpose of the Polemic of a Pauline Fragment, NTS VIII/1961–62, 328 — Hervorhebung von mir). "... it seems quite probable that Paul's οἱ τὰ ἐπίγεια φρονοῦντες (Phil. III. 19) *contorts* a slogan of his opponents τὰ ἄνω (or τὰ ἐπουράνια) φρονεῖτε" (ebd., 329 — Hervorhebung von mir).

[29] Vgl. U. LUZ, a.a.O., S. 321 Anm. 14.

[30] Ebd.

[31] Vgl. auch W. SCHMITHALS, Paulus und die Gnostiker, S. 118 Anm. 142.

[32] A.a.O., S. 320f.; so auch W. MARXSEN, ZThK 66/1969, 31f.

[33] Zur Auseinandersetzung mit LUZ s. auch u. S. 30 Anm. 4.

[34] A.a.O., S. 321.

[35] Ebd., S. 321f.

[36] Bei dieser Auslegung von V. 13b verstärken sich die Zweifel gegenüber der Annahme, Paulus sei durch eine schriftliche Gemeindeanfrage zu der Fixierung des in 1Thess 4,13ff. Gesagten veranlaßt worden (so z.B. E. FUCHS, GA Bd. III, S. 119; vgl. dagegen E. v. DOBSCHÜTZ, a.a.O., S. 184. 186; W. G. KÜMMEL, GA 1933–1964, S. 413f. 414 Anm. 34; H.-A. WILCKE, a.a.O., S. 114). Wahr-

angabe περὶ τῶν κοιμωμένων (V. 13a) ist zu entnehmen, daß die Streitfrage, die 1Thess 4,13ff. vorausliegt, das Schicksal der Toten betrifft[37]. Es erscheint indessen als unzureichend, Todes*fälle* für das Aufkommen der die Kontroverse bestimmenden Streitfrage verantwortlich zu machen[38]. Die Aktualität des Problems, dem die paulinischen Ausführungen gelten, beruht kaum oder jedenfalls nicht allein auf dem Eintreten von Todes*fällen*, sondern auf einem in Thessalonich propagierten neuartigen *Verständnis* derartiger Vorkommnisse, das in einer bislang unbekannten *Einstellung* gegenüber den Toten[39] überhaupt gründet[40]. Will man die Tendenz dieser Einstellung inhaltlich charakterisieren, wird man sich — anders als SCHMITHALS — auch an den V. 15–17 zu orientieren haben. Selbst wenn diese Verse „in der apokalyptischen Tradition" verankert sein sollten — wie SCHMITHALS annimmt[41] —, ist ja nicht auszuschließen, daß einige der dort begegnenden Aussagen gleichwohl einen Einblick in die Situation in Thessalonich gewähren. Denn auch das, was Paulus in den V. 15–17 vorbringt, will ja als ein Wort zur Sache verstanden sein. Es ist also zu erwarten, daß sich innerhalb dieses Abschnitts ein Ort ausfindig machen läßt, an dem die in Frage stehende These und die paulinische Stellungnahme aufeinandertreffen. In der Tat dürfte V. 15b als ein derartiger Schnittpunkt anzusehen sein. Man hat bereits früher vermutet, daß das „im gesamten Neuen Testament nur hier in der Be-

scheinlicher ist, daß der Apostel durch bestimmte (von Timotheus überbrachte?) Nachrichten aus Thessalonich zu einer eigenständigen Stellungnahme provoziert wurde. Wenn es zutrifft, daß sich diese Stellungnahme bereits in V. 13b *warnend* zu Gehör bringt, erscheint es als abwegig, die Zielsetzung von 1Thess 4, 13–17(18) im *Trost* der Gemeinde zu erblicken. Gehört V. 18 zum ursprünglichen Text, wird man den dort begegnenden Imperativ vielmehr als Aufruf zur gegenseitigen *Ermahnung* zu verstehen haben (zu diesem Sinn von παρακαλεῖν vgl. auch 1Thess 2,12; 3,2; 4,1.10; 5,11.14) — gegen C. J. BJERKELUND, Parakalô, S. 92.

[37] Zum Verständnis der in unserem Text (V. 13f.) begegnenden Partizipien von κοιμᾶσθαι und deren Anwendung auf verstorbene Christen (vgl. V. 16) s. H.-A. WILCKE, a.a.O., S. 114f.

[38] So neuerdings wieder U. LUZ, a.a.O., S. 319. 322.

[39] Die Themaangabe faßt keineswegs die in Zukunft Sterbenden (so K.-G. ECKART, ZThK 58/1961, 37f. 38 Anm. 1. 42), sondern die Toten in den Blick (mit H.-A. WILCKE, a.a.O., S. 114). Dies gilt auch gegenüber W. MARXSEN, ZThK 66/1969, 26f., der beide Möglichkeiten miteinander zu vereinbaren sucht.

[40] Vgl. W. HADORN, a.a.O., S. 50: „Die Ausführungen des Apostels über die Verstorbenen in der Gemeinde sind ... nicht durch das Vorkommen von Todesfällen veranlaßt worden, sondern durch eine Lehre, welche die Thessalonicher ihrer Hoffnung für die Toten beraubte." Zu der (m.E. nicht überzeugenden) Bestimmung dieser ‚Lehre' durch HADORN s. o. Anm. 21.

[41] Paulus und die Gnostiker, S. 117; vgl. DERS., Rezension von P. Hoffmann, Die Toten in Christus, in: ThLZ 93/1968, 915. — Zur genaueren traditionsgeschichtlichen Analyse von V. 15–17 s. u. S. 39ff.

deutung von praevenire" vorkommende φθάσωμεν „vielleicht von Paulus aus dem Munde der Thessalonicher übernommen wurde"[42]. Wenn dies zutrifft, entspringt die Verstärkung der Negation (οὐ μή)[43] einem polemischen Interesse: Der Apostel bestreitet mit Nachdruck eine von anderer Seite vertretene These[44].

Sollte sich diese These aus V. 15b erschließen lassen? Auffällig ist eine gewisse Unausgewogenheit der Formulierung. Stilistisch gesehen wirkt der Anfang des ὅτι-Satzes (ἡμεῖς ... τοῦ κυρίου) überladen (zu beachten ist die Konkurrenz der beiden Partizipien). Die traditionelle, apokalyptisch vorgeprägte Unterscheidung zwischen Übrigbleibenden und Toten[45] wird durch die Einfügung des an sich nicht notwendigen οἱ ζῶντες vor οἱ περιλειπόμενοι eigentümlich modifiziert. Paulus scheint daran zu liegen, den Toten die Übrigbleibenden *als* (ἡμεῖς) οἱ ζῶντες gegenüberzustellen[46]. Diese Beobachtung legt die Vermutung nahe, daß es sich bei dem eigentlichen Thema der Kontroverse generell um *das Verhältnis der Lebenden zu den Toten* handelt (vgl. 1Thess 5, 10!). Wenn φθάνειν nun an dieser Stelle in dem oben genannten exkludierenden Sinn gebraucht ist[47], *könnte die von Paulus bestrittene These einen absoluten Vorrang der Lebenden gegenüber den Toten geltend gemacht haben*: Nur die Lebenden haben Anteil am Heil, die Toten hin-

---

[42] H.-A. Wilcke, a.a.O., S. 122 (allerdings mit anderer Schlußfolgerung im Blick auf die Erhellung der Gemeindesituation); vgl. schon F. Tillmann, a.a.O., S. 52. Zum Gebrauch des Verbs im Sinne von ‚praevenire' vgl. Liddell-Scott, 1926 s.v.; Bauer, WB (5. Aufl. 1963), 1964 s.v.

[43] Vgl. Bl-Debr, § 365 (S. 221: οὐ μή mit Konj. Aor. oder Ind. Fut. „ist die bestimmteste Form der verneinenden Aussage über Zukünftiges").

[44] Wir verstehen V. 15 als paulinische Vorausapplikation der in V. 16f. angeführten Tradition (dazu ausführlich u. S. 39ff.).

[45] Vgl. den vielleicht aus einem apokalyptischen Makarismus gebildeten Satz 4Esr 13,24 (Lat): Scito ergo, quoniam magis beatificati sunt, qui *derelicti* sunt, super eos, qui *mortui* sunt! (Text nach B. Violet, Die Esra-Apokalypse, 380). Zur Restvorstellung in 4Esr und sBar vgl. W. Harnisch, a.a.O., S. 231 Anm. 5.

[46] Dieser Sachverhalt wird weithin übersehen. Charakteristisch ist die Feststellung von W. Marxsen: „Es werden doch in unserem Abschnitt die Toten und die Übrigbleibenden einander gegenübergestellt" (ZThK 66/1969, 26; vgl. G. Fitzer, ThW Bd. IX, 91). — Zur Beurteilung des Verhältnisses von Tradition und Redaktion in V. 15–17 sowie zur Bestimmung der die Aussagen dieses Abschnitts leitenden *paulinischen* Intention s. ausführlich u. S. 39ff.

[47] Siehe o. S. 20 und die Anm. 3 genannten Vertreter dieser Auffassung, die m.E. aus sachlichen Gründen vorzuziehen ist; gegen W. Schmithals, Paulus und die Gnostiker, S. 117: „... denn das οὐ μὴ φθάσωμεν kann nicht heißen: Nur wir Lebenden werden zum Ziel kommen, sondern heißt: Wir Lebenden werden nicht vor den anderen zum Ziel kommen." — Die Formulierung ist allerdings logisch inkorrekt. Was gemeint ist, wird deutlich, wenn man das οὐ μή am Anfang sowie die Negation im letzten Satz streicht.

gegen bleiben endgültig dem Bereich der Heilsferne ausgesetzt (vgl. 1Kor 15,18)[48].

Daß eine derartige Behauptung gut zu gnostischer Denkweise paßt, wird aus folgender Überlegung ersichtlich. Wie E. GÜTTGEMANNS in seiner Analyse von 1Kor 15 wahrscheinlich gemacht hat, lehren die Enthusiasten in Korinth, „die ἀνάστασις sei schon geschehen, und zwar die universale ἀνάστασις der mit dem Erlöser identischen Gnostiker“[49]. Man behauptet also die im Aufstieg des Pneuma-Christus einbeschlossene Heilsvollendung der Lebenden, und zwar der lebenden Pneumatiker: ἀνάστασιν ἤδη γεγονέναι (2Tim 2,18)[50]. Dem entspricht als Antithese der 1Kor 15,12 zitierte Satz ἀνάστασις νεκρῶν οὐκ ἔστιν. Die Gültigkeit dieser Aussage beruht auf der gnostischen Entgegensetzung von Pneuma und Sarx. Wie der gekreuzigte Jesus (im Unterschied zum Pneuma-Christus) als ein der Sphäre der Sarx anheimfallender Toter am Geschehen der Anastasis unbeteiligt ist, so bleiben alle Toten — eben weil sie *als* Tote der Sphäre der Sarx angehören — (im Unterschied zu den lebenden Gnostikern) von der Anastasis und somit vom Heil ausgeschlossen[51]. Mit der gebotenen Zurückhaltung

[48] Um Mißverständnisse auszuschließen, ist ausdrücklich hervorzuheben, daß nach der oben ausgesprochenen Vermutung in V. 15b die paulinische Stellungnahme und die in Thessalonich umlaufende These *aufeinandertreffen*. Es soll demnach nicht behauptet werden, daß die Formulierung von V. 15b nach Abzug der Negation die gegnerische These repräsentiere. Im Unterschied zur paulinischen ‚negatio‘ (οὐ μὴ φθάσωμεν — s. o. Anm. 43) dürfte die aus V. 15b zu erschließende ‚affirmatio‘ nicht auf die Zukunft, sondern auf die Gegenwart bezogen gewesen sein (φθάνομεν — oder Aor.: ἐφθάσαμεν?). Sie wird ferner die Toten wohl nicht den bis zur Parusie des Herrn übrigbleibenden Lebenden, sondern einfach den Lebenden (= den lebenden Pneumatikern) gegenübergestellt haben. Vielleicht lautete die gnostische These auch einfach: ἡμεῖς ἐφθάσαμεν τοὺς κοιμηθέντας.

[49] A.a.O., S. 71 (vgl. ebd., S. 56–94).

[50] Vgl. J. SCHNIEWIND, Die Leugner der Auferstehung in Korinth, in: Nachgelassene Reden und Aufsätze, S. 113ff.; J.M. ROBINSON, ZThK 62/1965, 305; G. BARTH, Erwägungen zu 1. Korinther 15,20–28, EvTh 30/1970, 516f. Siehe ferner E. GÜTTGEMANNS, a.a.O., S. 67ff.; vgl. ebd., S. 67–70, den Nachweis, daß der Terminus ἀνάστασις auch in der Gnosis Verwendung fand. In diesem Sachzusammenhang ist ergänzend auf die Selbstprädikation des Offenbarers in Joh 11,25 hinzuweisen, die R. BULTMANN (Das Evangelium des Johannes, MeyerK 2.Abt., 14. Aufl. 1956, S. 307) der gnostisch geprägten Redenquelle zuweist (vgl. H. ODEBERG, The Fourth Gospel, S. 334; anders H. BECKER, Die Reden des Johannesevangeliums und der Stil der gnostischen Offenbarungsrede, S. 90, der den Terminus ἀνάστασις der Vorlage abspricht).

[51] Vgl. zu diesem Sachkomplex die (den „Gegensatz zwischen korinthischer und paulinischer *Eschatologie*“ als „Konsequenz der christologischen Lehrdifferenz“ interpretierenden) Darlegungen E. GÜTTGEMANNS’, a.a.O., S. 62ff. (das Zitat findet sich ebd., S. 66f.); bes. S. 65 Anm. 67: „Die Kreuzigung ist für die Korinther noch nicht einmal ‚Durchgangsstadium‘, denn damit wäre die Identität des gekreuzigten Jesus mit dem Pneuma-Christus noch nicht wirklich

wird man vermuten dürfen, daß die in Thessalonich allem Anschein nach behauptete radikale Differenz zwischen den Toten und den Lebenden (vgl. 1Thess 4,15b) einer ganz ähnlich gearteten Denkweise entspringt, wie sie in 1Kor durchscheint[52].

2. *Die Auslegung des Glaubensbekenntnisses (V.14)*

Wie begegnet Paulus der in Thessalonich propagierten neuartigen Einstellung zu den Toten? Um diese Frage zu beantworten, haben wir uns insonderheit an V. 14 zu orientieren; denn auf dem dort Gesagten ruht, wie noch zu zeigen sein wird, das Schwergewicht der paulinischen Darlegung. Allerdings bleibt zu beachten, daß bereits V. 13b ein Moment der Kritik enthält, wenn unsere Interpretation zutrifft[1]. Der Apostel macht warnend auf die Fatalitäten aufmerksam, die ein Leiden und Tod, ja sogar die Toten ausklammerndes Denken[2] involviert, und er will die Adressaten seines Briefes vor eben diesen, ihnen selbst offenbar verdeckten Fatalitäten bewahren (ἵνα μὴ λυπῆσθε . . .). Wer wie der Gnostiker meint, sich auf Grund der im Erkenntnisakt erreichten radikalen Entweltlichung vom Schicksal der Toten dispensieren zu können, verschleiert sich nach paulinischer Auffassung seine wahre Lage[3] — er überspringt seine faktische Existenz. Paulus kritisiert die

zerbrochen. Vielmehr ist die Kreuzigung zusammen mit dem irdischen Jesus zur sarkischen Vergangenheit degradiert, die der Gnostiker hinter sich gelassen hat. Der irdische Jesus ist am Kreuz wirklich *gestorben* und so radikal ad acta gelegt, daß keinerlei Kontinuität zum Pneuma-Christus mehr besteht. Der irdische Jesus ist also ein *Toter*. Dann ist aber zu vermuten, daß der Satz ἀνάστασις νεκρῶν οὐκ ἔστιν (V. 12b) nicht nur allgemein die *Möglichkeit* der Auferstehung Toter bestreitet, . . . sondern ganz pointiert christologisch gemeint ist: Der irdische Jesus ist ein *Toter*, der gerade beim Geschehen der ἀνάστασις *tot* geblieben ist. Weil die ἀνάστασις nur die *Lebenden*, d.h. die Gnostiker betrifft, der irdische Jesus aber ein *Toter* ist, kann er nicht auferstanden sein." Bestritten wird also „die Auferstehung *Toter*, weil die schon geschehene universale Auferstehung *Lebender* behauptet wird" (vgl. ebd., S. 67f., S. 73 Anm. 111, S. 75f., S. 75 Anm. 121).

[52] Vgl. W. Lütgert, a.a.O., S. 80f.; K. Stürmer, Auferstehung und Erwählung, S. 48f. Die oben vorgebrachten Erwägungen zu 1Thess 4,15 sprechen dafür, daß Paulus auch an dieser Stelle (wie in 1Kor 15) eine bestimmte These der gegnerischen Front vor Augen hat. Allerdings richten sich seine Ausführungen weniger gegen die Vertreter dieser These selbst als vielmehr „gegen die Auswirkungen ihrer Agitation innerhalb der Gemeinde", wie W. Schmithals (Paulus und die Gnostiker, S. 125) zu Recht bemerkt.

[1] Vgl. den o. unternommenen Versuch, V. 13b als selbständige paulinische Formulierung zu verstehen.

[2] Vgl. G. Schunack, a.a.O., S. 248. Dort ist von „dem gnostischen, die von Leiden und Tod bestimmte Wirklichkeit überspringenden Denken" die Rede.

[3] Vgl. H. Jonas, Gnosis und spätantiker Geist, Teil II/1, S. 47. 91; ferner die Ausführungen von A. Schlatter (Paulus. Der Bote Jesu, S. 429) zu 1Kor 15,

in Thessalonich umlaufende These also schon durch die in V. 13b enthaltene Behauptung, daß überall da, wo man sich dazu legitimiert weiß, die Toten preiszugeben, tatsächlich eine in absoluter Hoffnungslosigkeit wurzelnde, mithin verzweifelte Trauer vorherrscht[4].

Daß ein derartiges, an der ‚faktischen Lebenserfahrung'[5] orientiertes Urteil paulinischem Denken durchaus entspricht, zeigt ein Blick auf 1Kor 15,19: εἰ ἐν τῇ ζωῇ ταύτῃ ἐν Χριστῷ ἠλπικότες ἐσμὲν μόνον, ἐλεεινότεροι πάντων ἀνθρώπων ἐσμέν. Paulus beschließt mit diesem Satz die an die Adresse der Gnostiker in Korinth gerichtete Argumentation von 1Kor 15,12ff. Gegenüber einem Denken, welches die ἀνάστασις den Lebenden, und zwar den lebenden Pneumatikern, vorbehält, stellt er lapidar fest: ‚Wenn wir als solche, die vom ἐν Χριστῷ bestimmt sind[6], nur in diesem Leben Hoffnung haben[7], sind wir bedauernswerter als alle

32–34, die den Begriff der ‚Lage' in ähnlicher Weise als Ausdruck der faktischen Existenzsituation in Anspruch nehmen: „Wenn sich die Korinther stellen, der Tod könne sie nicht treffen, so leben sie in einem Rausch, mit dem sie sich ihre Lage verdecken. Der Ruf, der sie zum Christus brachte, hob sie nicht aus der Natur heraus und machte sie für die Welt nicht unangreifbar. Es gibt keine Lage, die ihnen den Besitz des Lebens verbürgte. Erwachen sie aus ihrem Träumen und Schwärmen, dann weichen sie der Erinnerung an den Tod nicht aus, sondern gewinnen, wie Paulus, jene Haltung, die zu sterben vermag, weil sie des Lebens gewiß ist." Vgl. auch E. GÜTTGEMANNS, a.a.O., S. 76 Anm. 124.

[4] Orientiert man die Interpretation am Leitfaden der modernen Unterscheidung von Selbstbewußtsein und Selbstverständnis, so läßt sich die Differenz zwischen gnostischer Position und paulinischer Einstellung auch folgendermaßen verdeutlichen: Die Behauptung der Verlorenheit der Toten, welche im Horizont des (gnostischen) Selbst*bewußtseins* als Ausdruck der Weltüberlegenheit, der Freiheit von der σάρξ, zu gelten vermag, erscheint auf der (von Paulus beanspruchten) Ebene des Selbst*verständnisses*, dem sich die faktische Situation der Existenz erschließt, gerade als Ausdruck einer verzweifelten Trauer (zur Differenz von Selbstbewußtsein und Selbstverständnis und deren Relevanz für die neutestamentliche Exegese vgl. E. FUCHS, Marburger Hermeneutik, S. 15. 20. 41ff.; vgl. DERS., Zur Frage nach dem historischen Jesus. Ein Nachwort, in: GA Bd. III, S. 9f.).

[5] Dieser Ausdruck wird hier in Anlehnung an O. PÖGGELER, Der Denkweg Martin Heideggers, S. 27. 36ff., verwendet (vgl. insbesondere den Abschnitt über ‚Die faktische Lebenserfahrung im christlichen Glauben', ebd., S. 36–45).

[6] Zu diesem Verständnis des Textes vgl. F. NEUGEBAUER, In Christus, S. 101. Der üblichen, ἐν Χριστῷ auf ἠλπικότες beziehenden Auslegung (‚Hoffnung auf Christus') hat zuletzt wieder H. CONZELMANN, Der erste Brief an die Korinther, MeyerK 5. Abt., 11. Aufl. 1969, S. 311, den Vorzug gegeben.

[7] Μόνον ist trotz der von H.-A. WILCKE (a.a.O., S. 57f.) und U. LUZ (a.a.O., S. 336 und ebd. Anm. 72) im Anschluß an J. WEISS (Der erste Korintherbrief, MeyerK 5. Abt., 10. Aufl. 1925, S. 355) erhobenen Bedenken zu ἐν τῇ ζωῇ ταύτῃ zu ziehen. Der von J. WEISS, WILCKE und LUZ bevorzugten Deutung, nach der μόνον mit ἠλπικότες zu verbinden ist, widerspricht sowohl „der Duktus der Stelle als der paulinische Sprachgebrauch von ἐλπίς/ἐλπίζειν", wie H. CONZELMANN (a.a.O., S. 315) zu Recht konstatiert: „ἐλπίς ist für Paulus ein *positiver* Begriff" (ebd., S. 316; vgl. R. BULTMANN, Adam und Christus nach Römer 5, in: Exegetica, S. 426 — zu Röm 5,2). Dieselbe Auffassung vertreten u.a. F. NEUGEBAUER (a.a.O., S. 101: „Wenn wir in dem Umstand, daß Christus auferstanden

Menschen'. Das im Stil rhetorischer Redeweise formulierte Urteil[8] (ἐλεεινότεροι πάντων ἀνθρώπων ἐσμέν) betrifft jene, die die Toten verloren geben und das Heil ausschließlich denen reservieren, welche als radikal entweltlichte Personen noch an ‚diesem Leben' teilhaben. E. GÜTTGEMANNS hat die paulinische Intention präzise erfaßt, wenn er (zu 1Kor 15,18f.) schreibt: „*Wenn* es sich bei der ἀνάστασις nur um die universale Himmelfahrt der jetzt noch lebenden Pneumatiker handelt, *dann* sind die schon verstorbenen Christen nicht vom Heilsgeschehen betroffen, weil sie nicht mehr vom ἐν Χριστῷ umschlossen sind (V. 18). Am ἐν Χριστῷ wären nur noch die Lebenden beteiligt (V. 19a). *Dann* hätte der Erlöser allenfalls für die noch Lebenden eine Bedeutung, umschlösse aber nicht mehr die Toten. *Wenn* aber unsere Hoffnung nicht mehr die Toten umschließt, *dann* sind wir die armseligsten aller Menschen (V. 19)."[9] Das Urteil, das der zuletzt genannte Satz geltend macht, kann ebenfalls als die sachliche Prämisse von 1Thess 4,13b vorausgesetzt werden.

Was Paulus *positiv* zu sagen hat, entfaltet er in V. 14: εἰ γὰρ πιστεύομεν ὅτι Ἰησοῦς ἀπέθανεν καὶ ἀνέστη, οὕτως καὶ ὁ θεὸς τοὺς κοιμηθέντας διὰ τοῦ Ἰησοῦ ἄξει σὺν αὐτῷ. Die Konstruktion dieses Satzes hat der Exegese schon immer zu denken gegeben. Es fällt auf, daß die naheliegende Verbindung καθώς (καθάπερ/ὥσπερ) — οὕτως an dieser Stelle vermieden ist. Der Vers bringt nicht einfach den Gedanken der Schicksalsgleichheit von Christus und den Christen zum Ausdruck[10]. In diesem Fall wäre im Vordersatz καθὼς Ἰησοῦς . . ., im Nachsatz οὕτως καὶ ἡμεῖς . . . (vgl. Röm 6,4) oder οὕτως καὶ οἱ κοιμηθέντες . . .[11] zu erwarten. Paulus verzichtet offenbar aus sachlichen Gründen auf eine stilistisch abgewogene, im strengen parallelismus membrorum formulierte Aussage[12]. Ihm liegt zunächst daran, das auch für die Thessalonicher entscheidende Geschehen von Christi Tod und Auferstehung als ein *kerygmatisches* Ereignis geltend zu machen (vgl. 1Kor 15,12[13]), dem der *Glaube* (als Hören, vgl. Gal 3,2) entspricht. So erklärt sich die umständliche Konstruktion des Satzanfangs: εἰ γὰρ πιστεύομεν ὅτι . . . Um die Ge-

ist und lebt, unsere Hoffnung doch nur in diesem Leben haben, dann sind wir wirklich bemitleidenswerter als alle Menschen") sowie E. GÜTTGEMANNS (a.a.O., S. 76 und ebd. Anm. 123).

8 Vgl. H. CONZELMANN, a.a.O., S. 316.

9 A.a.O., S. 76.

10 Dies hat H.-A. WILCKE (a.a.O., S. 125) zu Recht gegenüber M. DIBELIUS (vgl. a.a.O., S. 24f.) hervorgehoben; vgl. schon W. BORNEMANN, a.a.O., S. 198ff., und neuerdings W. MARXSEN, ZThK 66/1969, 33, sowie A. L. MOORE, 1 and 2 Thessalonians, S. 68.

11 So H. LÖWE, Christus und die Christen (Diss. theol. Heidelberg 1965, Typoskript), S. 97, mit Verweis auf 2Kor 4,14.

12 Vgl. P. HOFFMANN, a.a.O., S. 214. Er weist (ebd.) innerhalb einer Erörterung der Zuordnung von διὰ τοῦ Ἰησοῦ (1Thess 4,14b) darauf hin, „daß Paulus hier aus sachlichen Gründen den beabsichtigten Gedankengang aufgegeben hat, daß also die Konstruktion bereits gestört ist".

13 Vgl. E. GÜTTGEMANNS (a.a.O., S. 74), der auf die „merkwürdige Satzkonstruktion" in 1Kor 15,12 aufmerksam macht und feststellt: „Es könnte doch einfach heißen: εἰ δὲ Χριστὸς ἐκ νεκρῶν ἐγήγερται."

meinde vor der ihr drohenden Gefahr zu bewahren (γάρ weist auf V. 13b zurück), rekurriert der Apostel nicht einfach auf das ‚historische Faktum' der Auferweckung Christi, sondern er behaftet die Thessalonicher bei dem gemeinschaftlichen *Glauben*[14], der — in Korrespondenz zum Kerygma — bekennt: Ἰησοῦς ἀπέθανεν καὶ ἀνέστη. Bei diesem Satz handelt es sich wohl kaum um das Zitat einer vorgeprägten und schon festgefügten Homologie[15]. Die äußerst knappe Ausdrucksweise dürfte eher vermuten lassen, daß Paulus auf eine bestimmte Bekenntnisformel lediglich anspielt.

Daß 1Thess 4,14a *Formelsprache* anklingt, ist nicht zu bestreiten. Dafür spricht eindeutig der Gebrauch von ἀναστῆναι (formelhaft in den Passionssummarien Mk 8,31; 9,31; 10,34 — vgl. Apg 10,41; 17,3 sowie die Verwendung von ἀνιστάναι in den kerygmatischen Stücken der Apostelgeschichte: Apg 2,24.32; 13,33.34; 17,31) anstelle des bei Paulus sonst üblichen ἐγείρειν[16]. Der Gebrauch desselben Verbs (ἀναστήσονται) in 1Thess 4,16 ist wohl kaum durch V. 14a bedingt, wie B. Rigaux[17] feststellt, sondern beruht auf der Übernahme einer vorgeprägten Tradition[18]. Der Behauptung, in 1Thess 4,14a werde ein vorpaulinisches Bekenntnis zitiert, widerspricht indessen das Fehlen von ὑπὲρ/περὶ ἡμῶν bei der Sterbensaussage: Die volle Formel müßte wie 1Thess 5,10[19] ein ‚für uns'

---

[14] Schon W. Bornemann hat auf diesen Sachverhalt hingewiesen: „statt in beiden Gliedern bei der einfachen Thatsache stehen zu bleiben (‚wie Jesus vom Tode erstanden ist, so werden auch die entschlafenen Gläubigen auferstehen'), hat der Apostel das erste Glied als eine allgemein anerkannte und feststehende Thatsache des *gläubigen Bewußtseins* bezeichnet und dadurch formell den Vergleichssatz (ὡς) aufgehoben und sich einer eigentlichen Schlußfolgerung genähert, ohne doch im zweiten Gliede dieselbe genau durchzuführen" (a.a.O., S. 199). Bornemanns Ausführungen z.St. sind allerdings dadurch belastet, daß sie den Glauben psychologisch interpretieren und mit einem subjektiven Glaubensbewußtsein identifizieren, in welchem die objektive Tatsache der Auferstehung Jesu angeeignet wird (vgl. ebd.). Weil Bornemann die *Relation Wort–Glaube* verkennt und nicht beachtet, daß sich die πίστις auf das *verkündigte* Ereignis von Jesu Tod und Auferstehung bezieht, verfehlt er die paulinische Intention in 1Thess 4,14.

[15] Gegen K.-G. Eckart, ZThK 58/1961, 38 Anm. 4; H. Conzelmann, Die Rechtfertigungslehre des Paulus: Theologie oder Anthropologie?, EvTh 28/1968, 394 und ebd. Anm. 26; W. Marxsen, ZThK 66/1969, 34, und W. Kramer, Christos, Kyrios, Gottessohn, S. 25. 28. Kramer ordnet 1Thess 4,14a (als Kurzformel) in die Reihe der vorpaulinischen ‚Pistisformeln' ein.

[16] Zur Sache vgl. B. Rigaux, a.a.O., S. 534; H.-A. Wilcke, a.a.O., S. 124; W. Kramer, a.a.O., S. 25 § 5c und ebd. Anm. 41. 42. Anders U. Luz, der — a.a.O., S. 325 — in V. 14a „eine Rückwirkung von ἀναστήσονται im Prophetenspruch V. 16" annimmt und demgemäß vermutet, Paulus habe in V. 14a „wohl konform zum Prophetenspruch formuliert".

[17] Ebd.

[18] Dazu s.u. S. 39ff.

[19] Vgl. E. Fuchs, Die Zukunft des Glaubens nach 1.Thess 5,1–11, in: GA Bd. III, S. 345.

enthalten[20], während das für die Auferweckungsaussage (ἐγείρειν) konstitutive ἐκ νεκρῶν[21] in den mit ἀναστῆναι gebildeten kerygmatischen Sätzen fehlen kann, wie die Passionssummarien zeigen (vgl. aber Apg 10,41; 17,3). Gegen die These, 1 Thess 4,14a sei Zitat einer vorpaulinischen Bekenntnisformel, spricht ferner der auffällige Gebrauch von Ἰησοῦς: „Einzig 1 Th 4,14a ist ‚Jesus' Subjekt auch der Sterbensaussage und demnach als Abweichung vom Wortlaut der Pistisformel, die ‚Christos' bietet, zu taxieren."[22] KRAMER sucht die naheliegende Annahme, daß die Verwendung von Ἰησοῦς 1 Thess 4,14a auf Paulus selbst zurückgeht[23], zu vermeiden, indem er Ἰησοῦς die Bedeutung von Χριστός unterstellt. Doch ist diese Erklärung nicht mehr als eine Verlegenheitsauskunft, die nach KRAMERS eigenen Ausführungen in § 8 keineswegs überzeugt (im übrigen ist auch KRAMERS Hinweis auf πιστεύομεν ὅτι kein unbedingt stichhaltiges Argument für die Subsumtion von 1 Thess 4,14a unter die Pistisformel, da das Verb an dieser Stelle, wie oben gezeigt, wohl von Paulus selbst in den Zusammenhang eingebracht ist). Somit wird man 1 Thess 4,14a als selbständige paulinische Formulierung aufzufassen haben, die auf eine traditionelle Bekenntnisformel *anspielt*[24].

Der durch οὕτως eingeleitete Nachsatz enthält nicht eine beliebige Anwendung, sondern — wie K.-G. ECKART betont — die sachlich notwendige *Auslegung* des Credo[25]. Paulus erinnert die Gemeinde daran, daß sie bekennt: Ἰησοῦς ἀπέθανεν καὶ ἀνέστη, um ihr daraufhin die anthropologische Relevanz des Credo im Blick auf die Toten vor Augen zu führen[26]. Bei der Interpretation von V. 14b sind folgende Gesichtspunkte zu bedenken:

a) Als Subjekt der Aussage begegnet nicht ἡμεῖς (vgl. Röm 6,4) oder πάντες (vgl. 1 Kor 15,22), auch nicht οἱ κοιμηθέντες, sondern ὁ θεός. Die Formulierung entspricht dem paulinischen Interesse, die

---

[20] Vgl. die bei W. KRAMER, a.a.O., S. 22ff. § 4 genannten Belege.

[21] Vgl. W. KRAMER, a.a.O., S. 16ff. § 3.

[22] W. KRAMER, a.a.O., S. 199f.; vgl. ebd., S. 34ff. § 8.

[23] Dazu s. u. Anm. 41.

[24] Ebenso E. FUCHS, GA Bd. III, S. 121; vgl. auch U. LUZ, a.a.O., S. 325f., der zu einem ähnlichen Ergebnis gelangt, sein Urteil jedoch anders begründet, s.o.

[25] ZThK 58/1961, 39; ebenso U. LUZ, a.a.O., S. 326; W. MARXSEN, ZThK 66/1969, 34. Vgl. auch H. CONZELMANN, EvTh 28/1969, 394; „Die anthropologische Beziehung des Credo fügt diesem nicht eine ‚Anwendung' als etwas Zweites hinzu, sondern zeigt, daß die Offenbarung an sich selbst diesen Bezug hat." Nur wenn man diesen Sachverhalt, daß V. 14b als Auslegung des Credo (V. 14a) verstanden sein will, verkennt, kann man behaupten: "Thus, in v. 14 Paul gave an assurance *without stating any further grounds for it* that those who had fallen asleep would be 'brought forward' together with Christ." (L. HARTMAN, Prophecy Interpreted, S. 187 — Hervorhebung von mir).

[26] Vgl. U. WILCKENS, in: Dogma und Denkstrukturen, S. 59 Anm. 7: „Gemeint ist natürlich, daß aus dem Inhalt unseres Glaubens, der Auferweckungstat Gottes an Jesus, als deren Konsequenz, das zukünftige Tun Gottes an den Entschlafenen zu folgern ist."

Toten als den *Gegenstand des göttlichen Handelns* zur Sprache zu bringen[27].

b) Bei der die Toten betreffenden Tat Gottes handelt es sich um ein Ereignis, das der Zukunft vorbehalten bleibt (ἄξει, vgl. 1Kor 15,22; Röm 6,5; auch Phil 3,20f.[28] im Unterschied zu Eph 2,5f.; Kol 2,12; 3,1)[29]. Zwischen der Auferstehung des toten Jesus (ἀνέστη) und der göttlichen Tat an den verstorbenen Christen (ἄξει) besteht also eine *zeitliche Distanz*[30], die es zu beachten gilt.

c) Das den Toten geltende künftige Handeln Gottes ist seinerseits christologisch begründet. Denn der sich auf den ganzen Nachsatz beziehende präpositionale Ausdruck διὰ τοῦ Ἰησοῦ[31] (vgl. das δι' αὐτοῦ Röm 5,9) kennzeichnet Jesus selbst als die entscheidende Zwischen-

---

[27] Die Formulierung des Nachsatzes macht zugleich deutlich, daß das auf Jesus bezogene formelhafte ἀνέστη des Vordersatzes nach Paulus sachlich im Sinne eines ἠγέρθη zu verstehen ist. Der in V. 14b ausdrücklich zur Sprache gebrachte Gesichtspunkt des göttlichen Handelns gilt rückwirkend also auch für V. 14a.

[28] Vgl. H. KOESTER, NTS VIII/1961–62, 329f. 329 Anm. 2; vgl. auch 2Tim 2,11f.

[29] Zur Sache vgl. J.M. ROBINSON, ZThK 62/1965, 305f.; H. KOESTER, NTS VIII/1961–62, 323 Anm. 4; H. CONZELMANN, Grundriß der Theologie des Neuen Testaments, 2. Aufl. 1968, S. 299; E. KÄSEMANN, Der Ruf der Freiheit, S. 86ff.

[30] Vgl. E. GÜTTGEMANNS, a.a.O., S. 70ff. (zu 1Kor 15,23–28).

[31] Mit W. MARXSEN, ZThK 66/1969, 35. Diese Beurteilung der Stellung von διὰ τοῦ Ἰησοῦ steht sachlich der zuletzt von F. NEUGEBAUER (a.a.O., S. 111 Anm. 56), P. HOFFMANN (a.a.O., S. 213ff., bes. S. 215f.), H.-A. WILCKE (a.a.O., S. 126ff.; vgl. ebd., S. 127 Anm. 646 und die dort Genannten, außerdem F. GUNTERMANN, a.a.O., S. 46 Anm. 98, S. 191 Anm. 134), B. HENNEKEN (a.a.O., S. 78f.) und U. LUZ (a.a.O., S. 326 Anm. 32) vertretenen Auffassung nahe, nach der die Wendung zum Verb (ἄξει) zu ziehen ist, vermeidet aber die damit zwangsläufig gegebene Vorstellung von Jesus als dem eschatologischen Funktionär Gottes, dessen Bedeutung sich in der künftigen Vollstreckung des göttlichen Willens erschöpft (so z.B. U. WILCKENS, in: Dogma und Denkstrukturen, S. 60 Anm. 8; W. THÜSING, Per Christum in Deum, S. 202f.; dagegen W. MARXSEN, ZThK 66/1969, 34). Als abwegig erscheint hingegen auf Grund der neuerdings von H.-A. WILCKE (a.a.O., S. 126ff.) und U. LUZ (a.a.O., S. 326 Anm. 32) beigebrachten Argumente die besonders von M. DIBELIUS (a.a.O., S. 25), E. v. DOBSCHÜTZ (a.a.O., S. 191) und B. RIGAUX (a.a.O., S. 535ff.; vgl. ferner die bei H.-A. WILCKE, a.a.O., S. 127 Anm. 645 Genannten) bevorzugte Lösung, nach der διὰ τοῦ Ἰησοῦ als nähere Bestimmung zu τοὺς κοιμηθέντας zu beurteilen ist, es sei denn, man hätte bei den 1Thess 4,16b genannten νεκροί an christliche Märtyrer zu denken (so J. JEREMIAS, Unbekannte Jesusworte, 1. Aufl. 1948, S. 59, zurückhaltender in der 3. Aufl. 1963, S. 79; vgl. P. NEPPER-CHRISTENSEN, StTh 19/1965, 138 und ebd. Anm. 10; P. STUHLMACHER, Erwägungen zum Problem von Gegenwart und Zukunft in der paulinischen Eschatologie, ZThK 64/1967, 447 Anm. 52), „was aber durch den Kontext in keiner Weise nahegelegt wird" (U. LUZ, a.a.O., S. 326 Anm. 32) und im Zusammenhang der oben versuchten Deutung des Verhältnisses von Situation und Text ohnehin ausgeschlossen ist.

bestimmung der eschatologischen Tat Gottes an den Toten. Damit wird Jesus zugleich betont von jenen unterschieden, die als κοιμηθέντες Gottes Handeln (ἄγειν) an sich erfahren sollen. Die Wendung διὰ τοῦ Ἰησοῦ markiert also zweifellos auch eine *personale Differenz*[32] zwischen Christus und den Christen.

d) Das sich an den Toten vollziehende Geschehen führt die Vereinigung mit Jesus herbei (ἄξει σὺν αὐτῷ). Es hat die bleibende *Gemeinschaft* mit dem Kyrios zum Ziel (vgl. V. 17b; 1Thess 5,10) — eine Gemeinschaft, die Lebende und Tote umschließen wird (vgl. V. 15–17; 1Thess 5,10)[33]. Allerdings bleibt zu beachten, daß von der künftigen Gemeinschaft mit Jesus nur unter dem Vorbehalt des διὰ τοῦ Ἰησοῦ

---

[32] Vgl. E. Güttgemanns, a.a.O., S. 74f. (zu 1Kor 15,12; vgl. ebd., S. 66), S. 73f. (zu 1Kor 15,20–22), S. 70ff. (zu 1Kor 15,23–28) und S. 94.

[33] Die Verwendung von ἄξει in V. 14b überrascht zunächst. Man hätte nach V. 14a eher ein ἐγερεῖ oder ζωοποιήσει erwartet. M.E. erklärt sich die Formulierung ἄξει σὺν αὐτῷ am ehesten als Antizipation von V. 17b, wo der für Paulus wichtige Gedanke des εἶναι σὺν κυρίῳ (vgl. 1Thess 5,10b) expliziert wird. Das σὺν αὐτῷ wäre dann als Ellipse zu fassen, die ein εἰς τὸ εἶναι αὐτοὺς σὺν αὐτῷ vertritt (vgl. H.-A. Wilcke, a.a.O., S. 128; E. Lohmeyer, ΣΥΝ ΧΡΙΣΤΩΙ, in: Festgabe f. A. Deißmann, S. 248f. — In ἄξει σὺν αὐτῷ eine Anspielung auf Dan 7,13 LXX zu erblicken, scheint gezwungen — gegen L. Hartman, a.a.O., S. 186f.). Der Gesichtspunkt der (künftigen) Auferstehung der Verstorbenen dürfte dabei als selbstverständlich vorausgesetzt sein (vgl. V. 16b; ähnlich U. Luz, a.a.O., S. 326). W. Marxsen hat demgegenüber entschieden in Abrede gestellt, daß in V. 14b die Auferstehung der Toten thematisiert werde (vgl. ZThK 66/1969, 33. 35): „Wer in V. 14 eine Aussage über die Auferstehung der Toten findet, liest etwas ein, was nicht da steht“ (ebd., 33). Der Vorwurf des Eintragens sachfremder Gesichtspunkte fällt indessen auf Marxsen selbst zurück, wenn er behauptet, die in V. 14b „benutzten Vorstellungen“ (ἄξει σὺν αὐτῷ) gehörten „zum Komplex Entrückung/Parusie“ (ebd., 35; vgl. 31 und ebd., Anm. 23). Denn das Phänomen der Entrückung betrifft nicht Tote, sondern Lebende und meint den „leibliche(n) Übergang eines menschlichen Wesens aus diesem Leben in die andere Welt, ohne daß der Tod dazwischen tritt“ (F. R. Walton, RGG³ II, 499). Der Hinweis auf 1Thess 4,16f. verfängt demgegenüber nicht, da dort die ‚Entrückung‘ (ἁρπαγησόμεθα, V. 17) von den übrigbleibenden Lebenden und den zuvor *auferstandenen* νεκροὶ ἐν Χριστῷ ausgesagt wird. Im übrigen erscheint Marxsens Berufung auf A. Strobel, In dieser Nacht (Luk 17,34), ZThK 58/1961, 24 Anm. 1, als nicht stichhaltig; denn Strobels Ausführungen belegen lediglich eine terminologische Verwandtschaft zwischen Ex 19 LXX und 1Thess 4,13ff. (bes. 4,16!). Strobel selbst appliziert den Begriff der ‚Entrückung‘ nirgendwo auf die Toten, sondern er behält ihn (gemäß 1Thess 4,17!) der ‚Gemeinde der Frommen‘ vor: „So wie Mose einst das Volk Israel der Offenbarung Gottes am Sinai entgegenführte, so wird auch Christus bei seiner Parusie die Gemeinde der Frommen Gott entgegenführen. Sie wird in die himmlische Welt entrückt werden“ (a.a.O., 23). Von den Toten hingegen heißt es (im Blick auf 1Thess 4,16!): „Dann, am Ende der Zeit, wird der Schall der Posaune sie ins Leben zurückrufen“ (a.a.O., 24). — Zur Kritik an der 1Thess 4,16f. betreffenden Argumentation Marxsens s. u. S. 46.

die Rede ist. Der Gesichtspunkt der Einheit (σύν) ist mit dem der personalen Differenz (διά) verklammert[34].

Was besagen diese Beobachtungen für die Bestimmung des Verhältnisses von Situation und Text? Paulus hält der Gemeinde in Thessalonich vor: ‚Wenn wir nämlich (— wie es doch der Fall ist[35] — wahrhaftig) glauben: Jesus ist gestorben und auferstanden, dann[36] (sc. sind wir) auch (gewiß): Gott wird durch Jesus die Toten in (die) Gemeinschaft mit ihm (d.h. in das Sein-mit-ihm) führen‘. Diese Paraphrase des Textes verdeutlicht, daß der οὕτως-Satz *die dem Glauben innewohnende Gewißheit*[37] expliziert: Wer tatsächlich an das Wort von Jesu Tod und Auferstehung glaubt, der kann die gestorbenen Brüder nicht preisgeben, sondern er wird vielmehr um dieses Wortes willen Gott gerade bei den Toten erwarten[38].

---

[34] Vgl. F. NEUGEBAUER, a.a.O., S. 111: „Das διά verweist auf den Erlöser, das σύν sichert die Gemeinsamkeit des Christus und des Christen.“

[35] „εἰ ist nicht rein konditional (‚gesetzt den Fall‘), sondern setzt den Fall als wirklich: ‚wenn, wie es tatsächlich der Fall ist‘. Paulus sucht nicht die Wahrheit dieses Satzes zu beweisen; denn er wird in Thessalonich nicht bezweifelt“ (H. CONZELMANN, EvTh 28/1968, 394 Anm. 25).

[36] H.-A. WILCKE (a.a.O., S. 124f.) bemerkt zu Recht, daß οὕτως an dieser Stelle mehr konsekutiven Sinn annimmt.

[37] Mit Recht hebt P. STUHLMACHER, ZThK 64/1967, 447, hervor, daß in 1Thess 4,13–5,11 „das Denken aus der Gewißheit heraus“ regiert. Der Gesichtspunkt der ‚Gewißheit‘ begegnet in verschiedener Hinsicht ebenfalls bei U. LUZ, a.a.O., S. 322. 324, und W. MARXSEN, ZThK 66/1969, 35f.

[38] Wenn damit die Intention von 1Thess 4,14 sachgemäß beschrieben ist, entspricht die Aussage demjenigen Sachverhalt, der nach E. FUCHS als das ‚Geheimnis des Sakraments‘ anzusprechen ist: „Was erwartet denn der Glaube vom Sakrament? Man kann nicht bloß so hinsagen: das Wort, denn der Glaube empfängt das Wort ja schon in der Predigt. Und doch erwartet der Glaube vom Sakrament das Wort. Aber er erwartet es jetzt nicht primär für sich, sondern für alle Andern, besonders auch für die Welt. Er weiß, daß die Vergangenheit in Jesus wirklich zur Vergangenheit wurde. Deshalb erwartet der Glaube, daß Gott jetzt die Toten ruft (Röm. 4,17) ... Das dem Glauben gegebene Wort ist das Vorspiel der Auferstehung der Toten (vgl. 2.Kor. 4,10–12), der Dank der Glaubenden ein Vorspiel des Lebens (2.Kor. 1,10f.; 4,13–15). Das erfährt die korinthische Gemeinde am Sakrament (1.Kor. 11,27–32). Wie Brot und Wein, ja der Leib selbst (wenn auch nicht mehr das ‚Fleisch‘) Inbegriffe des Lebens sind ..., so ist das Sakrament das Vorspiel jenes Ereignisses, mit dem der Herr an seinem Tage erscheinen will, wenn also das Wort wieder zu den Toten hinzutritt, so daß der Tod endgültig verspielt hat (vgl. 1.Kor. 15,42 mit 11,26; 1.Tim. 6,13–16). Die Glaubenden kennen sehr wohl die Verzweiflung der Wortlosigkeit des Todes, aber sie kennen die Macht des Wortes besser als die Verzweifelten. Daher erwarten sie diese Macht zwar mit Furcht und Zittern, aber doch als Gottes Ja (Phil. 2,12f.; 2.Kor. 1,20; 1.Kor 2,3–5). *Der Glaube erwartet also vom Sakrament oder besser mit dem Sakrament die Auferstehung der Toten ...*“ (Das urchristliche Sakramentsverständnis, 2. Aufl. 1965, S. 33f. — Hervorhebung von mir) „Der Glaube feiert also im Sakrament die Rückkehr der Toten zum Leben, das Wunder, daß das Leben nicht mehr verlorengehen

Damit tritt die antignostische Tendenz der Aussage von V. 14 klar zutage. Indem der Apostel das Wort des Glaubens *für die Toten* aufbietet[39], distanziert er sich bewußt von jenen, welche die bereits vollzogene Anastasis der lebenden Pneumatiker feiern und die Toten abschreiben[40]. Es liegt nahe, hinter der Betonung der zeitlich-personalen Differenz zwischen Christus und den Christen dieselbe antignostische Frontstellung zu vermuten. Während gnostisches Denken den Akt der Erlösung des Erlösers und der zu Erlösenden als einen sieht, unterscheidet Paulus einerseits streng zwischen dem allein Jesus zukommenden ἀνέστη und der noch ausstehenden Tat Gottes (ἄξει) an den Toten, andererseits hebt er durch das διὰ τοῦ Ἰησοῦ die unumkehrbare Abhängigkeit der zum εἶναι σὺν κυρίῳ Berufenen von Jesus selbst hervor[41].

---

wird (Joh. 11,25). Er erwartet hier mit Jesus und in seinem Namen die Rückkehr der Verlorenen (Luk. 15,32). *Das urchristliche Sakrament erwartet Gott bei den Toten!* Das ist das Besondere am urchristlichen Sakramentsverständnis" (ebd., S. 34 — Hervorhebung von mir).

[39] 1Thess 4,14 erweist somit das Recht der von E. FUCHS behaupteten These, daß das Evangelium nach Paulus eigentlich „immer um des Nächsten willen zu verantworten" ist (Alte und Neue Hermeneutik, in: GA Bd. III, S. 202). Der Glaubende beansprucht Gott nicht in erster Linie für sich, sondern für den anderen, den Bruder, ‚um dessentwillen Christus gestorben ist' (1Kor 8,11; s. auch Röm 14,15; vgl. E. FUCHS, ebd., S. 201). Insofern ist für das Verständnis von 1Thess 4,14 nicht die Frage nach dem Glauben der Verstorbenen von Belang, sowenig bestritten werden kann, daß die genannten κοιμηθέντες zum Kreis der Christen, der ἀδελφοί, gehören (vgl. V. 16; s.o. S. 26 Anm. 37). Es handelt sich vielmehr darum, daß der Apostel das Wort des Glaubens *für die verstorbenen Brüder* geltend macht. Dieser Sachverhalt wird verkannt, wenn man in 1Thess 4,14b auf den Glauben der Toten abhebt: "nous croyons que ceux qui sont morts après avoir reçu la prédication et les dons de Jésus, après avoir cru et observé les ordres du Seigneur, après avoir reçu l'Esprit-Saint, ressusciteront" (B. RIGAUX, a.a.O., S. 535; vgl. auch H.-A. WILCKE, a.a.O., S. 126).

[40] Vgl. E. GÜTTGEMANNS, a.a.O., S. 76 (zu 1Kor 15,18).

[41] Wieder ist als Sachparallele die christologische Lehrdifferenz zwischen Paulus und den Gnostikern in Korinth zu nennen. Vgl. insonderheit 1Kor 15 und die Analyse des Kp. bei E. GÜTTGEMANNS, a.a.O., S. 53–94, bes. S. 94: „Paulus steht mit den Korinthern in einer christologischen Kontroverse. Er verteidigt ihnen gegenüber die These, daß gerade der irdische Jesus, der am Kreuz gestorben ist, der einzige ist, mit dem jetzt schon Gottes Zukunft zusammengedacht werden darf." „Es besteht darum eine zeitlich-christologische Distanz zwischen Erlöser und Erlösten, die es weder zur Identität der Personen noch zum Zusammenfall der Zeiten kommen läßt." In diesem Zusammenhang ist wenigstens als Frage zu erwägen, ob die auffällige Verwendung von Ἰησοῦς in 1Thess 4,14a (zu beachten ist die Wiederaufnahme von Ἰησοῦς in V. 14b), die sich nicht als Relikt einer vorpaulinischen Bekenntnisformel erklären läßt (s.o. S. 33; gegen W. SCHMITHALS, Die Gnosis in Korinth, 3. Aufl. 1969, S. 123), nicht ebenfalls auf der antignostischen Briefsituation beruht und dem paulinischen Interesse entspringt, entgegen der gnostischen Trennung des irdischen Jesus vom Pneuma-Christus (vgl. 1Kor 12,3) die Identität des auferstandenen Herrn mit dem gekreuzigten Jesus zu betonen (vgl. W. SCHMITHALS, ebd.,

Zwar teilt der Apostel das gnostische Interesse am Gedanken des Seinsbezuges von Christus und den Christen[42]. Dies zeigt sich daran, daß er den Gesichtspunkt der Gemeinschaft nicht nur pointiert am Schluß von V. 14 (σὺν αὐτῷ), sondern auch in V. 17b und 1Thess 5,10 geltend macht. Die Differenz zum gnostischen Selbstverständnis ist jedoch bereits daran abzulesen, daß der Bezug zwischen Christus und den Christen nicht auf ein Sein substanzhafter Identität festgelegt, sondern im Sinne eines Seins-mit ... präzisiert wird. Und zwar handelt es sich bei diesem εἶναι σύν ... um eine die Toten nicht aus-, sondern vielmehr einschließende Gemeinschaft, auf die der Glaube um des Kerygma von Jesu Tod und Auferstehung willen, auf Grund des λόγος τοῦ σταυροῦ (vgl. 1Kor 1,18; auch Gal 5,11; 6,12.14 mit Phil 3,18), hofft[43].

Ein tiefgreifender Unterschied zur Christologie gnostischer Prägung wird ferner daran ersichtlich, daß von dem künftigen Sein-mit-Jesus, in dem sich die Sendung des Sohnes erfüllt, eben unter dem Vorbehalt des zuvor eingeschärften διὰ τοῦ Ἰησοῦ die Rede ist. Anders als der Gnostiker, der sich im Hinblick auf sein Pneuma-Selbst mit dem erlösten Erlöser identifiziert, insistiert Paulus auf den Gedanken einer sich durchhaltenden Differenz von Erlöser und zu Erlösenden. Er versteht das eschatologische Sein-mit-Jesus demnach als eine Gemeinschaft, für die das Moment der Abhängigkeit von Jesus konstitutiv bleibt. Zwar gilt das paulinische Interesse zweifellos der Betonung des σὺν αὐτῷ, wie die Variation dieser Formel an jeweils hervorgehobener Stelle in V. 17b und 1Thess 5,10 zeigt[44]. Jesus wäre umsonst gestorben, wenn er isoliert bliebe, mithin nicht als πρωτότοκος ἐν πολλοῖς ἀδελφοῖς (Röm 8,29), als ἀπαρχὴ τῶν κεκοιμημένων (1Kor 15,20) ansprechbar wäre. Allein, der Gedanke der eschatologischen Gemeinschaft mit dem Kyrios (vgl. 1Kor 1,9; 10,16) ist für Paulus nur unter der Voraussetzung des Gesichtspunktes der zeitlich-personalen Differenz zwischen Christus und den Christen aussagbar.

S. 117ff.; E. GÜTTGEMANNS, a.a.O., S. 62ff.). Diese Erwägung ist darum nicht abwegig, weil die ungewöhnliche Verwendung von Ἰησοῦς in 2Kor 4,10f. (vgl. 4,5.14; Gal 6,17; Röm 8,11) eindeutig auf eben dieses Interesse zurückgeht, wie E. GÜTTGEMANNS, a.a.O., S. 112ff., im Anschluß an W. SCHMITHALS, a.a.O., S. 123f. 153f., gezeigt hat (anders W. KRAMER, a.a.O., S. 199ff.).

[42] Zur Sache vgl. Bultmann, NT (5. Aufl. 1965), § 33,3e, S. 298ff. (vgl. § 15,4c–g, S. 178ff.).

[43] Die Hoffnung ist also christologisch begründet. Zur Sache vgl. H. CONZELMANN, Grundriß der Theologie des Neuen Testaments, 2. Aufl. 1968, S. 207ff., bes. S. 208; U. LUZ, a.a.O., S. 322ff.; R. BULTMANN, ThW Bd. VI, 222f.

[44] Zu den σύν-Aussagen vgl. E. LOHMEYER, in: Festgabe A. Deißmann, S. 218ff.; U. LUZ, a.a.O., S. 305f.; ausführlich H. LÖWE, a.a.O., S. 94–128.

3. *Die paulinische Applikation des Herrenwortes (V. 15–17)*

Die Auskunft des Apostels in V. 14 stellt eine umfassende, sachlich bereits suffizient erscheinende Stellungnahme zu dem in Frage stehenden Streitpunkt dar: "L'essentiel est dit."[1] Wie die auf V. 14 zurückweisende Partikel γάρ[2] zu Beginn von V. 15 zeigt, dienen die Ausführungen der V. 15–17 der bekräftigenden Erläuterung der grundsätzlichen Aussage in V. 14. Sie sind dem zuvor Gesagten sachlich subordiniert, tragen also nicht den Charakter eines ‚zweiten Beweisganges'[3], sondern vielmehr den einer ergänzenden Erklärung, welche die eingangs gegebene Stellungnahme in bestimmter Hinsicht absichern soll. Die Einsicht in diesen Sachverhalt hindert daran, das Schwergewicht der paulinischen Darlegung in den V. 15–17 zu erblicken[4].

a) *Zum Verhältnis von Tradition und Redaktion*

Zur Verdeutlichung der Argumentation in V. 14 verweist der Apostel die Adressaten seines Briefes auf ein ‚Herrenwort'. Um die diesem Verfahren zugrundeliegende paulinische Intention präzise zu erfassen, haben wir zunächst die Frage nach der Eigenart und dem Umfang des angeführten λόγος κυρίου zu erörtern. Eine Auseinandersetzung mit den zahlreichen Beiträgen zur Interpretation von 1 Thess 4, 15–17 ist im Folgenden nicht beabsichtigt. Wir beschränken uns auf die Diskussion der durch neuere Untersuchungen beigebrachten Sachgesichtspunkte und fragen nach dem Richtungssinn der Textaussagen, ohne alle Einzelprobleme zu berücksichtigen.

Daß es sich bei dem genannten λόγος κυρίου nicht um ein bestimmtes, in der synoptischen Tradition bzw. im Johannesevangelium eruierbares Jesuswort[5], auch nicht um ein Agraphon[6] oder gar um eine dem Apo-

---

[1] B. Rigaux, a.a.O., S. 537.

[2] Siehe o. S. 17 Anm. 5.

[3] So z.B. W. Marxsen, ZThK 66/1969, 31. An anderer Stelle (ebd., 35) konstatiert er jedoch zu Recht: „Was folgt, ist nichts grundsätzlich Neues, läßt aber doch noch einige Aspekte hervortreten."

[4] Vgl. z.B. F. Tillmann, der (a.a.O., S. 52) in V. 14 lediglich die Verständigungsbasis fixiert sieht, auf welcher die mit V. 15 einsetzende „eigentliche ... Belehrung" aufruht.

[5] Vgl. die bei E. v. Dobschütz (a.a.O., S. 193) und U. Luz (a.a.O., S. 327) angeführte Liste der zu 1 Thess 4, 15–17 vorgeschlagenen ‚Sachparallelen'.

[6] So vor allem J. Jeremias, Unbekannte Jesusworte, 3. Aufl. 1963, S. 21. 77ff.; ebenso Ders., bei Hennecke, 3. Aufl. 1959, Bd. I, S. 54.

stel persönlich zuteil gewordene Offenbarung[7] handelt, sondern um einen im Namen des erhöhten Herrn geltend gemachten urchristlichen Prophetenspruch, hat in jüngster Zeit U. Luz stichhaltig begründet[8]. Auf Grund seiner Erwägungen ist mit Sicherheit anzunehmen, daß Paulus in den V. 15–17 auf eine Gemeindeüberlieferung zurückgreift, die „unter der direkten Autorität des Kyrios steht“[9] (vgl. 1Kor 9,14). Die weitergehende Frage, welche Sätze oder Satzteile der übernommenen Tradition und welche der Hand des Apostels zuzuweisen sind, ist schwieriger zu beantworten. Unter den das Verhältnis von Tradition und Redaktion in 1Thess 4,15–17 bedenkenden Interpretationsvorschlägen scheint jener am ehesten vertretbar, der V. 15b als vorweggenommene Applikation der in V. 16f. zitierten Überlieferung erklärt[10]. Für die Vermutung, daß V. 15b von Paulus selbst formuliert

---

[7] So die bei H.-A. Wilcke, a.a.O., S. 130 Anm. 660, Genannten; zuletzt wieder B. Henneken, a.a.O., S. 89ff. 98.

[8] Vgl. a.a.O., S. 327f. Ähnlich wie Luz urteilen Ph. Vielhauer, bei Hennecke, 3. Aufl. 1964, Bd. II, S. 429; H. Conzelmann, Grundriß der Theologie des Neuen Testaments, 2. Aufl. 1968, S. 54f., und W. Marxsen, ZThK 66/1969, 36. Vgl. auch G. Bornkamm, GA Bd. III/1, S. 48f.; W. Kramer, a.a.O., S. 157f., sowie H. Koester, One Jesus and Four Primitive Gospels, HThR 61/1968, 239f. — W. Kramer macht darauf aufmerksam, daß die einleitende Wendung λέγομεν ἐν λόγῳ κυρίου der bei Paulus sonst üblichen Einführungsformel von LXX-Zitaten entspricht (vgl. a.a.O., § 44, S. 157).

[9] U. Luz, a.a.O., S. 327 (dort hervorgehoben). Daß es sich bei der von Paulus verwendeten Tradition um einen im Namen des *Erhöhten* geltend gemachten Spruch handelt, wird zu Unrecht von F. Hahn, Christologische Hoheitstitel, S. 92f. (vgl. S. 92 Anm. 6), bestritten; vgl. dagegen Ph. Vielhauer, Ein Weg zur neutestamentlichen Christologie?, in: Aufsätze zum Neuen Testament, S. 156.

[10] Vgl. E. Peterson, Die Einholung des Kyrios, ZSTh 7/1930, 682; M. Dibelius, a.a.O., S. 25; Ch. Masson, Les deux épîtres de Saint Paul aux Thessaloniciens, S. 56. 62f.; K. Wegenast, Das Verständnis der Tradition bei Paulus und in den Deuteropaulinen, S. 109; J. Jeremias, Unbekannte Jesusworte, 3. Aufl. 1963, S. 77 Anm. 106; P. Nepper-Christensen, StTh 19/1965, 141ff.; P. Hoffmann, a.a.O., S. 219f.; L. Hartman, a.a.O., S. 188; U. Luz, a.a.O., S. 328. 330. Wie 1Kor 15,51f. zeigt, ist das Verfahren, die Pointe einer übernommenen Überlieferung im vorhinein zu markieren, für Paulus nicht ungewöhnlich: „Paulus dürfte hier (sc. 1 Kor 15,51 f.) Tradition aufnehmen, die zwar im einzelnen nicht mehr genau ausgeschieden werden kann, aber doch vor allem in V. 52 zu vermuten ist. Er formuliert aber das Mysterium in eigener Verantwortung, indem er in V. 51b seine eigene Interpretation voranstellt und die verwendete Tradition — im Unterschied zu 1. Th. 4,15ff. — nicht als solche kenntlich macht“ (U. Luz, a.a.O., S. 354f.; zur Differenz zwischen 1Thess 4, 15–17 und der diesem Abschnitt in mancher Beziehung inhaltlich verwandten Aussage 1Kor 15,51f. s. ebd., S. 355). Zur Kritik der zuletzt von H.-A. Wilcke (a.a.O., S. 132f.) erwogenen Möglichkeit, „den λόγος auf V. 15b zu beschränken“ (ebd., S. 133 — vgl. bereits J. Weiss, Das Urchristentum, S. 417 Anm. 1; E. Meyer, Ursprung und Anfänge des Christentums, Bd. I, S. 312; E. v. Dob-

wurde, spricht freilich weniger das Argument der Vokabelstatistik[11] als vielmehr die Beobachtung der syntaktischen Form des Satzes (Briefstil) sowie die Feststellung des polemischen Charakters der Aussage[12]. Versteht man somit V. 15b als eine redaktionelle Bemerkung des Apostels, welche das V. 16f. Gesagte in polemischer Absicht auf die Gemeindesituation ‚vorausappliziert', ist das erste ὅτι (V. 15) epexegetisch (nach vorausgehendem Demonstrativpronomen), das zweite (V. 16) rezitativ verwendet: ‚Dies sagen wir euch in einem λόγος κυρίου, daß wir, die Lebenden, die bis zur Parusie des Herrn übrigbleiben, den Entschlafenen gegenüber nicht im Vorteil sind: . . .'[13]

Nach diesen Überlegungen zum Charakter von V. 15 bleibt zu prüfen, ob sich die ursprüngliche Fassung des von Paulus angeführten Prophetenspruches aus V. 16f. eruieren läßt. Schon auf den ersten Blick ist erkennbar, daß die vorliegende Formulierung das Ergebnis eines komplizierten Überlieferungsprozesses darstellt. An der Uneinheitlichkeit der Aussagen, die durch den Wechsel der Subjekte, zumal

---

SCHÜTZ, a.a.O., S. 193, und neuerdings U. WILCKENS, Die Missionsreden der Apostelgeschichte, S. 76 Anm. 1; O. CULLMANN, Heil als Geschichte, S. 191, sowie H. LÖWE, a.a.O., Anm.-Teil, S. 41 Anm. 289), ist auf P. NEPPER-CHRISTENSEN, a.a.O., 141f., zu verweisen (vgl. im übrigen die folgenden Erwägungen sowie u. Anm. 12).

[11] Gegen U. LUZ, der (a.a.O., S. 328) außer acht läßt, daß φθάνειν in der Bedeutung von ‚praevenire' bei Paulus (sowie im ganzen Neuen Testament) einzig 1Thess 4,15 begegnet. Richtig ist hingegen der Hinweis, daß sich das Hapaxlegomenon περιλειπόμενοι „als Übernahme aus dem Zitat in V. 16" erklärt (ebd.).

[12] Siehe dazu ausführlich u. S. 46ff. Wie bereits o. S. 26ff. angedeutet, dürften der auffällige Gebrauch von φθάνειν sowie die Verstärkung der Negation als Indizien für die polemische Tendenz der Aussage zu beurteilen sein. Paulus scheint einer bestimmten Behauptung, auf die er durch die Formulierung selbst anspielt, wehren zu wollen. — Auch H.-A. WILCKE vermutet, daß die paulinische Verwendung von φθάνειν in V. 15b situationsbedingt ist, also auf dem Einfluß von Äußerungen der Adressaten beruht (vgl. a.a.O., S. 122). Befremdlicherweise bleibt diese Erwägung in der später folgenden, das Problem der Abgrenzung des Herrenwortes betreffenden Untersuchung (vgl. ebd., S. 132f.) völlig außer Betracht. WILCKE identifiziert V. 15b dort mit dem λόγος κυρίου, ohne anzugeben, wie sich dieses Urteil mit der zuvor getroffenen Feststellung zusammenreimen soll, Paulus habe das in V. 15b begegnende Verb möglicherweise „aus dem Munde der Thessalonicher übernommen" (ebd., S. 122).

[13] Vgl. W. MARXSEN, ZThK 66/1969, 35. Anders U. WILCKENS, Die Missionsreden der Apostelgeschichte, S. 76 Anm. 1; er pointiert zwar gegen E. NORDEN (vgl. Agnostos Theos, S. 271 Anm. 1.2) die verschiedene Qualität des ὅτι in 1Thess 4,14.15.16, setzt aber im Unterschied zu der o. vertretenen Auffassung in V. 15 offenbar zitative und in V. 16 kausale Verwendung des Wortes voraus, da er V. 15b als den λόγος κυρίου beurteilt und V. 16 als „eine Erläuterung dieses Logions durch traditionelle, christlich-apokalyptische Motive" (ebd.) charakterisiert.

durch den von der dritten zur ersten Person (vgl. V. 16 mit V. 17), signalisiert wird, sowie an einer Reihe von verdeutlichenden Zusätzen sind die Spuren redaktioneller Verarbeitung der Tradition abzulesen. Folgt man der von U. LUZ vorgelegten Textanalyse[14], so sind, abgesehen von V. 17. fin. (καὶ οὕτως . . .[15]), die Angabe der Adverbien πρῶτον (V. 16fin.) — ἔπειτα (V. 17a), das präzisierende ἡμεῖς οἱ ζῶντες (V. 17a) sowie die Hervorhebung von ὁ κύριος durch αὐτός (V. 16a) ebenso der paulinischen Redaktion zuzuschreiben wie die als „aktualisierende Verdeutlichung" (U. LUZ) zu beurteilende Einführung der ersten Pers. Pl. in V. 17[16]. Berücksichtigt man ferner, daß das typisch paulinische ἐν Χριστῷ ein ursprünglich vorauszusetzendes ἐν κυρίῳ verdrängt haben könnte[17], scheint folgende Rekonstruktion der *paulinischen Vorlage* (II) erlaubt[18]:

II

(V. 16) ὁ κύριος
ἐν κελεύσματι,
ἐν φωνῇ ἀρχαγγέλου καὶ ἐν[19] σάλπιγγι θεοῦ,
καταβήσεται ἀπ' οὐρανοῦ,
καὶ οἱ νεκροὶ ἐν κυρίῳ ἀναστήσονται·

---

[14] Vgl. a.a.O., S. 328f.

[15] Vgl. die Formulierung von Röm 11,26 (dazu s. U. LUZ, a.a.O., S. 288 und ebd. Anm. 99).

[16] Zum Letzteren vgl. bereits K. WEGENAST, a.a.O., S. 110; J. JEREMIAS, Unbekannte Jesusworte, 3. Aufl. 1963, S. 78. Zum redaktionellen Charakter des chronologischen Aufrisses in V. 16f. vgl. P. NEPPER-CHRISTENSEN, StTh 19/1965, 143: „Man kann mit Berechtigung annehmen, daß hinter dem gegenwärtigen Text ein Zitat steht; aber Paulus hat dieses Zitat mit Rücksicht auf die vorliegende Situation gedeutet. Es ist daher zu fragen, ob nicht die Einfügung von πρῶτον und ἔπειτα — und damit möglicherweise der ganze chronologische Aufriß — in Verbindung mit dieser Auslegung und Applizierung erfolgt ist" (vgl. ebd.). Im Gegensatz zu NEPPER-CHRISTENSEN (vgl. ebd., 147) wird man allerdings das paulinischer Ausdrucksweise nicht entsprechende οἱ περιλειπόμενοι V. 17 der Tradition, ἡμεῖς οἱ ζῶντες hingegen der (die gegnerische These berücksichtigenden und durch sie erzwungenen) paulinischen Redaktion zuzuschreiben haben.

[17] So U. LUZ, a.a.O., S. 329, mit Verweis auf οἱ νεκροὶ οἱ ἐν κυρίῳ ἀποθνήσκοντες Apk 14,13, eine nach T. HOLTZ, Die Christologie der Apokalypse des Johannes, S. 11, traditionsgeprägte, formelhafte Wendung. Auch J. JEREMIAS (Unbekannte Jesusworte, 3. Aufl. 1963, S. 78) stellt die Originalität von ἐν Χριστῷ in Frage; vgl. ferner F. NEUGEBAUER, a.a.O., S. 110 und ebd., S. 111 Anm. 57 (Verweis auf die interessante Parallele Sir 48, 11).

[18] Vgl. U. LUZ, a.a.O., S. 329.

[19] Zum zeitlichen Sinn der Verbindung mit ἐν vgl. F. NEUGEBAUER, a.a.O., S. 39f.

(V. 17) οἱ περιλειπόμενοι ἅμα σὺν αὐτοῖς[20] ἁρπαγήσονται
ἐν νεφέλαις
εἰς ἀπάντησιν τοῦ κυρίου εἰς ἀέρα.

Es bleibt allerdings zu erwägen, ob es sich bei dieser von Paulus so vermutlich vorgefundenen Überlieferung nicht vielleicht um die bereits erweiterte sekundäre Fassung einer zunächst noch knapper gehaltenen und sachlich etwas anders akzentuierten Tradition handelt. Schon J. JEREMIAS hat die Frage erwogen, ob an der Stelle von κύριος (vgl. V. 16a) nicht ursprünglich der Menschensohntitel genannt gewesen sein könnte[21] (zu denken ist aber auch an V. 17a: εἰς ἀπάντησιν τοῦ κυρίου!). In diesem Fall wäre möglicherweise auch die Originalität der in V. 16b begegnenden Aussage der Totenauferstehung (und damit natürlich ebenso die der Wendung ἅμα σὺν αὐτοῖς V. 17) anzuzweifeln. Es ist jedenfalls nicht undenkbar, daß der Spruch einer eventuell durch Ex 19 beeinflußten[22] (jüdisch-apokalyptischen?) Tradition entstammt, die von dem künftigen Abstieg des Menschensohns Kunde gab und die als Ziel jener Katabasis die eschatologische (Sammlung und) Entrückung[23] des ‚heiligen Restes' (der περιλειπόμενοι) erwartete[24].

---

[20] U. LUZ rechnet die Wendung ἅμα σὺν αὐτοῖς mit guten Gründen zur paulinischen Vorlage und beurteilt das ἅμα(σύν) 1Thess 5,10 als Nachwirkung von 4,17 (vgl. a.a.O., S. 329 Anm. 48).

[21] Vgl. Unbekannte Jesusworte, 3. Aufl. 1963, S. 78; ebenso H. LÖWE, a.a.O., S. 98. Vgl. in diesem Zusammenhang die Konvergenz von Menschensohn- und Kyriostitel im Matthäusevangelium — z.B. Mt 24,(39.)44 und Mt 24,42 (s. dazu H.E. TÖDT, Der Menschensohn in der synoptischen Überlieferung, 2. Aufl. 1963, S. 82f. 87. 255f. 262f.).

[22] Zur vermuteten Abhängigkeit des Textes 1Thess 4,16f. von der Theophanieschilderung Ex 19,16ff. (LXX) — zu beachten sind die terminologischen Parallelen V. 16: νεφέλη (vgl. V. 13), φωνὴ τῆς σάλπιγγος (vgl. V. 13); V. 17: εἰς συνάντησιν (τοῦ θεοῦ); V. 19: φωναὶ τῆς σάλπιγγος; V. 20: κατέβη . . . κύριος (vgl. V. 11. 18) — vgl. W. BORNEMANN, a.a.O., S. 207; J. DUPONT, ΣΥΝ ΧΡΙΣΤΩΙ. L'union avec le Christ suivant Saint Paul, S. 64ff.; Ch. MASSON, a.a.O., S. 59; A. STROBEL, ZThK 58/1961, 23f.; H.-A. WILCKE, a.a.O., S. 144f. 145 Anm. 765 (vgl. ebd., S. 135ff.); R. PESCH, Heilszukunft und Zukunft des Heils, in: Gestalt und Anspruch des Neuen Testaments, S. 315. Gezwungen erscheint der Versuch L. HARTMANS (vgl. a.a.O., S. 188ff.), 1Thess 4,16f. auf einen (auch in Mk 13 vorauszusetzenden) Daniel-Midrasch zurückzuführen, den Paulus gekannt und seiner Antwort auf die Gemeindeanfrage zugrunde gelegt habe (zur Kritik der Thesen HARTMANS vgl. R. PESCH, Naherwartungen, S. 26f. 214f.).

[23] Vgl. A. STROBEL, Zum apokalyptischen Thema von ‚Entrückung' und ‚Erhöhung', in: Kerygma und Apokalyptik, S. 69 Anm. 15. E. PETERSON hat versucht, die Wendung εἰς ἀπάντησιν τοῦ κυρίου in Analogie zum (antiken) staatsrechtlichen Brauch der feierlichen Einholung hochgestellter Personen durch die Bürger der Stadt zu verstehen (vgl. ZSTh 7/1930, 682ff.; ThW Bd. I, 380). Doch ist gegen diese Deutung der Stelle mit H. LÖWE (a.a.O. Anm.-Teil, S. 42 Anm. 291) einzuwenden, daß Paulus „von einer Entrückung in die Sphäre der Himmel" spricht. Mit Verweis auf das Passiv ἁρπαγησόμεθα stellt LÖWE (ebd.)

Für das *primäre Stadium der Überlieferung* wäre dann vielleicht folgender, von dem durch W. MARXSEN rekonstruierten ursprünglichen Text[25] nicht allzuweit abweichender Aussagezusammenhang anzunehmen (I):

I

(V. 16) ὁ υἱὸς τοῦ ἀνθρώπου
ἐν κελεύσματι,
ἐν φωνῇ ἀρχαγγέλου καὶ ἐν σάλπιγγι θεοῦ,
καταβήσεται ἀπ' οὐρανοῦ,
καὶ
(V. 17) οἱ περιλειπόμενοι ἁρπαγήσονται ἐν νεφέλαις
εἰς ἀπάντησιν τοῦ υἱοῦ τοῦ ἀνθρώπου εἰς ἀέρα.

Die Frage nach dem Verhältnis dieser Tradition zu anderen jüdischen und neutestamentlichen Menschensohnaussagen (vgl. insbesondere den Komplex der synoptischen Aussagen über den ‚kommenden Menschensohn') kann hier nicht eingehend erörtert werden. Im Blick auf die Analogie des Handlungsablaufs läßt sich der Spruch vielleicht am ehesten mit Mk 13,26f. (par. Mt 24,30f.) zusammenstellen[26] — einer Aussage, die ursprünglich möglicherweise Bestandteil eines (jüdisch-?)apokalyptischen Flugblattes war[27]. Interessant ist ebenfalls ein Vergleich mit 4Esr 13,1–13 (bes. 13,12f.) — einer wahrscheinlich älterer Tradition entstammenden Visionsschilderung, auf die der nachchristliche Verfasser von 4Esr zurückgreift. Man hat im Blick auf verschiedene Einzelzüge des Berichtes, so vor allem die 4 Esr 13,13 geschilderte Auffahrt des Menschensohnes aus dem Meer, vermutet, daß der Gesamtduktus von 4Esr 13,1–13 „von einem gnostisierenden Anabasis-Mythos geleitet" sei[28]. Doch wird man die an

fest: „Es verhält sich umgekehrt: die Christen werden von ihrem Herrn abgeholt. Im übrigen zeigt die LXX-Konkordanz von Hatch/Redpath S. 117, daß εἰς ἀπάντησιν an einer Unzahl von Stellen die einfache Richtungsangabe ‚entgegen' meint." Vgl. auch H.-A. WILCKE, a.a.O., S. 144 und ebd. Anm. 760.

[24] Zur Restvorstellung in jüdisch-apokalyptischer Tradition vgl. W. HARNISCH, a.a.O., S. 231 Anm. 5.

[25] Vgl. ZThK 66/1969, 30. MARXSEN beläßt κύριος (V. 16a. 17) im Text, ergänzt hingegen (da er nicht nur ἡμεῖς οἱ ζῶντες, sondern seltsamerweise auch οἱ περιλειπόμενοι V. 17a der Vorlage abspricht) als Subjekt des Verbs in V. 17 οἱ δίκαιοι. Das Letztere ist sachlich nicht gerechtfertigt, da οἱ περιλειπόμενοι bei Paulus sonst nicht begegnet, somit für die Tradition zu reklamieren ist (s.o.). Auch im Blick auf Sachparallelen aus jüdisch-apokalyptischer Tradition (vgl. z.B. die Deutung der Menschensohnvision 4Esr 13,21ff.; vgl. 13,14ff.) erweist sich die Beanstandung von οἱ περιλειπόμενοι als überflüssig. Im übrigen entspricht die von MARXSEN rekonstruierte Vorlage der oben ausgedruckten Textfassung I.

[26] Zur Analyse vgl. H.E. TÖDT, a.a.O., S. 30ff.; anders R. PESCH, Naherwartungen, S. 166ff.

[27] Vgl. R. PESCH, ebd., S. 207ff. PESCH sucht Mk 13,26 im Sinne einer Gerichtsansage zu interpretieren (vgl. ebd., S. 166ff.). Sollte in der oben rekonstruierten Fassung (I) von 1Thess 4,16f. eine die richterliche Funktion des Menschensohns hervorhebende Aussage ausgefallen sein? Zur Sache vgl. auch H. CONZELMANN, RGG³ II, 1420.

[28] H.E. TÖDT, a.a.O., S. 23; vgl. ebd., S. 23 Anm. 6.

die Stelle Dan 7,2f. erinnernde (und ihr nachgebildete?) Aussage 4Esr 13,3 wohl kaum derart belasten und zum Angelpunkt des Ganzen erheben dürfen: „4Esr 13,3 läßt den Menschensohn zwar aus dem Herzen des Meeres aufsteigen und auf den Wolken einherfliegen; aber das Ziel seines Fluges ist nicht der Himmel, sondern die Erde.“[29] Für unsere Fragestellung ist bedeutsam, daß der Menschensohn 4Esr 13,12f. (nach der Besiegung der Feinde 4Esr 13,5–11) vom Berg herabsteigt (vidi ipsum hominem *descendentem* de monte), um die Seinen zu sich zu rufen[30]. Die sachliche (nicht traditionsgeschichtlich begründete) Verwandtschaft zwischen 4Esr 13,12f. und der oben ausgedruckten Fassung I von 1Thess 4,16f. liegt wiederum in der Analogie des Handlungsablaufs (zu beachten ist, daß von der Auferstehung der Toten 4Esr 13,12f. ebensowenig die Rede ist wie Mk 13,26f.).

Für die Zuweisung von 1Thess 4,16f. in eine Menschensohntradition könnten ferner einige motivgeschichtlich erhobene Argumente sprechen[31]. Schließlich ist auf die terminologisch (nicht sachlich) bedeutsame Nähe der oben rekonstruierten Fassung von 1Thess 4,16f. zu der Menschensohnaussage Joh. 3,13 hinzuweisen[32].

Als Ergebnis dieser Überlegungen ist festzuhalten, daß die Traditionsgeschichte von 1Thess 4,16f. möglicherweise drei Stadien aufweist. Ausgangspunkt der Überlieferung könnte eine jüdische(?) Aussage über die eschatologische Katabasis des Menschensohnes (I) gewesen sein, deren Pointe die Entrückung des heiligen Restes darstellt[33]. Infolge der Aneignung der Tradition durch (juden-)christliche Propheten scheint sich der Spruch dann später in eine nun auch den Aspekt der Totenauferstehung enthaltende und auf den Mare-Kyrios bezogene[34] Parusieankündigung (II) verwandelt zu haben, deren Interesse ebenfalls noch am Gesichtspunkt der Entrückung haftet[35]. Der vorliegende Text 1Thess 4,16f. bildet die letzte Überlieferungsstufe (III), auf deren Eigenart wir im Folgenden noch einzugehen haben.

---

[29] Ph. VIELHAUER, Jesus und der Menschensohn, in: Aufsätze zum Neuen Testament, S. 116, unter Berufung auf H.K. McARTHUR, Mark XIV. 62, NTS IV/1957–58, 156f., — gegen E. SCHWEIZER, Der Menschensohn, in: Neotestamentica, S. 65.

[30] Zur Sache vgl. J. KROLL, Gott und Hölle, S. 355ff., nach dessen Meinung 4Esr 13,1ff. ein ‚Descensusbericht‘, „wenn auch in starker Verwischung“ (ebd., S. 355), vorliegt.

[31] Vgl. U. LUZ, a.a.O., S. 328 Anm. 44, S. 329 Anm. 52. Allerdings bleibt zu bedenken, daß die genannten Einzelmotive (z.B. Wolke, Stimme) in dem jeweiligen Zusammenhang einen verschiedenen Stellenwert besitzen.

[32] Vgl. auch U. LUZ, a.a.O., S. 328 Anm. 44.

[33] Vgl. W. MARXSEN, ZThK 66/1969, 30: „Wir hätten es dann mit der Vorstellung zu tun, in der die endzeitliche Erlösung als Entrückung gedacht war.“ Vgl. auch H. KOESTER, Die außerkanonischen Herrenworte als Produkte der christlichen Gemeinde, ZNW 48/1957, 234. Von der ‚Verwandlung‘ ist nicht die Rede (gegen K.-G. ECKART, ZThK 58/1961, 39).

[34] Vgl. W. KRAMER, a.a.O., S. 172ff. (vgl. S. 95ff.); U. LUZ, a.a.O., S. 329.

[35] Vgl. U. LUZ, a.a.O., S. 330.

An dieser Stelle ist nur ergänzend zu bemerken, daß die oben rekonstruierte Kurzfassung der Tradition (I) nicht als die direkte Vorlage des Apostels in Anspruch genommen werden kann, da diese bereits die Gegenüberstellung von νεκροί und περιλειπόμενοι artikuliert haben muß. Wenn W. MARXSEN[36] die Möglichkeit in Rechnung stellt, daß erst Paulus das Motiv der Totenauferstehung eingefügt haben könnte, so konstruiert er eine Vorlage, welche den nach V. 15b *für den Apostel* ausschlaggebenden Aspekt der Konfrontation von zwei verschiedenen Menschengruppen selbst gar nicht enthielt. Es ist aber kaum denkbar, daß der Apostel auf eine Tradition zurückgegriffen haben sollte, welche die *für ihn* wesentliche Pointe erst nach der Eintragung des entscheidenden Sachgesichtspunktes zum Ausdruck zu bringen vermochte[37]. Somit wird man die von U. LUZ[38] erschlossene Form der Überlieferung (Typ II) als die paulinische Vorlage anzusehen haben, ohne damit ausschließen zu wollen, daß diese Textfassung selbst schon die Weiterführung einer ursprünglich anderslautenden Tradition (Typ I) darstellt.

b) *Die paulinische Intention*

Abschließend ist der für die Interpretation des vorliegenden Textes entscheidenden Sachfrage nachzugehen, welchen Zweck der Apostel mit der Anfügung des in 1Thess 4,15–17 Gesagten verfolgt. Dieser Frage können wir uns dann um so weniger entziehen, wenn es zutrifft, daß die Aussagen dieses Abschnitts nicht als Überbietung der Stellungnahme von V. 14, sondern vielmehr als verdeutlichender Kommentar aufzufassen sind, der „nichts grundsätzlich Neues"[1] geltend macht. Allein, soll das in den V. 15–17 Gesagte nicht als ein im Grunde überflüssiger, sondern als ein sachlich notwendiger Zusatz verstanden werden, bleibt aufzuhellen, was den Apostel zur Aufnahme und Applikation der oben rekonstruierten Gemeindetradition veranlaßte.

---

[36] ZThK 66/1969, 30.

[37] Gegen W. MARXSEN, ebd. Die Tradition hätte dann ja sachlich das Gegenteil von dem ausgesagt, was Paulus geltend machen wollte (vgl. V. 15b). MARXSEN rechnet freilich im Folgenden ebensosehr mit der anderen Möglichkeit, „daß die Paulus vorgegebene Tradition bereits das Motiv der Totenauferstehung enthielt" (ebd.). Wenn er jedoch im selben Zusammenhang feststellt: „Aber auch in diesem Fall wäre es nicht das Thema, sondern diese Vorstellung wäre lediglich eingeordnet in die Vorstellung der Entrückung zur Parusie" (ebd., vgl. ebd., 37) — so ist damit lediglich das der Tradition selbst eigentümliche Interesse, nicht jedoch der für Paulus ausschlaggebende Gesichtspunkt getroffen (zur Auseinandersetzung mit MARXSENS Erwägungen s. ferner u. S. 47 Anm. 4).

[38] Siehe o. Anm. 18.

[1] W. MARXSEN, ZThK 66/1969, 35.

Bei der Klärung dieser Sachfrage ist von der Beobachtung auszugehen, daß Paulus die vorgegebene Überlieferung selbständig verarbeitet hat. Er „*erscheint in unserm Text als aktiver Interpret und nicht als bloßer Tradent.* Dies zeigt sich schon daran, daß er dem Prophetenspruch eine eigene Zusammenfassung *voran*gestellt hat."[2] Orientiert man sich nun an den paulinischen Interpretamenten, insbesondere an der redaktionellen Vorbemerkung V. 15b, wird deutlich, daß Paulus den traditionellen Text derart anwendet, daß dessen ursprüngliche Pointe — die Entrückung der Glaubenden — an Gewicht verliert[3]. Der Gesichtspunkt, an dem das eigentliche paulinische Interesse haftet, ist nicht die Ansage der nahen Parusie, wie W. MARXSEN meint[4], auch nicht einzig der Gedanke der Auferstehung der Toten, worauf K.-G. ECKART insistiert[5]. Für Paulus ist der Prophetenspruch vielmehr allein insofern von Belang, als er *das Verhältnis von* νεκροί *und* περιλειπόμενοι *thematisiert* (vgl. V. 16b. 17a)[6]. Dieser Sachverhalt ist neuerdings von U. LUZ präzise erfaßt worden: „Im Vergleich zum Prophetenspruch zeigt die paulinische Zusammenfassung (sc. in V. 15b) eine *deutliche Reduktion apokalyptischer Einzelheiten.* Nicht nur verzichtet Paulus auf eine Ausmalung und Deutung sämtlicher im Spruch gegebener apokalyptischer Angaben, sondern es bleiben auch sämtliche uns durch den Prophetenspruch aufgegebenen Unklarheiten (etwa:

---

[2] U. LUZ, a.a.O., S. 330.

[3] Vgl. U. LUZ, a.a.O., S. 330; gegen P. HOFFMANN, a.a.O., S. 227.

[4] Vgl. ZThK 66/1969, 36f. (auch 30f.). Nach MARXSEN handelt es sich bei 1Thess 4,16f. um eine Parusieaussage, in welcher dem Motiv der Totenauferstehung lediglich die Rolle eines ‚Hilfsgedankens' zukommt (vgl. ebd., 31): Die Auferstehung der Toten ist „kein Thema, das behandelt wird, sondern bestenfalls eine Hilfe, im Rahmen einer vorhandenen Weltanschauung die eschatologische Aussage denkmöglich und damit in einer gewissen Weise auch aussagbar zu machen" (ebd., 36f.). Paulus macht diese Parusieaussage in der Absicht geltend, der Gemeinde zu versichern, „daß weiteres Sterben in Thessalonich vor der Parusie nicht mehr zu erwarten ist — oder doch höchstens als Ausnahme" (ebd., 26; vgl. 32). Ihm geht es um „die Hoffnung, die entworfen wird mit Hilfe der Parusievorstellung" (ebd., 34). Dabei ist jedoch verkannt, daß Paulus die Tradition unter Vernachlässigung der ihr ursprünglich inhärenten Aussagetendenz seinem eigenen, die Frage nach dem Verhältnis der Lebenden zu den Toten betreffenden Interesse dienstbar macht (vgl. V. 15).

[5] Vgl. ZThK 58/1961, 40: „Redet das Herrenwort von der Teilnahme der Hörer an der Parusie, so wird gerade dieser Aspekt, der doch in dem zitierten Text als ein Hauptgedanke anzusehen ist, völlig vernachlässigt, indem das ganze Herrenwort einzig dem Gedanken der Auferstehung der Toten untergeordnet wird, ganz gleich, ob sie nun schon gestorben sind, oder erst noch sterben werden."

[6] Insofern erweist sich die *alternativ* gestellte Frage, ob es sich 1Thess 4,16f. thematisch um die Parusie oder die Totenauferstehung handelt, im Blick auf das Verständnis der paulinischen Intention als irrelevant.

wessen Befehlswort ist gemeint? wohin begibt sich Jesus mit den Seinen nach der Begegnung in der Luft?) ungeklärt. Ungeklärt bleibt auch die wichtige Frage, was mit den Nichtchristen bei der Auferstehung geschieht. Ja sogar der eigentliche Skopus des traditionellen Spruches, die Entrückung der Gläubigen, kommt bei Paulus nicht zum Zug. Paulus ist lediglich an dem einen, für die Situation in Thessalonich brennend wichtigen Punkt interessiert: Die Lebenden werden dann keinen Vorrang vor den Toten haben.“[7]

Aus dieser zu Recht an V. 15b ausgerichteten Deutung der paulinischen Intention lassen sich Anhaltspunkte für die Beantwortung der eingangs aufgeworfenen Sachfrage gewinnen. Zunächst ist festzustellen: Paulus greift darum auf den ihm überlieferten Prophetenspruch zurück, weil er es ihm ermöglicht, in Anknüpfung und Widerspruch auf die Situation der Thessalonicher einzugehen. Das *besondere* Anliegen der V. 15–17 scheint freilich noch deutlicher ersichtlich, sobald man — anders als Luz — die oben im Anschluß an W. Lütgert und W. Schmithals vertretene Sicht der Gemeindesituation voraussetzt. Wenn es zutrifft, daß die Ausführungen von 1Thess 4,13f. den innergemeindlichen Auswirkungen einer die Auferstehung der Toten bestreitenden gnostischen Agitation gelten, gibt die Formulierung von V. 15b — wie bereits dargelegt — Anlaß zu der Vermutung, daß Paulus hier auf eine bestimmte These derselben Agitation anspielt. Es hat den Anschein, als wolle er mit V. 15b die Pointe der im Folgenden angeführten Tradition derart akzentuieren, daß sie zugleich als Antithese gegenüber eben jener in Thessalonich propagierten Behauptung erfaßt werden kann.

Um diese Hypothese zu erhärten, greifen wir noch einmal auf zuvor Gesagtes zurück[8]. Auf Grund unserer Erwägungen zur Motivation von 1Thess 4,13ff. erscheint es als nicht ausgeschlossen, daß man ebenso wie in Korinth auch in Thessalonich den Versuch unternahm, der Gemeinde den Gedanken von der absoluten Überlegenheit der Lebenden (= der lebenden Pneumatiker) über die Toten zu suggerieren. Vielleicht geschah dies mit Hilfe der Parole: ‚Wir, die Lebenden, sind den Toten zuvorgekommen (ἐφθάσαμεν)‘. Paulus setzt sich mit dieser These auseinander, indem er die Gemeinde an ein Herrenwort erinnert, das „bereits durch die Einordnung in die Fragestellung eine Interpretation“ erfährt[9] und das durch aktualisierende Zusätze (πρῶτον—ἔπειτα; ἡμεῖς οἱ ζῶντες; 1.Pers. Pl. V. 17) sowie durch die vor-

---

[7] A.a.O., S. 330; vgl. in diesem Zusammenhang auch P. Nepper-Christensen, StTh 19/1965, 146.

[8] Siehe o. S. 27ff.

[9] K.-G. Eckart, ZThK 58/1961, 40.

gezogene Fixierung der Pointe in V. 15b für die Adressaten an Aussagekraft gewinnt. Dieses Wort behält die Entscheidung über das Verhältnis der Lebenden zu den Toten der eschatologischen Zukunft vor. Es negiert den möglicherweise von gnostischen Enthusiasten ausgerufenen Vorrang der Lebenden, indem es einerseits beide, die Lebenden und die Toten, auf das zukünftige Geschehen der Parusie verweist und andererseits dieses eschatologische Ereignis eben nicht allein für die Lebenden, sondern betont (πρῶτον) auch für die Toten in Anspruch nimmt. Paulus setzt die These von der radikalen Differenz zwischen Toten und Lebenden mit Hilfe der auf die Situation applizierten urchristlichen Tradition also dadurch ins Unrecht, daß er die Toten — sofern sie als ,in Christus Tote' ansprechbar sind[10] — in die christologisch begründete Hoffnung auf die eschatologische Zukunft miteinschließt (V. 15b. 16b; vgl. V. 14) *und* das Heil nicht nur der Toten, sondern auch der Lebenden von dieser Zukunft (vgl. ἄξει, V. 14b) abhängig sein läßt[11]. Die in 1Thess 5,10 explizit zum Ausdruck

[10] Vgl. F. NEUGEBAUER, a.a.O., S. 110f.; G. SCHUNACK, a.a.O., S. 284 Anm. 192. Die Wendung ἐν Χριστῷ bezieht sich auf das Subjekt des Satzes (οἱ νεκροί) und nicht, wie J. JEREMIAS, Unbekannte Jesusworte, 1951, S. 63, voraussetzte (vgl. jedoch die Selbstkorrektur in der 3. Aufl. 1963, S. 77 Anm. 105), auf das Verbum (ausführlich dazu B. RIGAUX, a.a.O., S. 544f.).

[11] Der von Paulus hinsichtlich des Schicksals der Toten zur Sprache gebrachte eschatologische Vorbehalt gilt also auch gegenüber den Lebenden. Es ist zu beachten, daß Paulus in Rücksicht auf die den Adressaten vermutlich von gnostischer Seite suggerierte These innerhalb des überlieferten Prophetenspruches zwar ἡμεῖς οἱ ζῶντες vor οἱ περιλειπόμενοι (V. 17a) einfügt, nicht jedoch den traditionellen Ausdruck οἱ περιλειπόμενοι durch ἡμεῖς οἱ ζῶντες ersetzt. Vom Blickpunkt der Adressaten aus gesehen, impliziert die das ἡμεῖς οἱ ζῶντες mit οἱ περιλειπόμενοι (εἰς τὴν παρουσίαν, V. 15b) kombinierende Formulierung (V. 15b. 17a) bereits eine Kritik am (gnostisch verstandenen) Anspruch der ,Lebenden': Auch sie bleiben, was ihr Heil anbelangt, auf die eschatologische Zukunft angewiesen, sind somit den Toten gegenüber nicht schon als ,Lebende' im Vorteil. — Die Ausdrucksweise in V. 15b. 17a — ἡμεῖς οἱ ζῶντες οἱ περιλειπόμενοι (εἰς τὴν παρουσίαν) — entspricht zwar der Vorstellung der Naherwartung. Doch ist diese Vorstellung keineswegs als „der eigentliche paulinische Zielpunkt" anzusehen (mit K.-G. ECKART, ZThK 58/1961, 40 Anm. 2). Paulus intendiert vielmehr eine diese Vorstellung überholende Existenzeinstellung, wenn er den Glauben, der sich auf das Kerygma von Jesu Tod und Auferstehung bezieht, als eine Tote *und* Lebende zusammenschließende Hoffnung geltend macht (1Thess 5, 10b hat als Kriterium für die Auslegung von 4,15ff. zu gelten; s. u. Anm. 12). Vgl. in diesem Zusammenhang H. CONZELMANN, Grundriß der Theologie des Neuen Testaments, 2. Aufl. 1968, S. 338f.; ferner G. SCHUNACK, a.a.O., S. 284: „Wo Jesus Christus als Herr verkündigt wird, ist das Nein! des Todes, die hermeneutische Verfügung der Sünde im Diktat des Todes zunichte geworden und *die Stille des Glaubens* eingekehrt, *die die Gegenwart Gottes anzeigt*. In dieser Gegenwart Gottes gehören Lebende und Tote zusammen; weder die Wachenden noch die Entschlafenen, die Toten in Christus (1Thess 4,16), gehen der Liebe Gottes verloren. Daran hält sich der Glaube" (vgl. E. FUCHS, in: GA Bd. III, S. 344).

kommende Relativierung der Differenz zwischen Lebenden und Toten (vgl. die Wendung εἴτε γρηγορῶμεν εἴτε καθεύδωμεν) ist damit sachlich bereits vorweggenommen[12]. Dies zeigt sich ferner an der von Paulus selbst hinzugefügten Schlußfolgerung V. 17 fin., die eine Art Antizipation des in 1Thess 5,10b Gesagten darstellt: καὶ οὕτως πάντοτε σὺν κυρίῳ ἐσόμεθα[13]. Durch diesen Satz wird das der eschatologischen Zukunft vorbehaltene Heil, auf das der Glaube zu Recht hofft (vgl. V. 14), als eine bleibende, sich auf Lebende und Tote erstreckende Gemeinschaft mit dem Kyrios ausgelegt[14].

E. FUCHS hat die Auffassung vertreten, daß die Ansage des „glücklichen Endes" in V. 17 fin. aufs Ganze gesehen (vgl. V. 15–17) „kärglich zu bleiben" scheint: „Das Negative: Keiner wird zu kurz kommen! überwiegt die positive Aussage, die sich zumal in traditionellen apokalyptischen Farben erschöpft, die den dramatischen Hergang bei der Parusie ausmalen, also für Paulus so gut wie selbstverständlich sind und nichts bezeichnend Christliches an sich haben (vgl. 1. Kor 15,51f. und zum Problem, wer teilhaben werde, 4.Esra 5,41f.; 13,17ff.). Man hat den Eindruck, als werde ein Einwand aus der apokalyptischen Tradition zurückgeschlagen, die also eher stört als positiv ‚erbaut'. Erst das Folgende, 5,1–11, bringt einen vorwiegend positiven Zug in den Zusammenhang herein. Was Paulus *eigentlich* sagen will, sagt er nach 4,18 ..."[15] Trotz mancher Differenzen im einzelnen, die in der verschiedenen Beurteilung des Verhältnisses von Tradition und Redaktion in den V. 15–17 gründen, berühren sich diese Überlegungen mit unserer Analyse insofern, als sie ebenfalls auf die *polemische Tendenz* des in V. 15–17 Gesagten aufmerksam machen. Wir sind freilich, anders als FUCHS, der Ansicht, daß die Negation (V. 15b) kaum durch einen ‚Einwand aus der apokalyptischen Tradition', sondern eher durch eine gnostische These erzwungen wurde. Gleichwohl bleibt festzuhalten: Im Unterschied zu V. 14 eignet den Aussagen der V. 15–17 ein überwiegend negativer Zug, der darauf beruht, daß sie dem Abweis einer bestimmten Behauptung gelten, im vorliegenden Zusam-

---

[12] H. CONZELMANN hebt zu Recht hervor, daß durch εἴτε ... εἴτε (1Thess 5, 10) „das weltanschauliche Problem als irrelevant erklärt (ist); vgl. 2Kor 5,9 und Phil 1,21" (Grundriß der Theologie des Neuen Testaments, S. 186); vgl. auch E. GRÄSSER, Bibelarbeit über 1.Thess 4,13–18 (Rhein. Landessynode 1967), S. 18.

[13] Vgl. P. HOFFMANN, a.a.O., S. 228: „4,16a–17a bleibt im Rahmen dessen, was auch 4,15 umfaßt hat; 4,17b dagegen führt den Gedanken über 4,15 hinaus parallel zu 4,14 und 5,10."

[14] Zu 1Thess 4,18 s. o. S. 18 Anm. 13, und S. 25 Anm. 36.

[15] GA Bd. III, S. 120.

menhang somit vornehmlich *kritische Funktion* haben[16]. Die in V. 15b ausgesprochene Negation dominiert in der Tat derart, daß die positiven Aussagen, vor allem die wichtige, das σὺν αὐτῷ von V. 14b konkretisierende paulinische Schlußfolgerung V. 17 fin., ohne das Folgende (5,1–11) ‚kärglich' blieben. Wir sind also gehalten, den Abschnitt 1Thess 5,1–11 in die Interpretation miteinzubeziehen, um der paulinischen Position selbst auf die Spur zu kommen.

---

[16] In der Regel wird diese Funktion der V. 15–17 verkannt und dem Abschnitt ein vornehmlich parakletisches Interesse zugeschrieben (so z.B. G. Wohlenberg, Der erste und zweite Thessalonicherbrief, 2. Aufl. 1909, S. 107; W. Lueken, a.a.O., S. 17; K. Wegenast, a.a.O., S. 110; W. Schmithals, Paulus und die Gnostiker, S. 117; A. Grabner-Haider, Paraklese und Eschatologie bei Paulus, S. 41).

IV. Die eschatologische Existenz der Getauften (1 Thess 5,1–11)

1. *Die ‚praeteritio' V. 1–3*

Wir benutzen die eingangs getroffenen Feststellungen zur Disposition des Textes im Folgenden als Leitfaden der Exegese und fassen zunächst den sich deutlich heraushebenden Abschnitt V. 1–3 ins Auge:

(V. 1) ‚Über die Zeiten aber und Fristen, Brüder, ist nicht not, euch zu schreiben[1].

(V. 2) Denn ihr selbst wißt genau, daß der Tag des Herrn kommt, aber wie ein Dieb in der Nacht[2].

(V. 3) Wenn sie (dagegen[3]) die Parole ausgeben[4]:
›Friede und Sicherheit‹
gerade dann überfällt sie plötzliches Verderben wie die Wehe(n) das schwangere Weib, und sie werden (mit Sicherheit) nicht entrinnen (können).'

Das Thema, dem die paulinischen Ausführungen (V. 2f.) gelten, wird in V. 1 durch die Angabe περὶ (δὲ) τῶν χρόνων καὶ τῶν καιρῶν fixiert. Es hat zunächst den Anschein, als sei das in V. 1–3 Gesagte durch eine (schriftliche?) Anfrage der Gemeinde motiviert[5]. Allein, eine genauere Analyse der Struktur des Aussagezusammenhangs erweist die Fragwürdigkeit dieser Vermutung.

a) *Stilkritische Beobachtungen zum Text*

Wie eingangs beiläufig dargelegt[6], könnte V. 1 im Sinne einer Exposition gemeint sein, auf die in V. 2f. die eigentliche Behandlung des Themas folgt[7]. Doch zwingt eine die Stileigentümlichkeiten der Aussagen beachtende Textanalyse zu einer Revision dieser vorläufigen Bestimmung der Relation von V. 1 zu V. 2f. Genau genommen enthält

---

[1] So geben M. HEIDEGGER (nach O. PÖGGELER, a.a.O., S. 36) und A. STROBEL (Untersuchungen zum eschatologischen Verzögerungsproblem, S. 112) den Text wieder. Wörtlich übersetzt müßte die Aussage folgendermaßen lauten: ‚... habt ihr nicht nötig, daß euch geschrieben wird'.

[2] Zu dieser Übersetzung von V. 2 vgl. E. FUCHS, GA Bd. III, S. 336.

[3] So mit E. FUCHS, a.a.O., S. 336 (vgl. ebd., S. 338), im Blick auf das von einigen Textzeugen gelesene δέ.

[4] Zu dieser Präzisierung des λέγωσιν s. u. S. 78ff.

[5] So z.B. G. WOHLENBERG, a.a.O., S. 107; CH. MASSON, a.a.O., S. 66; mit Vorbehalt W. LUEKEN, a.a.O., S. 18; E. FUCHS, GA Bd. III, S. 336, und B. HENNEKEN, a.a.O., S. 74 Anm. 5.

[6] Vgl. die einleitenden Bemerkungen zur Disposition des Textes S. 16ff.

[7] So z.B. H.-A. WILCKE, a.a.O., S. 112.

V. 1 nämlich nicht die Ankündigung des Themas, sondern vielmehr die der *Übergehung* des durch περὶ ... τῶν χρόνων καὶ τῶν καιρῶν angezeigten Sachverhaltes. Vers 2 begründet (γάρ) die Absicht der Auslassung durch den Rekurs auf ein Wissen der Adressaten[8], aber so, daß der Gegenstand dieses Wissens in dem folgenden ὅτι-Satz entfaltet und in V. 3 präzisiert wird. Die auf den ersten Blick konsequent erscheinende Folge der Aussagen von V. 1 und V. 2(f.) ist in Wahrheit durch eine Spannung gekennzeichnet, die darauf beruht, daß die Begründung der Ankündigung der Auslassung in V. 2(f.) de facto eine Explikation des Sachverhalts enthält, welcher nach der in V. 1 kundgegebenen Absicht gerade übergangen werden sollte.

In der antiken Rhetorik begegnet die Redeweise, für welche die Ankündigung der Auslassung bei gleichzeitiger Nennung des Auszulassenden charakteristisch ist, unter der Kategorie ‚figurae per detractionem‘ als ‚praeteritio‘[9]. Eine Art dieser Stilfigur dürfte auch 1 Thess 5,1–3 vorliegen (vgl. 1 Thess 4,9). Nach der Definition bei H. Lausberg[10] weist 1 Thess 5,1 unzweifelhaft die Merkmale einer ‚praeteritio‘ auf: „Kundgabe der Absicht der Auslassung einerseits“ (οὐ χρείαν ἔχετε ὑμῖν γράφεσθαι), „Tatsache der aufzählenden Nennung (sc. der Dinge, die übergangen werden sollen) andererseits“ (περὶ ... τῶν χρόνων καὶ τῶν καιρῶν)[11]. Doch wird man auch die Begründung der Absicht der Auslassung V. 2(f.) in die ‚praeteritio‘ einzubeziehen haben, da die Entfaltung des Wissens der Adressaten faktisch nichts anderes darstellt als eine Explikation des Auszulassenden (περὶ τῶν χρόνων ...), somit als eine Variante der ‚detaillierenden evidentia‘ aufzufassen ist, durch welche die der ‚praeteritio‘ inhärente Ironie gesteigert wird[12].

---

[8] Vgl. K.-G. Eckart, ZThK 58/1961, 41. In dem οἴδατε beigefügten ἀκριβῶς könnte ein ironisches Moment anklingen (vgl. auch L. Morris, The First and Second Epistles to the Thessalonians, S. 151).

[9] Vgl. H. Lausberg, Handbuch der literarischen Rhetorik, §§ 880–889 (S. 435ff.), bes. §§ 882–886 (S. 436ff.); Ders., Elemente der literarischen Rhetorik, § 410 (S. 136).

[10] Handbuch der literarischen Rhetorik, § 882 (S. 436); die folgenden Zitate stammen aus § 884 (S. 436f.).

[11] Als ‚praeteritio‘ wird 1 Thess 5,1 bereits von W.M.L. de Wette, Kurze Erklärung des Briefes an die Galater und der Briefe an die Thessalonicher, 3. Aufl. 1864, S. 165; G. Lünemann, a.a.O., S. 136, und W. Bornemann, a.a.O., S. 216, charakterisiert; vgl. auch E. v. Dobschütz, a.a.O., S. 203. Unerfindlich ist, wieso K.-G. Eckart wohl für 1 Thess 4,9, nicht aber für 5,1 das Vorliegen einer ‚rhetorischen Figur‘ konstatiert (vgl. ZThK 58/1961, 40f. und 40 Anm. 4).

[12] Vgl. H. Lausberg, Handbuch der literarischen Rhetorik, §§ 884. 885 (S. 436f.).

Aus diesen stilkritischen Beobachtungen ergibt sich zunächst folgende Einsicht: Die Formulierung von V. 1(–3) steht unter dem Einfluß des Stilgesetzes der ‚praeteritio'. Die Ausdrucksweise (περί . . .) entspricht einer bestimmten *façon de parler*, für die sich in der antiken Rhetorik zahlreiche Analogien ausfindig machen lassen[13]. Es erscheint darum als fragwürdig, das in V. 1ff. Gesagte als Reflex auf eine Gemeindeanfrage zu deuten. W. SCHMITHALS empfindet richtig, daß man so „nicht auf eine direkte, gar briefliche . . . Anfrage" reagiert[14] (vgl. dagegen die περί-Aussagen in 1 Kor 7,1.25; 8,1; 12,1; 16,1.12, die bezeichnenderweise nicht in die Form der ‚praeteritio' gekleidet sind). Paulus hat zwar die Situation der Thessalonicher im Auge, formuliert aber selbständig. Er bedient sich der Figur der ‚praeteritio', um ein neues Thema einzuführen, das freilich mit dem zuvor Erörterten sachlich eng zusammenhängt.

Eine weitere Konsequenz der stilkritischen Erwägungen kann hier zunächst nur als Frage gekennzeichnet werden: Sollte die Verwendung des Stilmittels der ‚praeteritio' in 1 Thess 5,1–3 analog zur Motivation des ‚praeteritio'-Gebrauchs in der antiken Rhetorik auf der Absicht des Verfassers beruhen, „die Dinge in eine zweite, belanglosere Ebene zurücktreten"[15] zu lassen? Gibt also schon die Beachtung der Stileigentümlichkeiten des Abschnitts Anlaß zu der Vermutung, daß das Schwergewicht der paulinischen Ausführungen nicht auf V. 1–3, sondern auf den V. 4ff. liegt?

b) *Der Aussagewille des Abschnitts*

Das Thema, dem die in die Form einer ‚praeteritio' gekleideten paulinischen Aussagen in 5,1–3 gelten, betrifft die Frage nach dem Zeitpunkt der Parusie. Wie aus dem Kontext (vgl. V. 2b) ersichtlich, handelt es sich bei den in V. 1 genannten χρόνοι und καιροί offensichtlich um die bis zum Eschaton noch ausstehende Zeitspanne[1]. Wann ist das Ende der durch die ἡμέρα κυρίου selbst limitierten und deter-

[13] Das Problem der Beziehung zwischen Paulus und der antiken Rhetorik kann hier außer Betracht bleiben (zur Sache vgl. N. SCHNEIDER, Die rhetorische Eigenart der paulinischen Antithese, S. 63 und ebd. Anm. 1). Wir berücksichtigen die bei H. LAUSBERG behandelten Beispiele aus der Rhetorik lediglich als Modell, an dem sich die stilistische Eigenart der paulinischen Formulierung in 1 Thess 5,1–3 demonstrieren läßt.

[14] Paulus und die Gnostiker, S. 119 Anm. 150; vgl. auch E. v. DOBSCHÜTZ, a.a.O., S. 203, und W. G. KÜMMEL, Heilsgeschehen und Geschichte, GA 1933–1964, S. 413f.; anders E. FUCHS, GA Bd. III, S. 119 (vgl. ebd., S. 336).

[15] H. LAUSBERG, Handbuch der literarischen Rhetorik, § 883 (S. 436).

[1] Es handelt sich um die Zeiten und Fristen, „die vor d. Eintritt der Endvollendung ablaufen müssen" (Bauer, WB, 5. Aufl. 1958, 781 s.v. καιρός). Vgl. auch B. RIGAUX, a.a.O., S. 555 z.St.: "Ici l'expression est eschatologique. L'article répété marque l'emphase: les temps et les moments qui sont fameux et qui vont

minierten Zeitläufe und Fristen erreicht? Wir werden später ausführlich zu erörtern haben, was den Apostel dazu veranlaßt, auf das damit angezeigte Problem einzugehen. Zunächst ist die Intention der paulinischen Stellungnahme in V. 2f. möglichst präzise zu erfassen.

Paulus behaftet die Gemeinde in V. 2 bei ihrem εἰδέναι, einem „Wissen, das sich auf die Zeit des Herrentages bezieht“[2]. Der in dem ὅτι-Satz V. 2b entfaltete Gegenstand dieses Wissens ist eine eschatologische Aussage, welche die Art der Ankunft dieses ‚Tages‘ in eigentümlicher Weise präzisiert. Man erwartet nach V. 1 eigentlich eine Terminangabe oder eine Auskunft über das durch das Eschaton determinierte Maß der Zeiten. Doch Paulus unterstellt den Adressaten ein ganz andersartiges Wissen: ‚Der Tag des Kyrios kommt (gewiß), aber wie ein Dieb in der Nacht‘. Das ‚Gegenbild‘ vom nächtlichen Einbrecher kennzeichnet das Kommen des ‚Tages‘ als ein *überraschend* eintreffendes Ereignis, das sich jeder menschlichen Kalkulation entzieht[3]. Der

---

être déterminés par ἡμέρα τοῦ κυρίου: la date de la parousie.“ Wie die ebenfalls in eschatologischem Zusammenhang stehende Formulierung von Apg 1,7 zeigt, ist die Verbindung von χρόνοι und καιροί formelhaft. Sie ist im Alten Testament vorgeprägt — vgl. Dan 2,21 Theod., LXX; Weish 8,8, wo allerdings der Plural von καιρός jeweils vorangestellt ist (zur Sache vgl. E. v. DOBSCHÜTZ, a.a.O., S. 203f.; B. RIGAUX, a.a.O., S. 553f.). Die paulinische Verwendung der Zeitbegriffe entspricht apokalyptischer Tradition (vgl. W. HARNISCH, a.a.O., S. 281ff.). Paulus „schließt sich hier einfach dem überlieferten apokalyptischen Sprachgebrauch an“ (E.v. DOBSCHÜTZ, a.a.O., S. 204), ohne zwischen χρόνος und καιρός genauer differenzieren und dem Plural eine besondere Bedeutung beilegen zu wollen. Daß es sich bei dem Ausdruck περὶ . . . τῶν χρόνων καὶ τῶν καιρῶν um formelhafte Redeweise handelt, beweist insonderheit der unpaulinische Plural von καιρός. „Paulus gebraucht καιρός außer in Gal 4,10 stets qualifiziert im Singular“ (E. FUCHS, GA Bd. III, S. 337; auch bei Gal 4,10 handelt es sich nicht um eine selbständige paulinische Formulierung, sondern um eine dem Apostel bereits vorgegebene, „geläufige Zusammenstellung, die . . . in der apokryphen und gnostischen bzw. gnostisierenden Literatur häufig begegnet“ — W. SCHMITHALS, Die Häretiker in Galatien, in: Paulus und die Gnostiker, S. 30).

[2] K.-G. ECKART, ZThK 58/1961, 41. Zum auffälligen Gebrauch des artikellosen ἡμέρα κυρίου (statt ἡ ἡμέρα τοῦ κυρίου) vgl. E. v. DOBSCHÜTZ, a.a.O., S. 204f. In der paulinischen Literatur begegnet die Wendung (mit Artikel) noch 1Kor 5,5, erweitert 1Kor 1,8; 2Kor 1,14; im Philipperbrief findet sich ἡμέρα Χριστοῦ (1,10; 2,16) bzw. ἡμέρα Χριστοῦ Ἰησοῦ (1,6) — vgl. W. KRAMER, a.a.O., S. 172ff. (§ 48), S. 138f. (§ 35). Zu verweisen ist in diesem Zusammenhang ferner auf 1Kor 3,13 (absolute Verwendung von ἡμέρα zur Kennzeichnung des Endgerichts) und Röm 2,5 (ἡμέρα ὀργῆς — Röm 2,16 ist mit R. BULTMANN, Glossen im Römerbrief, in: Exegetica, S. 282f., als Glosse zu beurteilen); vgl. auch Röm 13,12 (Gegensatz νύξ–ἡμέρα). Zu der zwischen den genannten Stellen waltenden Sachbeziehung s. E. FUCHS, GA Bd. III, S. 337.

[3] Der Gesichtspunkt des Unvermuteten, Unvorhersehbaren und Unberechenbaren wird in fast allen Auslegungen d.St. als die Pointe des Vergleichs herausgestellt, so daß sich Einzelbelege erübrigen. Nach D. DAUBE, The Sudden in the Scriptures, S. 29, ist der (oft ebenfalls beigebrachte) Gedanke des ‚Plötzlichen‘ von dem Bilde fernzuhalten.

sich auf das Verb (ἔρχεται) beziehende und dasselbe präzisierende Vergleich sucht offensichtlich das Moment des *Unvorhersehbaren* einzuschärfen, wobei möglicherweise schon hier ein drohender Ton mitschwingt (ἐν νυκτί)[4]. Vers 3 variiert denselben Gedanken, aber so, daß die eschatologische ἡμέρα nun eindeutig negativ als ein Unheilsverhängnis erscheint[5], das die Selbstsicheren ereilt wie die Wehen das schwangere Weib. Der Vergleich mit der von den Geburtswehen überfallenen Frau pointiert die *Unentrinnbarkeit* dieses Geschehens[6] und verstärkt damit zugleich den drohenden Charakter der Aussage[7].

Ist damit die Pointe von 1Thess 5,2f. zutreffend beschrieben, erhebt sich die Frage nach der Funktion von 1Thess 5,1–3 im Rahmen des vorliegenden literarischen Zusammenhangs, die ihrerseits mit der Frage nach der Bedeutung des Abschnitts für das paulinische Zeitverständnis selbst zusammenhängt. Um die hiermit angedeutete Aufgabe

---

[4] Vgl. E. Fuchs, GA Bd. III, S. 338; anders E. v. Dobschütz: „das tert. comp. liegt nur in dem überraschenden ...; das erschreckende ... liegt noch nicht darin" (a.a.O., S. 205).

[5] Vgl. E. Fuchs, ebd. A. Strobel bestreitet, daß die ἡμέρα κυρίου von Paulus in 1Thess 5,2 negativ als Tag der Krisis geltend gemacht werde: „Schon an der in die Anfänge der urchristlichen Zeit weisenden Stelle 1. Thess 5,1f. liegt allein dieses Vergleichsmoment (sc. das Drohende *des Termins, nicht* die bevorstehende schreckliche *Katastrophe*) vor, denn es geht ... *nicht* um die Krisis, um den Gerichtstag, sondern um den Tag des *Herrn* ..., also um einen kommenden positiven Faktor ..." (Untersuchungen zum eschatologischen Verzögerungsproblem, S. 211 Anm. 3). Diese Argumentation vermag jedoch insofern nicht zu überzeugen, als sie 1Thess 5,1f. von 5,3 isoliert. Zwar gilt, daß der Vergleich in 5,2 auf das unvermutete Kommen des Termins abhebt. Wie wenig indessen dieser Termin selbst als ein positiver Faktor verstanden ist, zeigt die folgende Aussage von 5,3, die mit Hilfe des Vergleichs mit der in Wehen liegenden Schwangeren drohend das Moment der Unentrinnbarkeit der eschatologischen Zukunft pointiert (s.u.) und damit auch den Krisischarakter der ἡμέρα κυρίου (5,2) fixiert.

[6] So u.a. E. Fuchs, GA Bd. III, S. 337; W. Schrage, Die Stellung zur Welt bei Paulus, Epiktet und in der Apokalyptik, ZThK 61/1964, 143; J. Schneider, ThW Bd.V, 169; L. Morris, The First and the Second Epistles to the Thessalonians, S. 154 Anm. 13; K.-G. Eckart, ZThK 58/1961, 41 („Wer sich in Sicherheit wiegt, den überfällt der Schrecken dieses Tages, wie auch die schwangere Frau unausweichlich von den Geburtswehen erreicht wird"). Der Gesichtspunkt der ‚Unentrinnbarkeit' wird durch V. 3 fin. (καὶ οὐ μὴ ἐκφύγωσιν) noch verstärkt. Daß es verfehlt ist, das tert. comp. des Vergleichs in V. 3 auf das (wie man meint, bereits in V. 2 pointierte) Moment der ‚Plötzlichkeit' festzulegen (so W. Straub, Die Bildersprache des Apostels Paulus, S. 48, und — mit fragwürdiger Begründung — H.M. Gale, The Use of Analogy in the Letters of Paul, S. 31ff.), wird die folgende motivgeschichtliche Untersuchung zu V. 2f. (s.u. Abschn. c) erweisen.

[7] Die Aussagen von V. 2f. pointieren also ein *Wie* und stehen damit in Spannung zur Formulierung von V. 1, die eher ein *Wann* bzw. eine *Wie-lange* ins Auge faßt.

der Untersuchung präzise zu bestimmen, orientieren wir uns zunächst an einer phänomenologischen Analyse von 1 Thess 5, 1–3, die gerade für unsere Fragestellung von Belang zu sein scheint. O. PÖGGELER macht in seinem Buch ‚Der Denkweg Martin Heideggers‘ auf die Freiburger Vorlesung ‚Einführung in die Phänomenologie der Religion‘ aufmerksam, in der M. HEIDEGGER eben die uns interessierende Stelle aus dem 1. Thessalonicherbrief (1 Thess 5, 1–3) heranzieht und die sich dort bekundende Zeiteinstellung als Modell der von ihm so bezeichneten ‚faktischen Lebenserfahrung‘ zu verstehen lehrt: „Paulus, darauf weist Heidegger (sc. mit ausdrücklichem Bezug auf 1 Thess 5, 1–3) hin, macht keine Zeitangaben für die Wiederkunft; er lehnt sogar eine Zeitangabe ausdrücklich ab. Die Wiederkunft ist z. B. nicht auf das Jahrtausend der Chiliasten festzulegen; Paulus spricht nur von ihrer ‚Plötzlichkeit‘. Er gibt nicht ‚chronologische‘, sondern ‚kairologische‘ Charaktere. Der Kairos stellt auf des Messers Schneide, in die Entscheidung. Die kairologischen Charaktere berechnen und meistern nicht die Zeit; sie stellen vielmehr in die Bedrohung durch die Zukunft. Sie gehören in die *Vollzugs*geschichte des Lebens, die nicht objektiviert werden kann. Auch durch gehaltsmäßige Momente kann die Wiederkunft nicht charakterisiert werden.“[8] Weiter heißt es in dem Referat PÖGGELERS: „Nach Heidegger ist die urchristliche Lebenserfahrung ... gerade deshalb eine faktische und historische, eine Erfahrung des Lebens in seiner Tatsächlichkeit, weil sie im Vollzugssinn, nicht im Gehaltssinn die dominante Struktur des Lebens sieht. Versucht der Mensch, das unverfügbare, plötzlich einbrechende Ereignis, auf das sein Leben gesetzt ist, festzulegen durch chronologische Berechnungen oder durch gehaltsmäßige Charakterisierungen, dann stellt er das, was sein Leben bestimmen soll als das immer Unverfügbare, ab als das Gesicherte, Verfügbare. So aber täuscht er sich über die Tatsächlichkeit des Lebens: ‚Denn‘, so schreibt Paulus, ‚wenn sie werden sagen: Es ist Friede, es hat keine Gefahr, — so wird sie das Verderben schnell überfallen, gleichwie der Schmerz ein schwangeres Weib, und werden nicht entfliehen‘. Heideggers Denken ist und bleibt von der Vermutung getragen, daß jenes Denken dem Verderben nicht entflieht, das sich den Bezug zur unverfügbaren Zukunft dadurch verstellt, daß es die Zeit berechnet und sich verfügbaren, ‚objektiven‘ Gehalten zuwendet.“[9]

HEIDEGGER charakterisiert den urchristlichen Glauben, wie er sich in 1 Thess 5, 1–3 zu Wort meldet, somit als eine Erfahrung des Lebens in seiner Tatsächlichkeit — eine Erfahrung, die „das Leben historisch

[8] O. PÖGGELER, a. a. O., S. 36.
[9] Ebd., S. 36f.

oder, wie wir heute sagen würden, ‚geschichtlich'" versteht[10] und der es auf den „nichtobjektivierbaren"[11], nämlich „unreduzierbar zeitlich-geschichtlichen, die Zeit zeitigenden Vollzug"[12] ankommt: Die faktische Lebenserfahrung „lebt nicht nur in der Zeit, sondern lebt die Zeit selbst"[13]. Sehr aufschlußreich ist die Beobachtung, daß HEIDEGGER die Merkmale der sich im urchristlichen Glauben modellhaft abzeichnenden ‚faktischen Lebenserfahrung' via negationis profiliert. Die Charaktere des sich im Vollzug seiner selbst erfüllenden faktischen Lebens heben sich vor dem Hintergrund einer Einstellung ab, der es um vorstellende Erfassung und berechnende Meisterung der Zukunft geht. Diese auf Vorstellung und Berechnung der Zeit hinzielende Einstellung ist nach HEIDEGGER dort gegeben, wo man den Richtungssinn des Lebens aus „Gesichte(n) und Apokalypsen"[14] ableitet. Während der durch Paulus repräsentierte urchristliche Glaube auf alle Vorstellungen und Berechnungen der eschatologischen Zukunft verzichtet und damit die Unverfügbarkeit und Nicht-Objektivierbarkeit des Heilsereignisses wahrt, ist es für ein im weiteren Sinn als *apokalyptisch* zu kennzeichnendes Denken gerade charakteristisch, sich der Zukunft durch gehalts- oder zahlenmäßige Kalkulation zu vergewissern und somit zu bemächtigen.

Diese Kontrastierung von urchristlicher und apokalyptischer Denkweise entspricht auffallend einer in der neutestamentlichen Wissenschaft weithin vertretenen Auffassung, nach der das Denkmodell der (nun allerdings präziser als Phänomen des nachexilischen Judentums verstandenen) *Apokalyptik* die negative Folie darstellt, vor der sich insonderheit das Zeitverständnis Jesu, aber auch das des Urchristentums abhebt. Denn die Apokalyptik ergeht sich nach gängiger Ansicht eben in Ausmalungen und Berechnungen der Zukunft. Sie zeigt sich „bemüht, die Geheimnisse des göttlichen Weltplanes zu enträtseln, die Vorzeichen des Endes zu erkennen und sein Eintreffen zu berechnen und phantastische Unsagbarkeiten himmlischer Herrlichkeit sich aus-

---

[10] O. PÖGGELER, ebd., S. 38.

[11] Ebd., S. 41.

[12] Ebd., S. 42.

[13] Ebd., S. 38. Vgl. ebd., S. 27: „Das Leben, das sich in seiner Tatsächlichkeit in Bedeutsamkeitszusammenhängen vollzieht, steht in ‚Situationen'. Vollzugssinn, Gehaltssinn, Bezugssinn machen die Struktur der Situation aus. Im faktischen Leben dominiert der Vollzugssinn: der Vollzug des Lebens selbst steht über der Ausrichtung auf ‚Gehalte'. Das Leben schöpft den Grundsinn seiner selbst, wenn es sich in seinem Vollzug ergreift; so aber versteht es sich als ‚historisches' (in sich selbst geschichtliches) Leben und ist auf dem Weg zu seinem Ursprung."

[14] O. PÖGGELER, a.a.O., S. 37; vgl. ebd., S. 41.

zudenken“[15]. So sucht sie das eschatologische Heil in den Griff zu bekommen, indem sie es entweder gehaltsmäßig vorstellt oder berechnend ‚meistert‘. In der eschatologischen Verkündigung Jesu hingegen fehlt „alle gelehrte und phantastische Spekulation, wie sie für die Apokalyptik charakteristisch ist. Er (sc. Jesus) blickt nicht zurück auf die schon abgelaufenen Weltperioden und stellt keine Berechnungen an, wann das Ende kommen wird. Er heißt nicht auszuspähen nach den Zeichen in der Natur und in der Völkerwelt, an denen das Nahen des Endes erkennbar sei. Er verzichtet ebenso auf alle Ausmalung des Gerichtes, der Auferstehung und der künftigen Herrlichkeit. Alles wird verschlungen von dem einzigen Gedanken, daß dann Gott herrschen wird.“[16] Diese Charakteristik der Predigt Jesu scheint auch auf den theologischen Entwurf des Paulus übertragbar, zeigt sich doch gerade an einer Aussage wie 1 Thess 5, 1–3 dieselbe Tendenz einer auf Spekulation und Berechnung verzichtenden Zeiteinstellung: „Jüdische apokalyptische Vielwisserei glaubte nach Andeutungen z.B. bei Jeremia und Daniel und nach anderen, geheimen Überlieferungen den Anbruch der messianischen Zeit vorausberechnen zu können; genau wußte man über alle Vorzeichen Bescheid. Paulus lehnt das, ebenso wie schon Jesus (Lk. 17, 20f.) ab.“[17] Somit ist es naheliegend, hinter den Ausführungen von 1. Thess 5, 1–3 eine antiapokalyptische Tendenz zu vermuten. Zurückhaltend gibt E. Fuchs dieser Vermutung Ausdruck, wenn er z. St. bemerkt: „Die Glaubenden wissen Bescheid, weil sie die Zeiten inhaltlich anders und besser zu unterscheiden wissen als diejenigen, welche zu viel oder zu wenig unterscheiden. Der paulinische Rekurs auf alttestamentliche prophetische Tradition scheint so durchaus auch die Abwehr apokalyptischer Spekulation zu enthalten.“[18]

Wir haben zu prüfen, ob diese Sicht des Verhältnisses von paulinischer Theologie und ‚apokalyptischer Spekulation‘ speziell im Blick auf 1 Thess 5, 1–3 zutrifft. Unsere Untersuchung hat folgenden Fragen

[15] So R. Bultmann, Jesus, S. 21. Dieses Pauschalurteil über die apokalyptische Einstellung zur Zukunft entspricht der in den Gesamtdarstellungen der Apokalyptik von P. Volz (Die Eschatologie der jüdischen Gemeinde im neutestamentlichen Zeitalter, S. 141ff.) und Bousset, Rel. (S. 246ff.) vertretenen Sicht, die eine fast dogmatische Geltung beanspruchte und bis heute nachwirkt (als Beispiel sei nur die Charakteristik Ph. Vielhauers, Art. Apokalyptik, bei Hennecke, Bd. II, 3. Aufl. 1964, S. 415, genannt).

[16] R. Bultmann, Das Urchristentum im Rahmen der antiken Religionen, S. 93; vgl. Ders., Theologie des Neuen Testaments, 5. Aufl. 1965, S. 4, wo sich der zitierte Passus fast wörtlich wiederfindet.

[17] W. Lueken, a.a.O., S. 18; vgl. auch H. Conzelmann, Grundriß der Theologie des Neues Testaments, 2. Aufl. 1968, S. 282: Paulus „gibt keine apokalyptische Deutung der Weltsituation, keine Berechnung von apokalyptischen Stationen und Terminen — gerade das lehnt er ab (1 Thess 5, 1 ff.)“.

[18] GA Bd. III, S. 338f.

nachzugehen: 1. Entspricht die soeben beschriebene und fast allgemein in Geltung stehende Charakteristik apokalyptischen Denkens der in den spätjüdischen Quellen selbst wahrnehmbaren Tendenz? Erweist sich das Anliegen der Endzeitberechnung tatsächlich als ein Wesensmerkmal apokalyptischer Theologie, ein Merkmal also, das die verschiedenen Einzelentwürfe unbeschadet der jeweiligen Interessenlage grundlegend bestimmt? 2. Sind die Aussagen des Apostels in 1Thess 5,1–3 wirklich von einer antiapokalyptischen Einstellung geleitet? Wird also die spezifische Differenz zwischen jüdischer Apokalyptik und urchristlicher Theologie gerade an einem Text wie 1Thess 5,1–3 evident? 3. Ist das, was Paulus zu sagen hat, schon in den V. 1–3 enthalten? Anders gewendet: Ist über die Pointe der Ausführungen von 5, 1–11 bereits in den V. 1–3 vorentschieden? Diese Frage impliziert das Sachproblem, inwiefern sich die Stellungnahme von 5,1–3 als Ausdruck des paulinischen Zeitverständnisses selbst in Anspruch nehmen läßt.

Im Folgenden soll versucht werden, die Klärung dieser sachlich miteinander zusammenhängenden Fragen durch eine motivgeschichtliche Untersuchung über den Gebrauch der in V. 2f. verwendeten Vergleiche vorzubereiten[19].

c) *Motivgeschichtliche Erwägungen zu V. 2f.*

(1) Wie bereits dargelegt, kommt dem *Vergleich mit dem nächtlichen Dieb* in 1Thess 5,2 die Funktion zu, das Eintreffen eines der Zukunft vorbehaltenen Ereignisses als ‚überraschend' und ‚unvorhersehbar' zu kennzeichnen. Es gilt zu prüfen, ob dieser Gebrauch des Vergleichs in der alttestamentlich-jüdischen Tradition vorgeprägt ist.

Die Wendung kăggănnab findet sich im Alten Testament (MT) lediglich an zwei Stellen: *Jo 2,9* und *Hi 30,5*. Der zuerst genannte Beleg beansprucht insofern besondere Aufmerksamkeit, als er einem der Ankündigung des jôm jăhwæ̆ (vgl. dazu das Stichwort ἡμέρα κυρίου 1Thess 5,2) geltenden Aussagezusammenhang angehört (vgl. Jo 2,1ff.). Doch bezieht sich der Vergleich in Jo 2,9 nicht auf die Art der Ankunft dieses Tages, sondern auf den die Katastrophe signalisierenden Über-

---

[19] Nachzuzeichnen ist die Geschichte der als Topoi anzusprechenden Vergleiche mit dem Dieb und der in Wehen liegenden Schwangeren innerhalb der alttestamentlich-jüdischen Tradition. Bei der Untersuchung der Einzelstellen orientieren wir uns an der Frage, „was der Vergleich in seinem Zusammenhang wirklich leistet: was durch ihn und wie etwas ‚sichtbar' gemacht wird, wozu er dient und welche anderen Funktionen er darüber hinaus ausübt" (W. Kayser, Das sprachliche Kunstwerk, S. 122f.). Dabei gilt zu klären, ob sich für den paulinischen Gebrauch der Vergleiche von 1Thess 5,2f. innerhalb des alttestamentlich-jüdischen Sprachbereichs Analogien ausfindig machen lassen, die ihrerseits möglicherweise auf die paulinische Sprache eingewirkt haben und die spezifische Funktion des in 1Thess 5,2f. Gesagten deutlich machen.

fall des ‚Heuschreckenheeres‘: ‚Sie überfallen die Stadt, berennen die Mauer, ersteigen die Häuser, steigen ein in die Fenster gleich wie der Dieb‘[1]. Die Wendung kăggănnab (LXX: ὡς κλέπται) erläutert lediglich das in V. 9b Gesagte: beʿăd hăḥăllônîm jabo'û. Sie dient also nicht der Verstärkung des Gesichtspunktes der Unaufhaltsamkeit, der in V. 7b.8 vorherrscht[2], sondern verdeutlicht ausschließlich die ungewöhnliche Weise der in V. 9b beschriebenen Hausbesetzung. — Einem Lied über ‚gottlose Landfremde‘ (Hi 30,2–8)[3] gehört die Aussage Hi 30,5 an: ‚Aus der Gemeinschaft werden sie vertrieben, man schreit ihnen wie dem Diebe nach‘[4] (MT). Der Vergleich (kăggănnab) scheint an dieser Stelle eine identifizierende Funktion zu übernehmen. Denn die Angehörigen des Personenkreises, von dem in V. 2–8 die Rede ist, werden in V. 5b eigentlich nicht mit Dieben ‚verglichen‘, sondern vielmehr *als* Diebe angesprochen: Sie gelten *als* „des Diebstahls verdächtig“[5], werden *als* Diebe verschrieen und darum aus der Gemeinschaft ausgeschlossen.

Abgesehen von Jo 2,9 und Hi 30,5 begegnet das Bild vom Dieb noch in dem korrekt geformten Vergleichssatz *Jer 2,26*. Doch ist die Blickrichtung hier insofern von vornherein eingeengt, als der durch ke eingeleitete Vergleich nicht generell den Dieb nennt, sondern speziell auf die Schande des (ertappten) Diebes abhebt (vgl. Jer 48,27). Der Vergleich (kebošæt gănnab — LXX: ὡς αἰσχύνη κλέπτου) erhellt die Situation des von Jahwe abgefallenen Israel. — Am Rande ist schließlich noch auf die ans Metaphorische grenzende Rede vom Dieb in den Orakeln gegen Edom *Ob 5* und *Jer 49,9* (30,3 LXX) hinzuweisen. Beide Aussagen verdeutlichen am Verhalten des (nächtlichen) Diebes, der sich nichts entgehen läßt, und an dem des Winzers, der alles ohne Rest einsammelt, die Totalität der Edom angedrohten Plünderung.

Wie dieser Überblick zeigt, ist die 1Thess 5,2 vorliegende Verwendung des Vergleichs mit dem nächtlichen Dieb in der alttestamentlichen Tradition ohne Vorbild. An keiner der genannten Stellen liegt der

---

[1] Übersetzung nach A. Weiser, Das Buch der zwölf Kleinen Propheten (ATD 24/I, 4. Aufl. 1963), S. 112.

[2] Vgl. A. Weiser, ebd., S. 114.

[3] Vgl. G. Fohrer, Das Buch Hiob (KAT XVI), S. 417 (vgl. ebd., S. 416).

[4] Übersetzung nach G. Fohrer, ebd., S. 411.

[5] G. Fohrer, ebd., S. 417. — Vom nächtlichen Treiben des Diebes (vgl. 1Thess 5,2: ὡς κλέπτης ἐν νυκτί) ist Hi 24,14b. 16a die Rede; doch begegnet die Gestalt des Diebes an dieser Stelle nicht im Rahmen eines Vergleichs (jehî kăggănnab ist in jehăllek gănnab zu korrigieren; vgl. G. Fohrer, ebd., S. 369), sondern innerhalb einer Aufzählung von Beispielen für lichtscheue Verbrecher Hi 24,14.16a.15 (zur Auslegung des Liedes Hi 24,13–17 vgl. G. Fohrer, ebd., S. 373).

Akzent auf dem unvermuteten Kommen des Diebes. Dieser Sachverhalt sowie die weitergehende Feststellung, daß das Motiv „der eschatologischen Bildersprache des Spätjudentums fremd ist“[6], können allerdings kaum als Argumente für die Originalität der paulinischen Aussage in 1Thess 5,2 in Anspruch genommen werden. Einerseits bietet die literarische Fehlanzeige noch keine Gewähr für die Behauptung, daß das Motiv in der 1Thess 5,2 begegnenden eschatologischen Zuspitzung vor Paulus nicht gebräuchlich war. Zum anderen bleibt zu prüfen, ob sich nicht das durch den Vergleich mit dem nächtlichen Dieb pointierte *Sachanliegen* von 1Thess 5,2 als traditionell erweisen lassen könnte. Im übrigen bedarf die Entscheidung der Frage, ob Paulus in 1Thess 5,2 selbständig formuliert oder auf eine bereits traditionell geprägte Ausdrucksweise zurückgreift, einer Klärung des Verhältnisses von 1Thess 5,2 und Lk 12,39f. par. Mt 24,43f. Wir behalten die Erörterung aller damit zusammenhängenden Probleme der Interpretation des Gleichnisses vom ‚nächtlichen Einbrecher‘ (Lk 12, 39f. par. Mt 24,43f.) vor (s.u. Exkurs II) und wenden uns nun einer ebenfalls motivgeschichtlich orientierten Erhebung über Vorkommen und Verwendung des Bildes von der in Wehen liegenden Schwangeren (vgl. 1Thess 5,3) zu.

(2) Bei der ersten Durchsicht der Stellen zeigt sich, daß der auf *die Schwangere und deren Wehen* bezogene Motivkomplex im Alten Testament (abgesehen von Ps 48,7) ausschließlich der prophetischen Überlieferung angehört. In der Absicht, die jeweilige sprachliche Funktion des Motivs zu ermitteln[7], suchen wir im Folgenden die Einzelbelege zu ordnen und nach Sachgesichtspunkten zu gruppieren.

(a) Als zusammengehörig erweisen sich zunächst die Stellen *Jes 13,8*; *Jer 6,24* par. *20,43* (27,43 LXX). Wie aus dem Kontext ersichtlich, wird an den genannten Stellen jeweils die notvolle Situation derjenigen beschrieben, die sich von einer Gerichtsansage Jahwes betreffen lassen müssen[8]: Sie sind bestürzt und verzagt (Jes 13,7f.), ihnen erschlaffen die Hände (Jes 13,7; Jer 6,24; 50,43), sie werden von ‚Krämpfen und Wehen‘ (ṣîrîm wăḥᵃbalîm) befallen (Jes 13,8), ‚Angst‘ (ṣarā) ergreift sie, ein ‚Sich-winden‘ (ḥîl) wie die Gebärende (Jer 6,24; 50,43; vgl. Jes 13,8: ‚sie winden sich wie eine Gebärende‘).

---

[6] J. Jeremias, Die Gleichnisse Jesu, 7. Aufl. 1965, S. 47.

[7] Siehe o. S. 60 Anm. 19.

[8] Die Gerichtsankündigung gilt Jes 13 Babel, Jer 6,22–26 dagegen Zion (Jer 50,41–43 stellt eine nun auf Babel bezogene Aktualisierung von Jer 6,22ff. dar; vgl. A. Weiser, Das Buch Jeremia, ATD 20/21, 5. Aufl. 1966, S. 432). Zum Babelgedicht Jes 13 vgl. G. v. Rad, Theologie des Alten Testaments, Bd. II, 4. Aufl. 1965, S. 130, wo die den Aussagen zugrunde liegende Topik des ‚Heiligen Krieges‘ profiliert und deren Zusammenhang mit der Rede vom ‚Tag Jahwes‘ (vgl. Jes 13,6) herausgestellt wird (vgl. ebd., S. 132).

Der Vergleich (kăjjôledā) präzisiert in beiden Fällen zunächst nur das Sich-winden (ḥjl). Doch wird durch diese Festlegung der Bedeutung von ḥjl (vgl. Mi 4,9; Jer 22,23; Ps 48,7) zugleich über den Charakter der durch die Worte ḥebæl, ṣîr, ṣarā gekennzeichneten Gesamtsituation entschieden. Infolge der Wirkung des Gotteswortes[9] geraten die Betroffenen in eine Lage, wie sie eben für die Gebärende typisch ist, eine Lage nämlich, die ebenso die Merkmale des *Schmerzes* und des *Bedrängtseins* an sich trägt wie die der *Hilflosigkeit* und *Ohnmacht*. Der Vergleich mit der Gebärenden präzisiert die Not als *ein Widerfahrnis schmerzvoller Drangsal, dessen sich niemand erwehren kann*. Pointiert ist einerseits das Moment des Schmerzes und der Enge (Angst), andererseits das des Ausgeliefertseins[10]. Eine ähnliche Funktion kommt dem Vergleich an folgenden Stellen zu: *Jer 49,24* MT (Schilderung des Unglücks von Damaskus; vgl. Jer 48,41; 49,22); *Ps 48,6f.* (die V. 5–8 des Zionsliedes[11] berichten vom Scheitern des gegen die Gottesstadt gerichteten Völkersturmes[12]); *Mi 4,9f.* (Charakteristik der Not Zions; vgl. Jer 4,31; Apk 12,2); vgl. auch Jer 30,6.

Innerhalb dieses Sachzusammenhangs ist ferner die Aussage *Jes 21,3* anzuführen. Das „auf den Untergang Babylons zielende Orakel" Jes 21,1–10[13] enthält in V. 3f. eine Schilderung der Wirkung des Gotteswortes (V. 2b)[14] auf den Propheten (vgl. Hab 3,16; Dan 10,16): ‚Darum sind meine Hüften erfaßt von Krämpfen, Wehen (ṣîrîm) haben mich ergriffen wie die Wehen einer Gebärenden (keṣîrê jôledā). Ich bin verstört vom Hören, bestürzt vom Schauen. / Mir taumeln die Sinne, Entsetzen erfüllt mich . . .'[15] Der Vergleich präzisiert den Sinn von ṣîrîm und kennzeichnet die Befindlichkeit des Propheten als einen sich un-

---

[9] In Jer 6,22–26 wird die Schilderung der Reaktion der Betroffenen (Jer 6, 24f.) in die prophetische Gerichtsansage selbst hineingenommen; vgl. H. W. Wolff, Das Zitat im Prophetenspruch, in: Ges. Studien zum Alten Testament, S. 47 und ebd. Anm. 70.

[10] Vgl. G. Fohrer, Das Buch Jesaja. 1. Bd. Kp. 1–23, 2. Aufl. 1966, S. 184; W. Eichrodt, Der Herr der Geschichte (Die Botschaft des Alten Testaments, Bd. 17/II), S. 14f.

[11] Vgl. G. v. Rad, Theologie des Alten Testaments, Bd. II, 4. Aufl. 1965, S. 163.

[12] Vgl. H.-J. Kraus, Psalmen, (BK XV/1), S. 358f.; vgl. auch C. Westermann, Das Loben Gottes in den Psalmen, 4. Aufl. 1968, S. 69.

[13] K. Galling, Jesaia 21 im Lichte der neuen Nabonidtexte, in: Tradition und Situation (Festschrift A. Weiser), S. 55.

[14] Vgl. K. Galling, ebd., zu V. 2a: „Der Terminus ḥazût (= Gesicht) ist nicht nur vorausweisend auf die Aussagen in v. 7ff., sondern umgreift auch, wie in Jes. 1,1; 2,1, die Audition eines Gotteswortes (v. 2b)." Der Jahwespruch findet sich in V. 2b (vgl. ebd., S. 55f.). Sofern auch V. 5b als Jahwewort anzusprechen ist (so Galling, ebd., S. 56f.), bilden die V. 3f. „eine Parenthese, die die Erregung des Angesprochenen ausmalt" (ebd., S. 57).

[15] Übersetzung nach W. Eichrodt, a.a.O., S. 80f.

widerstehlich einstellenden Zustand des Schmerzes und der Beklemmung[16]. — In ähnlichem Zusammenhang begegnet das Motiv *äthHen 62,4*. Die Aussage könnte traditionsgeschichtlich u.a. durch Jes 21,3 beeinflußt sein (vgl. ferner äthHen 62,4f. mit Jes 13,8). Ganz entsprechend zu Jes 21,3(f.), wo die Wirkung des (die Audition V. 2b umgreifenden) ‚Gesichtes' (vgl. V. 2a) auf den Propheten beschrieben wird, schildert äthHen 62,4 den Eindruck der Epiphanie des ‚Auserwählten' (vgl. 62,1ff.)[17] auf die irdischen Machthaber: ‚Da wird Schmerz über sie kommen, wie (über) ein Weib, das in (Geburts-) Wehen ist, und dem das Gebären schwer wird, wenn sein Sohn in den Muttermund tritt, und das Schmerzen beim Gebären hat'[18]. Wie in Jes 21,3 ist der Gesichtspunkt der (unwiderstehlich eintretenden) Qual als die Pointe des hier allerdings breiter ausgeführten Vergleichs anzusehen.

Auch in den analog gebildeten Aussagen *Jer 13,21* und *22,23*, die jeweils einer Jerusalem geltenden Gerichtsansage angehören, scheint das Motiv nicht anders verwendet als an den bisher genannten Stellen: ‚Die du auf dem Libanon horstest, auf Zedern eingenistet: Wie wirst du stöhnen, wenn Wehen (ḥᵃbalîm) über dich kommen, Krämpfe (ḥîl) wie bei einer Gebärenden'[19] (Jer 22,23; vgl. Jer 13,21). Der Vergleich pointiert an dieser Stelle wie Jer 13,21 wohl kaum die Unentrinnbarkeit[20] des Jerusalem angedrohten Geschehens, sondern er qualifiziert dieses Geschehen der Zukunft *inhaltlich* als ein Ereignis des Schmerzes und der Drangsal, wobei allerdings wiederum das Moment des Ausgeliefertseins mitbetont sein mag.

(b) Gesondert ist die der Jesaja-Apokalypse angehörende Aussage *Jes 26,17f.* anzuführen:

(V. 17) ‚Wie eine Schwangere, die nahe der Geburt ist,
Sich windet und schreit in ihren Schmerzen,
So waren wir vor deinem Angesicht, Jahwe.
(V. 18) Schwanger waren wir, wanden uns;
Als wir gebaren, war es Wind.
Deine[21] Heilstaten schafften wir dem Lande nicht,
Und nicht werden geboren Erdenbewohner.'[22]

---

[16] Vgl. auch G. Fohrer, Das Buch Jesaja, 1. Bd., 2. Aufl. 1966, S. 239; G. v. Rad, Theologie des Alten Testaments, Bd. II, 4. Aufl. 1965, S. 68f.

[17] Zu den anderen in äthHen 62 begegnenden Termini für den ‚menschengestaltigen Himmlischen' (vgl. 62,5.7.9.14) s. C. Colpe, ThW Bd. VIII, 426ff.

[18] Text nach G. Beer, bei Kautzsch, AP II, 271.

[19] Übersetzung nach A. Weiser, ATD 20/21, 5. Aufl. 1966, S. 192.

[20] Gegen A. Weiser, der in seiner Auslegung beider Stellen vor allem auf diesen Gesichtspunkt abhebt (vgl. a.a.O., S. 118. 193).

[21] Nach 1 QIsᵃ (vgl. BH App. III).

[22] Übersetzung nach M.-L.Henry, Glaubenskrise und Glaubensbewährung in den Dichtungen der Jesajaapokalypse, S. 68.

In den Rahmen des bisher Gesagten fügt sich die Verwendung des Motivs in *V. 17* zwanglos ein. Wie Jes 13,8; Jer 6,24 par. 50,43 (vgl. Jer 49,24; Mi 4,9f.) gilt die im Stil eines korrekten Vergleichs gebildete Aussage einer „markante(n) Veranschaulichung menschlicher Hilflosigkeit angesichts göttlicher Gerichtsauswirkung“[23] (vgl. Jes 26,16). Sie kennzeichnet „die vollkommene Ohnmacht des Menschen, dargestellt an der Aussetzung vitalster Lebensvorgänge, deren Ablauf sich ohne Willenseinwirkung von selbst zu vollziehen pflegt.“[24] Ein anderer Gesichtspunkt dominiert dagegen in *V. 18*. Gegenüber V. 17 ist insofern eine Akzentverschiebung wahrzunehmen, als nun das „drastische(n) Bild einer vergeblich kreißenden Frau“[25] vorschwebt (vgl. 2Kön 19,3 par. Jes 37,3). Angelpunkt der Aussage ist „nicht mehr die Hilflosigkeit des Menschen vor dem Angesicht Jahwes im Augenblick seines richtenden Handelns ..., sondern das menschliche Unvermögen den Heilszustand zu schaffen, den nur sein Gott herbeizuführen vermag“[26]. M.-L. Henry konstatiert zu Recht, daß Jes 26, 17f. eine „Motivmischung“ vorliegt[27].

(c) Ohne Analogie ist die Art der Verwendung des Motivs *Hos 13, 12f*. Die Aussage gilt der Feststellung der Schuld Israels:

(V. 12) ‚Gebündelt ist Ephraims Vergehen,
verwahrt sein Verfehlen.
(V. 13) Kommen die Geburtswehen für ihn,
so ist er ein unkluger Sohn.
Wenn es Zeit ist, tritt er nicht
in den Muttermund.‘[28]

In seiner Auslegung des Textes bemerkt H.W. Wolff z.St.: „Die ‚Geburtsschmerzen der Mutter‘ treten hier erstmals in der Prophetie im Zusammenhang von Gerichtsnöten auf ... Aber das Bild wird eigentümlich gebrochen. Denn Ephraim wird nicht in der Gestalt der Gebärenden geschaut, sondern des Kindes, das zur Welt kommen soll. Kühn wird es der ‚unweise Sohn‘ genannt, d.h. hier — und damit

---

[23] M.-L. Henry, a.a.O., S. 88; vgl. dazu Henrys Interpretation der problematischen Aussage von Jes 26,16 ebd., S. 85f. (zum Text vgl. ebd., S. 68 und Anm. f. g).

[24] M.-L. Henry, ebd., S. 88.

[25] M.-L. Henry, a.a.O., S. 87.

[26] M.-L. Henry, ebd., S. 88 (vgl. S. 89). Daß V. 18b nicht die „unheimliche Kinderlosigkeit“, die unbefriedigende „Nativität im Volke“ beklagt (so J. Lindblom, Die Jesaja-Apokalypse, S. 50. 63), stellte vor M.-L. Henry (vgl. a.a.O., S. 87f.) bereits O. Plöger (Theokratie und Eschatologie, S. 85) heraus.

[27] A.a.O., S. 88. Weil sie die Verschiebung der Aussagefunktion des Bildes von V. 17 zu V. 18 verkennen, sind Plögers Ausführungen z.St. (vgl. a.a.O., S. 85) weniger treffend.

[28] Übersetzung nach H. W. Wolff, Dodekapropheton 1. Hosea (BK Bd. XIV/1), S. 286.

schiebt sich die Sache ins Bild hinein — der ungeschickte, unerfahrene, der nicht weiß, was ‚die Stunde' gebietet. Denn der wahrhaft Weise weiß um die rechte Zeit (Qoh 8,5). Ephraim aber trat in der von Jahwe heraufgeführten Stunde nicht in den Muttermund. Das (wie 8,7) weisheitlich bestimmte Bild sagt damit das gleiche wie die Worte von der Weigerung zur Umkehr in der Stunde des Gerichts: vgl. 5,4; 11,5 und vor allem 5,8–7,16 mit 5,15; 6,4; 7,2.10.16cj."[29]

(d) In stark abgewandelter Form begegnet das Motiv schließlich noch in der Heilsankündigung *Jes 66,7–9*[30]. Auch an dieser Stelle wird von der Gebärenden und deren Wehen gesprochen, doch ist die Blickrichtung im Unterschied zur üblichen Verwendung des Motivs in der prophetischen Überlieferung — vgl. (2a) — insofern verschoben, als das Ereignis der (geglückten) Geburt im Vordergrund des Interesses steht. Die offensichtlich an Jes 49,20–23 anknüpfende, aber ein größeres Maß an Reflexion zu erkennen gebende Aussage[31] lautet:

(V. 7) ‚Bevor die Gebärende gekreißt,
bevor ihr die Wehen kamen, genas sie eines Sohnes.
(V. 8a) Wer hat so etwas gehört? Wer hat derartiges gesehen?
b Wird ein Land an einem einzigen Tag durch die Wehen gebracht?
c Wird ein Volk geboren mit einem Schlage?
d Denn es kam in die Wehen und gebar auch schon Zion ihre Söhne.
(V. 9) Sollte ich durchbrechen und nicht gebären lassen, spricht Jahwe,
Sollte ich gebären lassen und dann zurückhalten? spricht dein Gott.'[32]

In V. 7 ist zunächst von einer Geburt die Rede, bei der die Ankunft des Kindes „mit dem Einsetzen der Wehen zusammenfällt"[33]. Das Bildwort pointiert nicht die Plötzlichkeit[34], sondern den *wunderbaren Charakter* dieses Ereignisses (vgl. V. 8a)[35]. Durch die beiden Fragen

---

[29] Ebd., S. 296.

[30] Die Verse Jes 66,7–9 bilden den Anfang des in sich einheitlichen Aussagezusammenhangs von Jes 66,7–14, der wohl sekundär „in eine Weltgerichts-Epiphanie V. 6 und V. 15–16 gerahmt" wurde (C. WESTERMANN, Das Buch Jesaja. Kp. 40–66, ATD 19, S. 332).

[31] Vgl. C. WESTERMANN, ebd., S. 333.

[32] Übersetzung nach WESTERMANN, ebd., S. 331.

[33] WESTERMANN, ebd., S. 333.

[34] Gegen C.-M. EDSMAN, der — ohne das Verhältnis von Bild und Sache zu analysieren und zwischen den Einzelaussagen von V. 7. 8a–d genauer zu differenzieren — den Gesichtspunkt der ‚Plötzlichkeit' hervorhebt und vor allem darin die Pointe von V. 7f. erblickt: "In their original context these verses refer to the sudden coming of the Messianic Kingdom. The country, depopulated during the Exile, shall suddenly teem with people by a miracle of the Lord. Zion shall recover her children in a moment" (The Body and Eternal Life, HS I, Fasc. II/1946, S. 42; vgl. ebd., S. 44f. und S. 73: "... the new birth of the people happens so quickly that mother Zion suffers no agony ...").

[35] Vgl. C. WESTERMANN, ATD 19, S. 333.

in V. 8b.c wird die Sprachkraft der Bildrede von V. 7 offensichtlich überzogen. War in V. 7 auf die Koinzidenz von Wehen und Geburt abgehoben, so richtet sich das Interesse in V. 8b.c auf den Sachverhalt, daß viele auf einmal geboren werden. Vers 8d schließlich appliziert das Bildwort von der wunderbaren Geburt (V. 7) unter Berücksichtigung des in V. 8b.c Gesagten auf Zion. Ein neuer Gesichtspunkt ist in V. 9 leitend. „Während V. 7–8 den Charakter reiner Heilsankündigung haben — das Land Juda bekommt seine Exilierten auf einen Schlag wieder zurück, und das wird wunderbar, ganz ohne ‚Wehen‘, d.h. ohne Kriege und sonstige Katastrophen, zugehen —, kommt in V. 9 eine Art Bestreitung hinzu: Bestreitung der Skepsis, die das volle Heil nicht mehr erwartet.“[36] Die beiden im synthetischen parallelismus membrorum (mit Tendenz zum Chiasmus) angeordneten Fragen V. 9 entsprechen den vorausgehenden Aussagen insofern, als sie am Bild der Geburt orientiert bleiben. Doch erfährt das Motiv nun eine weitere Abwandlung. Pointiert ist der Sachverhalt, daß der Vorgang einer einmal eingeleiteten Geburt nicht aufgehalten, das Kind nicht zurückgehalten werden kann[37]. Im Vordergrund des Interesses steht offensichtlich der Gesichtspunkt der Irreversibilität (vgl. V. 9a). Doch will beachtet sein, daß sich in V. 9b (ʿṣr!) ebenfalls ein temporales Moment vorschiebt. Die Aussage sucht mit Hilfe des Bildes von der Geburt das Kommen eines (freudigen!) Ereignisses, das zunächst noch der Zukunft vorbehalten ist, als *unaufhaltsam* zu kennzeichnen. Gegenüber der Skepsis betont der Verfasser, daß die angekündigte Heilszeit *zwangsläufig* eintreffen wird — und zwar mit derselben *Notwendigkeit*, wie die Geburt Ereignis wird: „das Heil muß zum Ziel kommen, denn es ist das Werk Gottes“[38].

(e) Wie noch zu zeigen sein wird, spielt der dem Motiv in Jes 66,9 erstmalig abgewonnene Gesichtspunkt der Unaufhaltsamkeit in der spätjüdischen Verwendung des Bildes eine dominierende Rolle. Eine Ausnahme bildet (abgesehen von der bereits genannten Stelle äthHen 62,4) lediglich *1QH 3,7 ff.*, wo dem Motiv anscheinend eine ähnliche Funktion zufällt wie in den eingangs unter (2a) erwähnten propheti-

---

[36] Westermann, ebd.

[37] Nach E. Kutsch, Die Wurzel עצר im Hebräischen, VT II/1952, 57, ist die „Grundbedeutung des Verbums עצר . . . ‚zurückhalten‘“ (vgl. Ges-Buhl, s.v.; L. Köhler/W. Baumgartner, Lexicon in Veteris Testamenti libros, s.v.). Mit Westermann (vgl. die Übersetzung des Textes a.a.O., S. 331) ist für Jes 66,9b an dieser Grundbedeutung festzuhalten (gegen Ges-Buhl, s.v.; L. Köhler/W. Baumgartner, a.a.O., s.v., und E. Kutsch, ebd., z.St., die dem Verb in Jes 66,9b die Bedeutung ‚verschließen‘ unterstellen).

[38] Westermann, ATD 19, S. 333.

schen Gerichtsansagen[39]. Die Auslegung des offenbar bewußt hintergründig formulierten und mehrdeutig gehaltenen Abschnitts 1 QH 3,3(?)–18[40] ist im einzelnen stark umstritten[41]. Eine Diskussion der Textprobleme sowie der Interpretationsvorschläge würde im Rahmen unserer Fragestellung zu weit führen. Wir begnügen uns mit der Feststellung, daß das in Z. 7ff. breit ausgeführte Bild von der in Wehen liegenden Gebärenden (vgl. 1 QH 5,30f.; 9,6) zusammen mit den in Z. 6f. anklingenden Bildern von dem der Meeresgewalt ausgesetzten Schiff und der belagerten Stadt wahrscheinlich die Gefährdung des redenden ‚Ich' zum Ausdruck bringen soll[42]. Es handelt sich um die *Schilderung einer wohl eschatologisch zu verstehenden Bedrängnis*, aus der dem betenden ‚Ich' des Liedes Rettung widerfuhr (vgl. 1 QH 3,6–12a)[43]. Allerdings bleibt die Aussagekraft des Bildes insofern vielschichtig, als der Blick nicht nur auf die Drangsal der Schwangeren, sondern auch auf die Geburt des (der) Neugeborenen gerichtet ist und die Gebärende in Z. 12b der ‚Unheilsschwangeren' gegenübergestellt wird[44].

(f) Im *Rückblick auf die bisher behandelten Stellen* läßt sich sagen, daß das Motiv in der prophetischen Tradition verankert ist und dort vornehmlich negativ zur Beschreibung menschlicher Hilflosigkeit im Blick auf ein ergangenes (Gerichts-)Wort Jahwes oder überhaupt „angesichts göttlicher Gerichtsauswirkung"[45] Verwendung findet — vgl. die unter (2a) angeführten Stellen sowie Jes 26,17 (ferner 1 QH 3, 7ff.). Gelegentlich ist das Bild dahingehend abgewandelt, daß auf die Geburt selbst abgehoben und deren negativer Ausgang pointiert wird (Jes 26,18: die vergeblich kreißende Frau; Hos 13,13: die verpaßte Stunde). Als Sonderfall ist Jes 66,7–9 anzusehen; denn dort liegt der

[39] Zur traditionsgeschichtlichen Abhängigkeit des Abschnitts 1 QH 3,7–12a von alttestamentlichen Prophetenaussagen vgl. S. Holm-Nielsen, Hodayot, S. 60. Es bleibt allerdings fraglich, ob alle der dort angeführten Stellen auf die Formulierung des Liedes eingewirkt haben.

[40] Zum Problem der Abgrenzung des Liedes nach vorn vgl. G. Jeremias, Der Lehrer der Gerechtigkeit, S. 171 Anm. 1.

[41] Zur Auseinandersetzung um den Aussagewillen des Textes vgl. den Überblick bei J. Maier, Die Texte vom Toten Meer, Bd. II, S. 72f.; zur Frage der Zuordnung von 1 QH 3,3–18 zu den ‚Lehrerliedern' vgl. G. Jeremias, a.a.O., S. 171f.; J. Becker, Das Heil Gottes, S. 54; H.-W. Kuhn, Enderwartung und gegenwärtiges Heil, S. 23 Anm. 5.

[42] So A.S. van der Woude, Die messianischen Vorstellungen der Gemeinde von Qumrân, S. 152 (vgl. ebd., S. 150); E. Lohse, Die Texte aus Qumran, S. 288 Anm. 10.

[43] Vgl. van der Woude, ebd., S. 156; J. Maier, a.a.O., S. 73. Zu der hier vorausgesetzten Zweiteilung des Textes (1 QH 3,3–12a. 12b–18) vgl. van der Woudes Bemerkungen zur Disposition des Liedes (ebd., S. 150f.).

[44] Vgl. E. Lohse, a.a.O., S. 288 Anm. 13.

[45] M.-L. Henry, a.a.O., S. 88.

Akzent einerseits auf dem Wundercharakter der Geburt, und zwar wird (wie Joh 16,21) „die freudige Seite des Ereignisses“[46] hervorgehoben (vgl. Jes 66,7f.). Zum anderen gilt das Interesse dem Sachverhalt, daß die Geburt nicht aufgehalten, die Leibesfrucht nicht zurückgehalten werden kann (vgl. Jes 66,9).

(g) Auf den Jes 66,9 anklingenden Gesichtspunkt der ‚*Unaufhaltsamkeit*‘ bzw. ‚*Zwangsläufigkeit*‘ ist die Verwendung des Motivs an einer Reihe von Stellen innerhalb der spätjüdisch-apokalyptischen Tradition abgezweckt[47]. Wir orientieren uns zunächst an *4Esr 4,40–42*[48]. Dort entkräftet der Offenbarer den Einwand des Sehers, ob nicht das Heil der Gerechten durch das universale Sündenverhängnis in Frage gestellt sei (vgl. 4Esr 4,38f.), durch das Bildwort V. 40 (41a): Vade et interroga praegnantem, si, quando impleverit novem menses suos, adhuc poterit matrix eius retinere foetum in semetipsa[49]. Der Verfasser demonstriert am Bild der Schwangeren, die nach Ablauf der ihr von der Natur gesetzten Frist die Geburt nicht ‚verhindern‘ (vgl. prohiberi, V. 39), die Leibesfrucht nicht in sich ‚zurückhalten‘ (retinere, V. 40) kann, ähnlich wie Jes 66,9 die Unaufhaltsamkeit der eschatologischen Wende, die das Heil der Gerechten (iustorum area, V. 39; vgl. V. 35) herbeiführen wird. Ja es hat sogar den Anschein, als sei 4Esr 4,40 auf Jes 66, 9 Bezug genommen. Für diese Vermutung spricht insonderheit die auffällige Korrespondenz im Gebrauch der Verben (ʿṣr — retinere).

---

[46] W. Schrage, ZThK 61/1964, 143; zu Joh 16,21 vgl. R. Bultmann, Das Evangelium des Johannes (MeyerK 2.Abt./14.Aufl. 1956), S. 446 und ebd. Anm. 5. Will Joh 16,21 fin. (ὅτι ἐγεννήθη ἄνθρωπος εἰς τὸν κόσμον) als Anspielung auf Joh 1,9 verstanden sein?

[47] Zum Folgenden vgl. meine Dissertation ‚Verhängnis und Verheißung der Geschichte‘, S. 268–321 (in Verbindung mit S. 60–67).

[48] Zur Analyse des Textes vgl. W. Harnisch, a.a.O., S. 288ff. (im Zusammenhang mit S. 270ff.). — Gegen die Einbeziehung von 4Esr in diesen Sachzusammenhang könnte geltend gemacht werden, daß 4Esr erst in nachpaulinischer Zeit (nach 70 n.Chr.) literarisch fixiert worden sei. Doch erstens handelt es sich bei der vom Verfasser dieser Schrift vertretenen Gesamtkonzeption um einen von christlichen oder speziell paulinischen Einflüssen aufs Ganze gesehen unberührten, jüdischem Denken verpflichteten theologischen Entwurf. Zum anderen sind nicht alle Einzelzüge dieses Entwurfs erstmalig im Verlauf der literarischen Fixierung der Gesamtkomposition konzipiert worden. Gerade die für unsere Fragestellung relevanten und im Folgenden angeführten Aussagen dürften auf ältere Tradition zurückgehen oder — vorsichtiger formuliert — einer schon vor der Zerstörung Jerusalems (70 n.Chr.) propagierten Denkweise entsprechen (zur Sache vgl. A. Strobel, Untersuchungen ..., S. 7–78). Die sich in diesen Aussagen spiegelnde Zeiteinstellung wurde vom Verfasser der Esra-Apokalypse wohl kaum originell entworfen, sondern lediglich aktualisiert und im Blick auf die drängenden Probleme der Zeit nach 70 neu in Geltung gesetzt.

[49] Lat Version, nach B. Violet, Die Esra-Apokalypse (IV. Esra). 1. Teil: Die Überlieferung (GCS Bd. 18), 44.

Ferner ist daran zu erinnern, daß bereits Jes 66, 9 auf eine Bestreitung der Skepsis abzielte. Die Stelle kam somit dem Anliegen des Verfassers von 4Esr[50] sachlich entgegen und bot sich einer aktualisierenden Verwendung direkt an. Schließlich ist darauf hinzuweisen, daß C.M. EDSMAN von einem ganz anderen Ansatzpunkt her im Blick auf 4Esr 4, 41 f. ebenfalls „a striking affinity with Is. LXVI, 7–8" beobachtet hat[51].

War in 4Esr 4, 40 die Geburt als ein sich zwangsläufig abspielendes Ereignis dargestellt, das die Schwangere nicht verhindern kann, so begegnet das Bild in 4Esr 4, 41 b. 42 unter einem anderen Aspekt. Der aus dem Bildwort (V. 40. 41a) entwickelte Vergleich läßt sich folgendermaßen paraphrasieren: „Wie die Schwangere ihrem Tag entgegeneilt, um möglichst rasch von ihrer Drangsal befreit zu werden, so beeilen sich die (in der Scheôl befindlichen?) Kammern, die ihnen anvertrauten ‚animae iustorum' (vgl. 4Esr 4, 35) zurückzuerstatten"[52]. Anders als in 4Esr 4, 40 ist an dieser Stelle auf die ‚Eile' der Gebärenden abgehoben. Der Vergleich gibt dem Gedanken des beschleunigten Eintreffens der Endzeit Ausdruck. Allein, auch diese Zusage steht unter dem Vorbehalt der ‚necessitas temporum' (vgl. 4Esr 4, 34–37[53]). Die Ankunft des Eschaton ist zwar unaufhaltsam, bleibt aber an den Ablauf der festgesetzten Frist gebunden (vgl. 4Esr 4, 40). Der Gesichtspunkt der Beschleunigung (4Esr 4, 41 b. 42; vgl. 4, 26 c) ist mit dem der Zwangsläufigkeit (4Esr 4, 40) verschränkt: Das Ende kommt mit Notwendigkeit (4Esr 4, 40), sobald das Maß der Zeiten erfüllt und der prästabilierte ‚numerus iustorum' erreicht ist (vgl. 4Esr 4, 36 c. 37). In 4Esr wie auch in sBar[54] hat *diese gerade dem Gedanken der Unberechenbarkeit des Eschaton Raum gebende Konzeption* in einer Reihe meist bildlich geprägter Aussagen ihren Niederschlag gefunden. Zu verweisen ist im Rahmen unserer Fragestellung besonders auf diejenigen Stellen, in denen das Motiv von der Gebärenden (in allerdings stark abgewandelter Form) begegnet: *4Esr 5, 46–48* (Gleichnis vom Mutterschoß, der nicht zehn Kinder auf einmal gebären kann, sondern jedes zur bestimmten Zeit zur Welt bringt[55]); *4Esr 4, 49* (Vergleich mit dem Kind und der Greisin, die beide nicht fähig sind, Kinder zu bekommen[56]);

---

[50] Vgl. dazu W. HARNISCH, a.a.O., S. 268f. 288ff. 318ff.

[51] HS I, Fasc. II/1946, S. 72f.

[52] Zur Rekonstruktion des Textes vgl. W. HARNISCH, a.a.O., S. 290, und ebd. Anm. 4; zur Interpretation der Aussage im Rahmen des Sachzusammenhangs vgl. ebd., S. 290ff.

[53] Vgl. W. HARNISCH, a.a.O., S. 276ff.

[54] Vgl. ebd., S. 306ff.

[55] Vgl. ebd., S. 298f. 300f.

[56] Vgl. ebd., S. 299f.; zum Topos vgl. W. KAYSER, a.a.O., S. 73.

sBar 22,7 (Bildwort von der zur ,Unzeit' gebärenden Schwangeren[57]). Wie aus dem jeweiligen Kontext ersichtlich (vgl. 4Esr 5,41–49; sBar 22,2–8 im Rahmen von 21,1–24,2), ist überall darauf abgehoben, daß alles seine Zeit hat (vgl. Pred 3,1ff.). Die Aussagen wehren der Skepsis, indem sie den eschatologischen Termin als von Gott bestimmt ausgeben. Sie machen eine theozentrische Zeitauffassung geltend und begründen damit gerade den Verzicht auf jede Terminspekulation.

Schließlich ist noch auf die Verwendung des Motivs von der in Wehen liegenden Schwangeren *6Esr 2,36–40* aufmerksam zu machen. Die Aussage findet sich innerhalb einer als Völkerorakel stilisierten eschatologischen Weissagung (vgl. 6Esr 2,1ff.), die wohl (wie vermutlich 6Esr als Ganzes) jüdisch-apokalyptische Tradition repräsentiert[58]:

(V. 36) Audite uero ista et cognoscite ea, serui domini.
(V. 37) Ecce uerbum domini, excipite eum,
ne discredatis de quibus dicit dominus:
(V. 38) Ecce adpropinquant mala et non tardantur.
(V. 39) Quemadmodum praegnans in nono mense filium suum, adpropinquante hora partus eius, ante horas duas uel tres gementes dolores circum uentrum eius, et prodiente infante de uentre non tardabit uno puncto,
(V. 40) Sic non morabuntur mala ad prodiendum super terram, et saeculum gemet et dolores circumtenent illum.[59]

Der Abschnitt könnte (wie Jes 66,9; vgl. 4Esr 4,40ff.) auf die Bestreitung eines Einwandes der Skepsis (vgl. V. 37b) abgezweckt sein. Wie bereits aus den Eingangsworten des Kapitels (vgl. 6Esr 2,1–16) ersichtlich, liegt dem Verfasser offenbar daran, die in Aussicht gestellte eschatologische Katastrophe als *unausweichlich*, das Kommen der Enddrangsal als *unabwendbar* zu erweisen: Quemadmodum non redit sagitta missa a sagittario ualido, sic non reuertentur mala quae missa fuerint in terram (V. 16). In Reihen analog gebildeter, z.T. bildwortartig geprägter rhetorischer Fragen (vgl. 6Esr 2,3–5.6–8[60]) wird der Gedanke von der Irreversibilität der ausgesandten ,mala' eindrücklich geltend gemacht. Der Abschnitt 6Esr 2,38–40 korrespondiert dem eingangs (V. 1–16) Gesagten und verstärkt es zugleich[61].

---

[57] Vgl. ebd., S. 310f.

[58] Siehe u. Exkurs I, S. 72ff.

[59] Text nach der Ausgabe von R.L. Bensly, The Fourth Book of Ezra (TSt Vol. III, No. 2), 80.

[60] Beide Partien klingen in analog formulierten, den leitenden Sachgesichtspunkt unmißverständlich einschärfenden Fragen aus: Inmissa sunt uobis mala, et quis est qui repellat ea? (V. 5) — Dominus deus mittit mala, et quis repellet ea? (V. 8).

[61] Im Blick auf die zwischen 6Esr 2,1ff. und 2,38ff. waltende Sachbeziehung empfiehlt es sich nicht, das in 2,1–35 Gesagte von den Ausführungen in 2,36ff. zu isolieren und mit 2,36 einen neuen Teil (2,36–78) beginnen zu lassen (so P. Riessler, Altjüdisches Schrifttum außerhalb der Bibel, 1286; H. Weinel,

Allerdings ist nun das (stärker temporal akzentuierte) Moment des ‚*Unverzüglichen*‘ betont, in dem auch das ‚tertium comparationis‘ des Vergleichs V. 39f. zu sehen ist: Wie die Schwangere nicht einen Augenblick zögert (non tardabit uno puncto, V. 39), wenn die Stunde der Geburt genaht ist, so werden die Leiden (zur festgesetzten Zeit) unverzüglich eintreten (non morabuntur, V. 40; vgl. V. 38: non tardantur). Zwar scheint auch anderen Anschauungselementen der Bildhälfte ein Sachbezug innezuwohnen (vgl. z.B. V. 39: gementes dolores, mit V. 40b)[62], doch kommt dem Vergleich in erster Linie die Funktion zu, die *Zwangsläufigkeit* des eschatologischen Geschehens zu verdeutlichen. Allerdings will beachtet sein, daß dieses Geschehen (anders als Jes 66,9 und 4Esr 4,40) nicht sub specie des Heils, sondern des Unheils (contritio, V. 2; mala, V. 5. 8. 14. 16. 38. 40) zur Sprache gebracht wird. Demgemäß ist in der Bildhälfte der Blick „betont auf die dolores ... gerichtet; die freudige Seite des Ereignisses bleibt anders als Joh 16,21 ... unbeachtet“[63]. Während das Bildwort 4Esr 4,40. 41a neutraler die Unaufhaltsamkeit des (den Gerechten zum Heil ausschlagenden) Eschaton verdeutlicht, das zu der Gott vorbehaltenen Zeit mit Sicherheit Ereignis wird, hebt der Vergleich 6Esr 2,39f. warnend auf die *Unentrinnbarkeit* der (den Sündern drohenden) ‚mala‘ ab.

Exkurs I:

Überlegungen zur Herkunft und zum theologischen Charakter von 6 Esr

Die in der älteren Literatur vertretene, neuerdings wieder von O. Plöger[64] aufgegriffene Ansicht, nach der für 6Esr christliche Herkunft anzunehmen ist, läßt sich nicht stichhaltig begründen und hält einer kritischen Nachprüfung nicht stand. Lange Zeit meinte man, Anspielungen auf gewisse Zeitereignisse erkennen und daraus ein sicheres Urteil über die nachchristliche Entstehung der Schrift ableiten zu können. Demgegenüber betonte schon H. Weinel, der selbst für die Annahme einer christlichen Herkunft von 6Esr eintrat[65], es bleibe trotz mancher Anhaltspunkte „immer noch des Unsicheren und Unpassenden so viel, daß eine genaue Fixierung überhaupt als ein Unternehmen von sehr zweifelhafter Berechtigung erscheint“[66]. Im übrigen beruhen die Versuche, einzelne Textpartien auf bestimmte historische Situationen zu beziehen und daraus Kriterien für die Datierung von 6Esr zu gewinnen, auf einer Fehleinschätzung des Charakters apokalyptischer Aussagen und deren Topik.

---

bei Hennecke, 1. Aufl. 1904, 312). Zwar kennzeichnet die Wendung ‚audite uero ista et cognoscite ea, serui domini‘ (2,36; vgl. 2,41) einen Neueinsatz des Aussagezusammenhangs, doch bildet die Unheilsweissagung von 2,1–35 offenbar die negative Folie für die folgenden, aufs Ganze gesehen stärker paränetisch akzentuierten Ausführungen des Abschnitts 2,36–78.

[62] Vgl. W. Schrage, ZThK 61/1964, 143.

[63] Schrage, ebd.

[64] Vgl. RGG³ II, 700.

[65] Vgl. bei Hennecke, 1. Aufl. 1904, 312.

[66] In: Handbuch zu den Neutestamentlichen Apokryphen, hrsg. von E. Hennecke, S. 336.

Überzeugende Argumente für das *jüdisch-apokalyptische* Gesamtgepräge der Schrift (bzw. der in 6Esr erhaltenen Fragmente einer ursprünglich vielleicht breiter angelegten Sammlung von Unheilsweissagungen mit paränetischer Zielsetzung) hat W. SCHRAGE beigebracht[67]. Nach seinen Ausführungen erscheint die Subsumtion von 6Esr unter die *neutestamentlichen* Apokryphen als ungerechtfertigt, da sich Anspielungen auf neutestamentliche Aussagen oder gar bestimmte Textkomplexe wie Mk 13 Parr. ebensowenig nachweisen lassen wie überhaupt „genuin christliche Züge"[68], da des weiteren Anredeformen oder Bezeichnungen wie ,serui domini' (6Esr 2,36), ,plebs mea' (2,41; vgl. ,populus meus', 1,10), ,aduenae terrae' (2,41) oder eine Wendung wie ,uerbum domini' (2,37) nicht so sehr originell christliches als vielmehr alttestamentlich-jüdisches Kolorit verraten[69] und da schließlich auch die Eigenart der Überlieferungsgeschichte des Textes (Fehlen der orientalischen Übersetzungsversionen im Unterschied zu 4Esr) nicht als Beweis für die frühchristliche Herkunft der Schrift angeführt werden kann[70]. Im Blick auf die von SCHRAGE außerdem herangezogenen Sachparallelen aus der jüdischen Überlieferung[71] wird man 6Esr nicht nur ohne Bedenken, sondern aus gutem Grund „als jüdisch-apokalyptische Tradition anzusprechen" haben[72].

SCHRAGES Behauptung der Sachverwandtschaft von 6Esr mit 4Esr und sBar[73] läßt sich durch weitere Beobachtungen erhärten. Zu verweisen ist einerseits auf die terminologische Übereinstimmung in den das Gesetz thematisierenden Formulierungen von 6Esr 1,24 (obseruare mandata mea) und 2,77 (seruare mandata et praecepta mea) einerseits und 4Esr 7,72 (vgl. 3,33.35f.) andererseits[74], ferner auf eine Reihe von Sachbezügen. So entspricht der in 6Esr wiederholt begegnende Hinweis auf die Unerbittlichkeit des göttlichen Gerichts (vgl. 6Esr 1,24ff.; 2,68; auch 2,50f.; ferner die Proklamation des ,ius talionis' 1,56; vgl. 1,21) einem Sachanliegen von 4Esr und sBar (passim); Mahnung und Verheißung von 6Esr 2,68 erinnern an paränetische Aussagen in sBar (vgl. 32,1; 44,7; 46,5f.; 77,6f. u.ö.); das Motiv der Allwissenheit Gottes (6Esr 1,26; 2,54ff.) findet sich auch in der Baruchapokalypse, und zwar in ähnlicher Abzweckung (vgl. sBar 21,10–12; 48,45ff.; 83,2f.); zum Schrei der ,animae iustorum' 6Esr 1,8 ist 4Esr 4,35 zu vergleichen; die Gegenüberstellung von Gottlosen und Gerechten korrespondiert ebenso wie die Kennzeichnung der Letzteren (iusti, 6Esr 1,8) als ,electi mei' (6Esr 1,21.53.56; 2,74f.) oder ,timentes dominum' (6Esr 2,71) sachlich der Position von 4Esr und sBar. Allerdings gilt zu beachten, daß für 6Esr das dualistische Zeitschema der beiden Weltzeiten[75] im Unterschied zu 4Esr und sBar[76] nicht konstitutiv ist (nur zweimal, nämlich 6Esr 1,14 und 2,40, begegnet der Terminus ,saeculum', und zwar ohne Determinativ). Die Ankündigung der ,mala' (vgl. 6Esr 2,1ff.), deren Beginn sich bereits in der Gegenwart abzeichnet (vgl. 2,17ff.), bezieht sich auf die durchaus innergeschichtlich verstandene, die Erde oder den ganzen Erdkreis betreffende eschatologische

[67] Vgl. ZThK 61/1964, 139ff. Für die Annahme der jüdischen Herkunft von 6Esr plädierte u.a. bereits P. RIESSLER, a.a.O., 1286.

[68] A.a.O., 140.

[69] Vgl. ebd., 141ff.

[70] Vgl. ebd., 140 und Anm. 37.

[71] Vgl. ebd., 143ff.

[72] Ebd., 143.

[73] Vgl. ebd., 143ff.

[74] Zur Sache s. W. HARNISCH, a.a.O., S. 152 Anm. 2.

[75] Vgl. Ph. VIELHAUER, bei Hennecke, Bd. II, 3. Aufl. 1964, 412f.

[76] Vgl. W. HARNISCH, a.a.O., S. 89ff.

Drangsal (vgl. den Gebrauch von ‚terra' in 2,13ff. 22. 24. 33. 40f. 51. 53 u.ö.) — eine Drangsal, welche die ‚probatio' der Gerechten erweisen wird: Tunc parebit probatio electorum meorum, ut aurum quod probatur ab igne (2,74 — der Satz könnte als Leitmotiv von 6Esr insgesamt gelten).

Sachlich gesehen lassen sich die Unheilsweissagungen von 6Esr am ehesten mit den Abschnitten über die Zeichen der Endzeit in 4Esr (5,1ff.; 6,18ff.; 9,3f.; 13,29f.) und sBar (25,2f.; 27,1–13; 70,2–71,1) zusammenstellen, die im Rahmen der Gesamtkomposition beider Apokalypsen wohl ältere Tradition repräsentieren (vgl. auch AssMos 10,3ff.; an dieser Stelle ist ferner auf die Bezeichnung der Menschen als ‚inhabitantes terram' 6Esr 1,40 — vgl. 2,23 — hinzuweisen, die in 4Esr charakteristischerweise u.a. ebenfalls in traditionell geprägten Stükken, so besonders in den Abschnitten über die Zeichen der Endzeit 4Esr 5,1–13 und 6,18–28, begegnet[77]). Dieser Sachverhalt gibt zu der Vermutung Anlaß, daß es sich bei 6Esr um eine chronologisch früher als 4Esr und sBar anzusetzende Überlieferung handelt, die sich — wie gerade diese ‚Zwillingsapokalypsen' zeigen — verhältnismäßig leicht in die vom Zwei-Äonen-Schema geprägte apokalyptische Geschichtskonzeption einpassen ließ[78].

(3) Appliziert man diese motivgeschichtlichen Erwägungen auf 1Thess 5,3, so wird deutlich, daß der dort vorliegende Gebrauch des Bildes von der Schwangeren und deren Wehen am ehesten der Verwendung des Motivs in spätjüdisch-apokalyptischer Überlieferung entspricht. An der Pointe, auf die der Vergleich in 1Thess 5,3 abzielt, zeigt sich die alttestamentliche Bildtradition nicht interessiert[79]. Um so auffälliger ist die Verwandtschaft zwischen apokalyptischer und paulinischer Redeweise, wie insonderheit aus einem Vergleich zwischen 1Thess 5,3 und 6Esr 2,39f. erhellt. Hier wie dort übernimmt das Motiv die Funktion, das mit dem Eschaton hereinbrechende Unheilsverhängnis als unausweichlich bzw. unentrinnbar zu kennzeichnen[80]. Die Tatsache, daß sich Sachparallelen zur paulinischen Verwendung des Bildes nicht aus der prophetischen, wohl aber aus apokalyptischer Tradition erheben lassen (vgl. neben 6Esr 2,39f. auch 4Esr 4,40.41a), legt die Vermutung nahe, daß der Apostel in 1Thess 5,3 auf einen apokalyptisch vorgeprägten Topos zurückgreift. Dieser Annahme korrespondiert die Feststellung, daß die 1Thess 5,3 vorausgehende Aussage ihrer Intention nach mit bestimmten apokalyptischen Äußerungen im Einklang steht und sich somit ebenfalls als apokalyptisch beeinflußt erweisen könnte. Zwar läßt sich das Motiv vom (nächtlichen) Dieb in

---

[77] Vgl. dazu W. Harnisch, a.a.O., S. 104 und ebd. Anm. 2.

[78] Vgl. auch W. Schrages Bemerkungen a.a.O., 142f. und 143 Anm. 53 zum Ausdruck ‚aduenae terrae', der bereits der „dualistisch-transzendente(n) Eschatologie des 4.Esra und der Baruch-Apokalypse" entspricht (ebd., 143).

[79] Vgl. L. Morris, a.a.O., S. 154.

[80] Der herausgestellten Beziehung zwischen 1Thess 5,3 und 6Esr 2,39f. kommt insofern besondere Bedeutung zu, als 6Esr 2,42–45 — wie W. Schrage (a.a.O., 141ff.) gezeigt hat — als nächstliegende Sachparallele zu den paulinischen Aussagen 1Kor 7,29–31 zu beurteilen ist.

spätjüdisch-apokalyptischer Tradition nicht belegen, doch entspricht das durch den Vergleich ,wie ein Dieb in der Nacht' pointierte Sachanliegen von 1Thess 5,2, die Ankunft des eschatologischen ,Tages' als unberechenbar zu prädizieren, einer in der jüdischen Apokalyptik selbst wahrnehmbaren Tendenz[81]. Wie aus den bereits angeführten Aussagen von 4Esr und sBar ersichtlich, suchen die Verfasser dieser Schriften — weit davon entfernt, fragwürdigen Terminspekulationen das Wort reden zu wollen — mit Nachdruck einer theozentrischen Zeitauffassung Geltung zu verschaffen, einer Zeitauffassung nämlich, die dem eschatologischen Vorbehalt Gottes Rechnung trägt. Indem sie entschieden den Gedanken der Nezessität des geschichtlichen Ablaufs zum Ausdruck bringen, brandmarken sie jede menschliche Kalkulation als Eingriff in die Souveränität des Schöpfers, der allein um Tage und Stunden weiß (vgl. grEsrApk 36f.; nach der Zählung P. RIESSLERS 3,3f.)[82].

Als *Ergebnis* dieser Überlegungen ist festzuhalten: 1. Die übliche Kontrastierung von spätjüdischer Apokalyptik und urchristlicher Theologie basiert insofern auf einer falschen Prämisse, als der Verzicht auf jede Terminspekulation nicht eine urchristlichem Denken vorbehaltene Eigentümlichkeit darstellt, sondern ebenfalls einer theologischen Tendenz der Apokalyptik selbst entspricht, wie 4Esr und sBar zeigen. 2. Eine motivgeschichtliche Untersuchung des in 1Thess 5,3 begegnenden Vergleichs läßt erkennen, daß sich die paulinische Redeweise sehr eng mit bestimmten Aussagen einer apokalyptischen Tradition berührt, die das Eschaton als unentrinnbares, zur bestimmten Stunde zwangsläufig und unaufhaltsam eintretendes Geschehen zu verstehen lehren. Sachlich entspricht aber auch 1Thess 5,2 eben jener in apokalyptischer Überlieferung selbst wahrnehmbaren Tendenz, den eschatologischen Termin als ein Ereignis auszugeben, das sich dem

---

[81] Vgl. bereits M. BRÜCKNER, Die Entstehung der paulinischen Christologie, S. 179f.: Für Paulus „ist mehr das Plötzliche und Unerwartete der Parusie des Messias in den Vordergrund getreten: er kommt wie der Dieb in der Nacht 1.Thess. 5,2.5. Wenn sich auch das Bild in der jüdischen Apokalyptik nicht findet, so ist doch aus seinem häufigen Gebrauch im Neuen Testament zu schließen, daß es auch im Judentum zu Hause war ... *Auf jeden Fall aber ist die Sache selbst allgemein jüdische Vorstellung.* Der Messias, ,der Tag', kommen plötzlich, sind mit einemmale da trotz aller ,Zeichen', da diese nie so gedacht sind, daß sie sein Kommen positiv vorbereiten und man niemals weiß, welches das letzte ist. Mit der *Art* der Erwartung der Parusie Christi steht daher Paulus ganz auf dem Boden der vorchristlich-jüdischen Theologie" (Hervorhebungen von mir). BRÜCKNER bezieht sich ebd., S. 180 Anm. 1, auf Schürer, Bd. II, S. 447 (vgl. Schürer, Bd. II, 4. Aufl. 1907, S. 620).

[82] Zur Sache vgl. A. STROBEL, Die apokalyptische Terminfrage im Wirken Jesu und in der Urkirche, in: Kerygma und Apokalyptik, S. 85ff.; W. HARNISCH, a.a.O., S. 268ff. 318ff. 326f.

Zugriff des messenden und berechnenden Menschen entzieht. Ganz unabhängig von der später (s. Exkurs II) zu diskutierenden Frage, wie die Beziehung zwischen 1Thess 5,2 und Lk 12,39f. par. Mt 24,43f. zu beurteilen ist, bleibt festzuhalten, daß die Aussage vom überraschend und unvermutet hereinbrechenden Tag des Herrn mit einer apokalyptischen Denkweise übereinstimmt, wie sie z.B. auch in 4Esr (vgl. sBar) ihren Niederschlag gefunden hat. 3. Auf Grund dieser Beobachtungen wird man vermuten dürfen, daß Paulus in 1Thess 5,2f. auf apokalyptisch geprägte Aussagen zurückgreift[83]. Er bedient sich apokalyptischer Redeweise, und zwar ohne deren ursprüngliche Tendenz abzubiegen und die darin enthaltenen Implikationen abzuschwächen. *Das in 1Thess 5,2f. Gesagte ist somit keineswegs antiapokalyptisch orientiert, sondern nimmt vielmehr selbst ein apokalyptisches Interesse wahr.* Freilich ist zu beachten, daß der Begriff κύριος (1Thess 5,2) im vorliegenden Zusammenhang christologischen Akzent trägt[84].

[83] Daß 1Thess 5,2f. traditionelle Aussagen rezipiert sind, bestätigt eine Untersuchung des Vokabulars d.St.: Für κλέπτης (ἐν νυκτί) fehlen (abgesehen von 1Thess 5,4) paulinische Parallelen (κλέπτης begegnet nur noch in der Aufzählung 1Kor 6,9f. im Plural); αἰφνίδιος und ἐφιστάναι finden sich sonst nie bei Paulus; dasselbe gilt für γαστήρ und ὠδίν (das Verb ὠδίνειν begegnet außer Gal 4,27, wo Jes 54,1 zitiert wird, noch Gal 4,19); ἐκφεύγειν ohne Akk. ist bei Paulus ungewöhnlich (vgl. dagegen Röm 2,3; 2Kor 11,33); auch ὄλεθρος findet sich nur nur noch 1Kor 5,5 — Paulus bevorzugt sonst Begriffe wie ὀργή, ἀπώλεια, κατάκρισις bzw. κατάκριμα (vgl. L. MATTERN, Das Verständnis des Gerichtes bei Paulus, S. 59ff.); zu εἰρήνη καὶ ἀσφάλεια s. u. — Als Sachparallele zu 1Thess 5,2f. kann der Satz καὶ ἐπιστῇ ἐφ' ὑμᾶς αἰφνίδιος ἡ ἡμέρα ἐκείνη ὡς παγίς Lk 21, 34b.35a gelten (vgl. auch ἐκφυγεῖν Lk 21,36). Die Aussage Lk 21,34b.35 (vgl. Jes 24,17) dürfte innerhalb von Lk 21,34–36 — nach R. BULTMANN, Die Geschichte der synoptischen Tradition, 3. Aufl. 1957, S. 126, eine „ganz späte hellenistische Bildung" — ältere, und zwar wie 1Thess 5,2f. wohl jüdisch-apokalyptischer Überlieferung entstammende Tradition repräsentieren (vgl. auch J. JEREMIAS, Die Gleichnisse Jesu, 7. Aufl. 1965, S. 76 Anm. 10). Die Verwandtschaft zwischen Lk 21,34ff. und 1Thess 5,2f. beruht somit vermutlich darauf, daß hier wie dort sachlich benachbarte Aussagen älterer Tradition jüdisch-apokalyptischer Herkunft benutzt wurden, also nicht auf der Beeinflussung von Lk 21,34ff. durch 1Thess 5,2f. (zur Diskussion der zwischen beiden Stellen bestehenden Beziehungen vgl. auch B. RIGAUX, a.a.O., S. 559; ferner D. DAUBE, a.a.O., S. 28f.). Übertrieben ist C.H. DODDs Behauptung einer Analogie zwischen 1Thess 5,*2–8* und Lk 21,34–36: "The probability is that both passages represent a common type of early Christian preaching, at least in missions to the Gentiles" (The Parables of the Kingdom, S. 123; vgl. ebd., S. 122f.). Eine echte Korrespondenz zwischen Lk 21,34ff. und 1Thess 5,1ff. besteht lediglich hinsichtlich der Aussagen über die Art der Ankunft der eschatologischen ἡμέρα, während die (nicht einmal terminologisch genau übereinstimmende) Forderung der Wachsamkeit und Nüchternheit in beiden Abschnitten jeweils unterschiedlich geltend gemacht wird (s. dazu u. S. 133 Anm. 11).

[84] Vgl. dagegen die Aussage 2Petr 3,10: ἥξει δὲ ἡμέρα κυρίου ὡς κλέπτης, in der κύριος wohl nicht christologisch gemeint, sondern auf Gott bezogen ist. Diese

Doch scheint der apokalyptische Grundzug von 1 Thess 5, 2f. durch diese Signatur nur unwesentlich modifiziert[85].

Das Ergebnis der motivgeschichtlichen Untersuchung von 1 Thess 5, 2f. gibt erneut Anlaß zu der Frage, welches Sachanliegen die paulinischen Ausführungen in 1 Thess 5, 1–3 leitet. Wodurch ist der Rekurs auf apokalyptische Redeweise bedingt? Welche Funktion übernehmen die Aussagen des Abschnitts 5, 1–3 im Rahmen des Gesamtzusammenhangs (4, 13–5, 11 bzw. 5, 1–11)? Wir suchen der Lösung des damit fixierten Sachproblems einen Schritt näherzukommen, indem wir uns der Frage zuwenden, wer eigentlich als der wahre Adressat der paulinischen Stellungnahme in 1 Thess 5, 1–3 anzusprechen ist.

d) *Die Adressaten des Textes*

Um das Problem zu klären, woraufhin die Aussagen von 1 Thess 5, 1–3 entworfen sind, greifen wir auf unsere Beobachtungen zur Disposition des Textes zurück. Wie bereits angedeutet, ist die Gedankenfolge von 1 Thess 5, 1–11 durch die markante Zäsur zwischen V. 3 und V. 4 unterbrochen[1]. An dem betont herausgestellten ὑμεῖς δὲ, ἀδελφοί zeigt sich,

---

Auffassung d. St. wird jedenfalls durch den unmittelbaren Kontext nahegelegt (vgl. 2 Petr 3, 9. 15, wo κύριος eindeutig als Bezeichnung Gottes und nicht als christologisches Prädikat erscheint; vgl. ferner die Wendung τὴν παρουσίαν τῆς τοῦ θεοῦ ἡμέρας in 3, 12). R. Knopf bemerkt zu 2 Petr 3, 10: „der κύριος, der hier an sich sehr wohl Christus sein könnte, muß, weil unmittelbar vorher Gott so bezeichnet war, diesen und nicht den ‚Herrn‘ der Gemeinde bezeichnen, vgl. noch unten V. 12: τῆς τοῦ θεοῦ ἡμέρας“ (Die Briefe Petri und Judä, MeyerK 12. Abt./7. Aufl. 1912, S. 317; vgl. ebd., S. 316. 322f.; vgl. bereits W. M. L. de Wette, Kurze Erklärung der Briefe des Petrus, Judas und Jakobus, 3. Ausg. 1865, S. 186f.; ferner A. Strobel, Untersuchungen . . ., S. 92; E. Käsemann, Eine Apologie der urchristlichen Eschatologie, in: ExVuB Bd. I, S. 147; A. Vögtle, Das Neue Testament und die Zukunft des Kosmos, S. 141).

[85] Löst man 1 Thess 5, 2f. aus dem vorliegenden Briefzusammenhang und bezieht man κύριος in V. 2 analog zu 2 Petr 3, 10 auf Gott (s. o. Anm. 84), enthalten die Aussagen d. St. nichts spezifisch Christliches und wären im Munde eines jüdischen Apokalyptikers ebenso denkbar. Dieses Urteil läßt sich auf Grund der Sachparallelen aus der jüdisch-apokalyptischen Tradition kaum bezweifeln; man vergleiche außer den bereits angeführten Belegen nur eine Stelle wie 6 Esr 2, 22, die zwar nicht in der Formulierung und in allen Einzelheiten, wohl aber sachlich — nämlich im Blick auf den Charakter und das Gefälle der Aussage — eine auffällige Verwandtschaft mit dem Satz 1 Thess 5, 3 erkennen läßt: Ecce erit annonae uilitas super terram sic ut putent (vgl. λέγωσιν, 1 Thess 5, 3) sibi esse directam pacem (vgl. das in 1 Thess 5, 3 kritisch zitierte Gerede von εἰρήνη καὶ ἀσφάλεια), et tunc (vgl. τότε, 1 Thess 5, 3) germinabunt mala super terram, gladius, fames et magna confusio.

[1] Auf diesen Sachverhalt hat E. Fuchs wiederholt eindringlich aufmerksam gemacht; vgl. GA Bd. III, S. 129f. 360f.; vgl. ebd., S. 120. 337f. 340f. 347 (s. auch o. S. 17 Anm. 8).

daß Paulus in V. 4 neu ansetzt. Die adversative Partikel δέ scheint zunächst lediglich einen Gegensatz zu V. 3 zu signalisieren; vgl. die Gegenüberstellung von ‚sie' und ‚ihr': λέγωσιν ... αὐτοῖς ... ἐκφύγωσιν, V. 3 — ὑμεῖς ... (οὐκ) ἐστέ, V. 4[2]. Doch gilt zu beachten, daß sich V. 4 inhaltlich (vgl. den ἵνα-Satz) auf V. 2 zurückbezieht. Sachlich impliziert die Aussage V. 4 einen Gegensatz nicht nur zu V. 3, sondern ebenfalls zu V. 2. Sie ist somit nicht allein gegenüber V. 3, sondern gegenüber dem in sich einheitlichen Zusammenhang von V. 2f. abgesetzt.

Worauf zielt der Neueinsatz in V. 4 ab? Paulus bedeutet derselben Gemeinde, an die er sich bereits in V. 1 mit der Anrede ἀδελφοί gewandt und an deren Wissen er appelliert hat (vgl. V. 2), daß sie sich von dem, *was* sie weiß, selbst nicht betreffen zu lassen braucht: ‚Ihr dagegen, Brüder, nicht seid ihr in (der) Finsternis, daß euch der Tag wie ein Dieb[3] überfalle'. Sind aber die Glaubenden von der in V. 2f. geltend gemachten ‚Absage' im Grunde ausgenommen, liegt die Vermutung nahe, daß das „in 1. Thess 5, 2f. Gesagte ... eigentlich nur für jene ‚Übrigen' (gilt)"[4], auf die in 5, 6 (vgl. 4, 13) angespielt wird und die — wie E. Fuchs vorauszusetzen scheint — im vorliegenden Zusammenhang als Repräsentanten der Welt fungieren[5]. Jenen übrigen, die nicht zu Christus gehören, gibt 5, 2 warnend zu verstehen: „Ihr wißt, daß es gegen den Tag des Herrn, d. h. also gegen Gottes Gericht, keinen Einwand gibt."[6]

Damit dürfte der Aussagewille von V. 2f. generell zutreffend gekennzeichnet sein. Trotzdem bleibt zu fragen, ob die in diesen Versen an-

---

[2] Vgl. G. Lünemann, a.a.O., S. 139; E. v. Dobschütz, a.a.O., S. 207; B. Rigaux, a.a.O., S. 557.

[3] Als sekundär ist die von B, A, bo vertretene Lesart κλέπτας zu beurteilen, weil sie in einen „völlig abseits liegenden Gedanken" einbiegt („wie den vom Tageslicht überraschten Dieben geht es denen, die noch ungläubig gleichsam auf der Nachtseite des Lebens stehen" — H. Preisker, ThW Bd. III, 755 Anm. 5) und die sachliche Spannung zwischen V. 2 und V. 4 auszugleichen versucht (vgl. H. Preisker, ebd.; ferner H. M. Gale, a.a.O., S. 30f.).

[4] E. Fuchs, GA Bd. III, S. 337.

[5] Vgl. ebd., S. 337f. 347; ferner E. Lövestam, Spiritual Wakefulness in the New Testament, S. 100. Zur Sache s. auch R. Bultmann, GuV Bd. III, S. 39f.: Die „Menschen, die nicht zum Glauben an Jesu als den Bringer des Heils kamen", „stehen zwar auch im ‚Zwischen', nämlich zwischen der Erscheinung (bzw. Auferstehung) Jesu und seiner Parusie. Aber sie wissen es nicht und bleiben in ihrem Unglauben die Alten im Alten. Insofern stehen sie existentiell auch gar nicht in einem ‚Zwischen'; denn für sie ist der alte Äon in keinem Sinne zu Ende. Sie gehören mit ihrer ganzen Existenz zu ihm, und vor ihnen steht das Gericht, in dem der alte Äon vernichtet wird. Sie sind durch den neuen Äon nur insofern qualifiziert, als sie in den Augen der Glaubenden schon gerichtet sind, ohne es zu wissen."

[6] E. Fuchs, ebd., S. 338; vgl. Ders., in: GA Bd. III, S. 203; Ders., Die Spannung im neutestamentlichen Christusglauben, ebd., S. 288.

visierte Front nicht noch konkreter charakterisiert werden kann. Wer steckt hinter den Leuten, deren Einstellung sich mit einer Formel wie ‚Frieden und Sicherheit‘ adäquat beschreiben läßt? In dem Ausdruck εἰρήνη καὶ ἀσφάλεια scheint prophetische Tradition nachzuklingen. Zu verweisen ist insbesondere auf den die Praxis der Heilspropheten kritisierenden Satz Jer 6,14: ‚Und sie heilen den Schaden meines Volkes leichthin, indem sie sagen: Friede, Friede! — Doch wo ist Friede?‘ (. . . λέγοντες Εἰρήνη εἰρήνη· καὶ ποῦ ἐστιν εἰρήνη; — vgl. Jer 8,11; Ez 13,10; ferner Mi 3,5; Jer 14,13; 28,9)[7]. Paulus verstärkt die Pointe dieser (in der prophetischen Tradition bereits kritisch zitierten) Losung, indem er das zweite εἰρήνη von Jer 6,14 (vgl. 8,11) durch ἀσφάλεια[8] ersetzt[9]. Der Ausruf gilt der Proklamation eines dauerhaften Heils*zustandes*[10], der sich durch das Moment der Sicherheit (Vulg.: securitas), der Abwesenheit von Gefahr, Erschütterung und Anfechtung auszeichnet. Doch inwiefern läßt sich diese Losung der Heilspropheten auf die Situation in Thessalonich applizieren? Ist das traditionelle Schlagwort im vorliegenden Zusammenhang (1Thess 5,3)

---

[7] Vgl. G. v. RAD, ThW Bd. II, 402f.; C. WESTERMANN, Der Frieden (Shalom) im Alten Testament, in: Studien zur Friedensforschung, Bd. 1, S. 167ff. — Daß die Formulierung von 1Thess 5,3 *insgesamt* durch Jer 6 beeinflußt sei (so H.M. GALE, a.a.O., S. 28, mit Verweis auf Jer 6,14 und Jer 6,15.26.24; vgl. auch A. STROBEL, Untersuchungen . . ., S. 113 Anm. 1), wird man kaum behaupten können (Jer 6,26 LXX findet sich ἐξαίφνης und ταλαιπωρία statt der in 1Thess 5,3 begegnenden Wörter αἰφνίδιος und ὄλεθρος; das Motiv von den Wehen der Schwangeren hat in Jer 6,24 — wie gezeigt — eine ganz andere Funktion als in 1Thess 5,3).

[8] Zum Verständnis des Wortes vgl. L. MORRIS, a.a.O., S. 153: "It is an unusual word with a basic meaning like 'that cannot be shaken'." Vgl. ebd., Anm. 12: "ἀσφάλεια = ἀ privative + σφάλλω 'to make to totter'."

[9] Vgl. B. RIGAUX, a.a.O., S. 558: "Εἰρήνη rend le שָׁלוֹם de Jer., VI, 14, et alors que le prophète le répète deux fois, Paul y substitue un synonyme afin que dans le bien-être, d'εἰρήνη, ce soit le sentiment de sécurité qui compte: ἀσφάλεια." Natürlich ist nicht auszuschließen, daß diese Korrektur der prophetischen Überlieferung schon vor Paulus erfolgte. Es bleibt zu erwägen, ob nicht bereits 1Thess 5,3a traditionell geprägt ist, zumal das unpersönliche, generalisierende λέγωσιν möglicherweise apokalyptischer Redeweise entspricht (vgl. B. RIGAUX, a.a.O., S. 558). Andererseits gilt zu bedenken, daß die Verbindung von ὅταν–τότε paulinischem Stil eigentümlich ist (vgl. 1Kor 15,28.54; 2Kor 12,10b). Dieser Sachverhalt könnte eher dafür sprechen, daß Paulus in 1Thess 5,3a (ὅταν . . . τότε) selbständig formuliert und die aufgegriffene prophetische Tradition eigenhändig abgewandelt hat.

[10] Dies gilt bereits für die in Jer 6,14 kritisch zitierte Losung der Heilspropheten, deren šalôm-Verkündigung „eigentlich das Zuständliche, das Wohlergehen als solches meint“ (C. WESTERMANN, in: Studien zur Friedensforschung, Bd. 1, S. 168). Zur Formulierung von 1Thess 5,3 vgl. E. FUCHS, GA Bd. III, S. 354: „Die Worte ‚Friede und Sicherheit‘ sind nicht an der Gegenwart, sondern an der Dauer orientiert“ (vgl. ebd., S. 358).

auf solche Kreise gemünzt, welche die Nähe der Parusie bezweifeln und sich in der trügerischen Sicherheit eines ‚Noch lange nicht' wiegen[11]? Oder kennzeichnet die Parole an dieser Stelle die Einstellung gnostisch orientierter Enthusiasten, welche das Telos mit dem Aufstieg des Pneuma-Selbst in die himmlische Heimat bereits erreicht zu haben meinen (vgl. 1 Kor 4,8; ferner Phil 3,12–15.19[12]) und deren Vollendungsbewußtsein (securitas) durch den Fortgang der geschichtlichen Zeit ebensowenig tangiert wird wie durch die Erwartung einer angeblich noch ausstehenden Zukunft?

Im Blick auf unsere Überlegungen zum Verhältnis von Situation und Text in 1 Thess 4,13ff. ist die zuletzt erwogene Möglichkeit ernsthaft in Betracht zu ziehen. Wenn es nämlich zutrifft, daß der paulinischen Stellungnahme in 1 Thess 4,13–17(18) die gnostische Bestreitung der Auferstehung der Toten vorausliegt, wird man damit rechnen dürfen, daß die Ausführungen von 1 Thess 5,1–3 denselben gnostisch bestimmten Hintergrund voraussetzen. Jedenfalls könnte das in 1 Thess 5,2f. Gesagte durchaus im Blick auf Pneumatiker jüdischer oder judenchristlicher Herkunft entworfen sein, die das Heil als bereits erlangten, unverlierbaren Besitz ‚begehen' und im Überschwang der schon erreichten Seligkeit die Parusieerwartung der Gemeinde mißachten und in Mißkredit bringen[13]. Der Gnostiker weiß sich dem Zugriff der

[11] So z.B. W. G. Kümmel, in: Heilsgeschehen und Geschichte, GA 1933–1964, S. 414; O. Merk, a.a.O., S. 54.

[12] Vgl. dazu H. Koester, NTS VIII/1961–62, 325f.

[13] Ähnlich W. Schmithals, Paulus und die Gnostiker, S. 120f. Nach Schmithals wenden sich die paulinischen Ausführungen gegen eine auf gnostischer Agitation beruhende „Gleichgültigkeit gegenüber der Parusie" (ebd., S. 121): „Paulus hat Christen im Auge, die sich über die zu erwartende Parusie wenig oder gar keine Gedanken machen, ihr gegenüber gleichgültig sind oder gar überhaupt an ihr zweifeln" (ebd., S. 120). Doch gilt zu beachten, daß der Bestreitung der Parusieerwartung auf gnostischer Seite die positive Behauptung der schon vollzogenen Erlösung, des bereits vollendeten Eschaton entspricht. Sachlich gesehen basiert die Gleichgültigkeit gegenüber der Parusie auf dem gnostischen Vollendungsbewußtsein. Auch Schmithals deutet auf diesen Zusammenhang hin und verweist insonderheit auf 2 Thess 2,2 (zur Analyse d. St. vgl. ebd., S. 146ff.) in Verbindung mit 2 Tim 2,18; 1 Kor 4,8; Joh 3,19 u.a. (vgl. ebd., S. 120f.). Befremdlicherweise verkennt er jedoch, daß der vorliegende Text von 1 Thess 5,1–3 selbst eine Anspielung auf das Vollkommenheitsbewußtsein der gnostischen Pneumatiker enthält: ὅταν λέγωσιν· εἰρήνη καὶ ἀσφάλεια. Diese Losung bringt eben jene enthusiastisch gestimmte Heilssicherheit zum Ausdruck, aus der die Verachtung der Parusieerwartung allererst (und zwar im Sinne einer logisch zwingenden Konsequenz) erwächst und die darum auch nach paulinischem Urteil als das πρῶτον ψεῦδος gnostischen Denkens zu gelten hat. Im übrigen ist gegen die Ausführungen von Schmithals einzuwenden, daß lediglich das in 1 Thess 5,1–3 Gesagte, nicht jedoch der ganze Abschnitt (1 Thess 5,1–11) auf die Abwehr der in gnostischer Agitation begründeten ‚Gleichgültigkeit gegen-

Mächte der Finsternis ein für allemal enthoben. Er hat die aus dem geschichtlichen Dasein erwachsende Bedrohung seines Selbst hinter sich und ist an den Ort seiner Herkunft[14] eingekehrt, von dem gilt: ‚Es ist Friede — es hat keine Gefahr‘ (1Thess 5,3)[15].

In diesem Zusammenhang ist noch eine weitere, die Parole ‚Friede und Sicherheit‘ betreffende Beobachtung anzuführen. Wie 1Kor 15, 32b zeigt, greift Paulus auch an anderer Stelle auf prophetische Tradition (dort Jes 22,13) zurück[16], um die Einstellung der von ihm bekämpften gnostischen Front ironisch zu kennzeichnen. E. Güttgemanns hat zu Recht darauf aufmerksam gemacht, daß der Jes 22,13 entsprechende Satz 1Kor 15,32b „eine aus der korinthischen These gezogene Konsequenz des Paulus (ist), keineswegs aber die Parole der korinthischen Gnostiker“[17]. Dasselbe dürfte für 1Thess 5,3 anzunehmen sein. Die hier wie dort begegnenden Zitate stellen kein wörtliches Referat gnostischer Äußerungen dar. Es handelt sich in beiden

---

über der Parusie‘ abzielt (vgl. ebd., S. 121. 119). Dazu s. ausführlich u. S. 125ff. (Interpretation von 1Thess 5,4ff.).

[14] Vgl. ThEv Spr. 18 (dazu s. Ph. Vielhauer, ΑΝΑΠΑΥΣΙΣ. Zum gnostischen Hintergrund des Thomasevangeliums, in: Aufsätze zum Neuen Testament, S. 228f.).

[15] Vgl. auch W. Schmithals, Die Gnosis in Korinth, 3. Aufl. 1969, S. 23. Interessant ist, daß schon Theodor von Mopsuestia 1Thess 5,2f. auf Parusiespötter bezog; er kommentiert 5,1f. folgendermaßen: alterum iterum hic incipit capitulum. requirebatur enim ab illis, ‚quando erit huius saeculi finis?‘ bene ergo illis scribit ut non requirant, neque existiment se posse discere qui semel audierunt quoniam incertum est tempus aduentus dominici. hoc enim dicit: tamquam fur in nocte, eo quod et fur non praedicens uenit. et quia *inridebant aduersarii* hoc ipsum quod ab illis dicebatur, *dicentes nequaquam fieri posse*, adicit ... Vgl. die Paraphrase von 5,3: ‚nam conuenit (inquit) prospicere infideles, eo quod necessario erunt ea quae a nobis dicuntur, *etiamsi millies nihil tale fieri existiment*; sed etsi aestiment se esse securos et libertate arbitrii agere quae uelint, sed subito illis instabit iudex, sicuti et dolores praegnantibus, ita ut nec possibile sit eos euadere poenam‘ (Text nach der Ausg. von H.B. Swete, Theodori episcopi Mopsuesteni in epistolas B. Pauli commentarii; vgl. auch E. v. Dobschütz, a.a.O., S. 205).

[16] Auch E. Fuchs verweist im Zusammenhang seiner Interpretation von 1Thess 5,2f. auf 1Kor 15,32: „Die Welt ignoriert die zeitlich dunkle Voraussetzung ihres Seins — ein anderes Mal wird Paulus dieses Verhalten der Welt als frech motivieren (1.Kor 15,32)“ (GA Bd. III, S. 338). Zu den beiden einander sachlich entsprechenden Aussagen 1Thess 5,3(a) und 1Kor 15,32b sind die verwandten Stellen Mt 24,37–39 par. Lk 17,26f. (28–30) aus der synoptischen Tradition zu vergleichen (vgl. auch G. Wohlenberg, a.a.O., S. 109 Anm. 3 zu 1Thess 5,3).

[17] A.a.O., S. 79; vgl. ebd., S. 76 Anm. 124: „v. 32b ist also nach Paulus nicht die Argumentation der Korinther, sondern seine eigene, die sich auch formal argumentativ gibt: *Wenn* Tote nicht auferstehen, wenn sich die ἀνάστασις also nur auf die Lebenden bezieht, *dann* gibt es nur noch den Galgenhumor von Jes 22,13.“

Fällen vielmehr um der prophetischen Tradition entnommene Schlagworte, die Paulus seinen Kontrahenten unterstellt, um ihre Position (sowie deren Implikationen) ironisch (und in 1Kor 15,32b zugleich kritisch) zu charakterisieren. Er ist der Meinung, so wie in 1Thess 5,3 müßten konsequenterweise die reden, welche vorgeben, bereits im Eschaton angelangt zu sein[18].

e) *Die kritische Tendenz der Aussagen*

Welche Konsequenzen ergeben sich aus diesen Erwägungen im Hinblick auf die oben zurückgestellte Frage nach der Motivation von 1Thess 5,1–3? Wir haben zu zeigen versucht, daß die paulinischen Ausführungen in 1Thess 4,13ff. darauf abzielen, das Selbstverständnis des Glaubens als Hoffnung für die Toten zu explizieren. Gegenüber dem Anspruch gnostisch denkender Enthusiasten, die weder die Differenz zwischen der Gegenwart und der Zukunft noch die zwischen dem Kyrios und den Seinen gelten lassen und sich selbst als Pneumatiker den Toten gegenüber absolut bevorzugt wissen, insistiert Paulus auf den Unterschied der Zeiten sowie der Personen und bindet das Schicksal der lebenden wie auch der toten Christen an die durch die Parusie des Kyrios qualifizierte eschatologische Zukunft. Doch scheint er sich darüber im klaren zu sein, daß die von ihm 1Thess 4,15ff. (vgl. ἄξει, 4,14b) geltend gemachte Erwartung der Parusie von gnostischer Seite ebenso mißachtet werden mußte wie die der Auferstehung der Toten[1].

[18] Vgl. N. Schneider, a.a.O., S. 87: „Paulus denkt die Stellung seiner Gegner meist zu Ende und legt ihnen dann die *Konsequenzen* ihrer Thesen in den Mund." Unter der Voraussetzung, daß die Textvariante δέ (s.o. S. 52 Anm. 3) mitzulesen ist, macht die Aussage einen *Einwand* geltend, der nach paulinischem Urteil in diesem Zusammenhang von Gnostikern zur Sprache gebracht werden müßte.

[1] Vgl. in diesem Zusammenhang die verstreuten Belege für gnostische Umdeutung der Parusieerwartung. Zu verweisen ist insonderheit auf die 2Thess 2,2 kritisch zitierte Behauptung ἐνέστηκεν ἡ ἡμέρα τοῦ κυρίου, die „unzweifelhaft den Sinn (hat), daß der Tag des Herrn schon da sei" (W. Schmithals, Paulus und die Gnostiker, S. 146; vgl. ebd., S. 146ff.; Ders., in: ZuG, S. 307. 312. Das dem Satz vorangehende ὡς ὅτι dient offenbar zur Einführung des Zitats wie 2Kor 5,19; vgl. dazu E. Käsemann, Erwägungen zum Stichwort „Versöhnungslehre im Neuen Testament", in: ZuG, S. 50; P. Stuhlmacher, Gerechtigkeit Gottes bei Paulus, S. 77 Anm. 2). 2Thess 2,2 fin. gibt also nicht einer „schwärmerischen, maßlos gewordenen Naherwartung" Ausdruck, wie A. Strobel (Untersuchungen ..., S. 102) in Übereinstimmung mit der gängigen Exegese d.St. behauptet (vgl. nur die Ausführungen von E.v. Dobschütz, a.a.O., S. 267f., z.St., die sich der naheliegenden Annahme, daß 2Thess 2,2 auf eine gnostische oder gnostisierende Formation anspielt, nur gezwungen zu entziehen vermögen). Zu Recht urteilt W. Marxsen, Einleitung in das Neue Testament, S. 40, z.St., „daß hier eine gnostische Vorstellung apokalyptisch ausgedrückt wird. Gnostiker konnten durchaus davon reden, daß die Auferstehung schon geschehen sei (zum

Um dieser enthusiastischen Mißachtung des ‚Dann‘ zu wehren, geht er in 1 Thess 5, 1–3 — also im unmittelbaren Anschluß an 1 Thess 4, 15–17 (18) — ausdrücklich auf die Frage nach dem ‚Wann‘ ein und erklärt: Wer das Kommen des (von der Gemeinde erhofften) Herrentages[2] leugnet, wird die Zukunft dieses Tages als unerbittliches[3] und unentrinnbares Gericht erfahren.

Wenn diese Überlegungen zutreffen, haben die apokalyptisch geprägten Aussagen in 1 Thess 5, 2f. *kritische Funktion*. Sie sind (ähnlich wie 1 Thess 4, 15–17) von einer polemischen Tendenz bestimmt und gelten der Abwehr eines fundamentalen Mißverständnisses des Kerygmas. Ihre eigentlichen Adressaten sind nicht die in V. 1 genannten Brüder, sondern die Vertreter eben jener gnostischen Agitation, welche die Gemeinde beunruhigt. Der paulinische Rekurs auf apokalyptischer Tradition nahestehende Aussagen ist von der Absicht geleitet, diejenigen ins Unrecht zu setzen, welche die Weltüberlegenheit und Selbstgefälligkeit des τέλειος zur Schau tragen und sich der geschichtlichen Verantwortung durch den Rückzug auf ihr akosmisches Pneuma-Selbst entschlagen zu können meinen. Für Paulus aber bedeutet die „enthusiastische Mißachtung der Parusieerwartung“[4] nichts anderes als die Bestreitung der Herrschaft des Kyrios (vgl. 2 Petr 2, 1), die sich gerade in den Weltbezügen durchsetzen und am Ort der geschichtlichen Existenz, ja mit der geschichtlichen Existenz selbst beantwortet sein will[5]. Darum warnt der Apostel mit Nachdruck: Wer den Kyrios als Garanten der Selbsterlösung mißbraucht, das Telos schon erreicht zu haben meint, somit den Alltag verachtet und die geschichtlichen Verhaltensweisen für indifferent erklärt[6], wird sich unversehens und unentrinnbar vor dem Herrn selbst zu verantworten haben und plötz-

---

Beispiel 2 Tim 2, 18); und zwar ist der Gnostiker, wenn er Pneumatiker ist, in seinem Pneuma bereits auferstanden, in seinem Pneuma — durch die Gnosis — von den Bindungen an diese Welt befreit. Von hier aus wird auch diese Wendung deutlich.“ Vgl. ferner die bei W. SCHMITHALS, Paulus und die Gnostiker, S. 120f. 147f. angeführten Stellen, bes. ThEv Spr. 51 (s. dazu auch Ph. VIELHAUER, in: Aufsätze zum Neuen Testament, S. 231f. 234; J.M. ROBINSON, ZThK 62/1965, 310 und ebd. Anm. 22–24); zu verweisen ist ebenso auf die Position der in 2 Petr bekämpften Front (s. dazu ausführlich u. Exkurs II, S. 98ff.). Zur Sache vgl. ferner H. BECKER, a.a.O., S. 99.

[2] Vgl. die Korrespondenz der Wendungen ἡ παρουσία τοῦ κυρίου (1 Thess 4, 15) und ἡμέρα κυρίου (1 Thess 5, 2).

[3] Vgl. E. FUCHS, Das Zeitverständnis Jesu, in: GA Bd. II, S. 313.

[4] W. SCHMITHALS, Paulus und die Gnostiker, S. 123.

[5] Zur Sache vgl. E. KÄSEMANN, Der Ruf der Freiheit, S. 90ff. (in Verbindung mit S. 82ff.).

[6] Vgl. die Charakteristik der von Paulus im 1. Korintherbrief bekämpften ‚häretische(n) Interpretation des Kerygmas‘ bei J.M. ROBINSON, ZThK 62/1965, 305f.

lichem Verderben anheimfallen[7]. Von dieser Warnung ist die Gemeinde ausgenommen, es sei denn, sie gäbe jenem Denken nach und ließe sich selbst zu derjenigen Einstellung hinreißen, der die Parole Ausdruck gibt: ‚Es ist Friede — es hat keine Gefahr‘.

Exkurs II:

Der Gebrauch des Bildes vom ‚Dieb‘ in der urchristlichen Literatur

Die folgenden Erwägungen gelten der bei der Analyse von 1Thess 5,1–3 zurückgestellten Frage, in welcher Weise das in V. 2 begegnende Bild vom ‚Dieb (in der Nacht)‘ in der übrigen urchristlichen Literatur Verwendung findet. Als Sachparallelen zu 1Thess 5,2 kommen folgende Stellen in Betracht: Lk 12,39f. par. Mt 24,43f.; 2Petr 3,10; Apk 3,3; 16,15; ThEv Spr. 21b (vgl. Spr. 103). Gelegentlich wird die Ansicht vertreten, die angeführten außersynoptischen Aussagen des Neuen Testaments (einschließlich 1Thess 5,2) seien durch das Lk 12, 39f. Par. überlieferte und nach dem Urteil von J. Jeremias auf Jesu Verkündigung zurückgehende Gleichnis vom (nächtlichen) Einbrecher beeinflußt[1]. Speziell zu 1Thess 5,1ff. äußert A. Strobel die Vermutung, daß die Ausführungen dieses Textes durch eine dem Apostel über Mt 24,43f. („passatheologisches Gleichnis vom nächtlichen Dieb“) vermittelte, in ihrem Kern auf Hab 2,3 zurückgehende Tradition veranlaßt sein könnten[2]. Im Blick auf derartige Hypothesen gewinnt das in der synoptischen Evangelientradition wiedergegebene Gleichnis vom Einbrecher für unsere Fragestellung besonderes Interesse. Aufgabe der Untersuchung ist zunächst, das Problem einer möglichen Beziehung zwischen Lk 12,39f. par. Mt 24,43f. und 1Thess 5,2 zu klären. Dieses Arbeitsvorhaben macht eine eingehende Analyse der synoptischen Texte erforderlich. Ferner gilt zu prüfen, ob die Funktion, die das Motiv an den genannten übrigen Stellen der urchristlichen Literatur übernimmt, derjenigen von 1Thess 5,2 sachlich entspricht oder ob sich diesbezüglich charakteristische Differenzen abzeichnen.

aa) Lk 12,39f. par. Mt 24,43f.

(1) Das Gleichnis vom (nächtlichen) Einbrecher begegnet im Lukas- und Matthäusevangelium jeweils in verschiedenem Zusammenhang[3], ist indessen hier wie dort mit dem Gleichnis vom heimkehrenden Hausherrn (Lk 12,42–46 par. Mt 24,45–51a) kombiniert. Auf Grund der weitgehenden Übereinstimmung der Gleichnisfassungen in beiden Evangelien (Lk 12,39f. par. Mt 24,43f.[4]) und im

---

[7] Vgl. 2Petr 2,1 fin. (s. dazu u. Exkurs II, S. 110f.).

[1] Vgl. J. Jeremias, Die Gleichnisse Jesu, 7. Aufl. 1965, S. 45ff., bes. S. 47.

[2] Vgl. A. Strobel, Untersuchungen ..., S. 112 (das Zitat ebd.), S. 211 Anm. 3; ähnlich J.A. Sint, Parusie-Erwartung und Parusie-Verzögerung im paulinischen Briefcorpus, ZKTh 86/1964, 52f.: Die Übereinstimmung ist so groß, daß es sich „nicht bloß um den gleichen Sachhintergrund handeln“ kann (ebd., 53).

[3] Vgl. W. Michaelis, Die Gleichnisse Jesu, S. 72.

[4] Bei Mt 24,42 handelt es sich um eine (wohl an Mk 13,35 anknüpfende) redaktionelle Überleitung. Der Evangelist hat „ein Motiv aus Mk 13,33–37 benutzt, um verschiedene Traditionsstücke (24,37–41 und 24,43–44) zu verbinden“ (R. Bultmann, Die Geschichte der synoptischen Tradition, 3. Aufl. 1957, S. 137). A. Strobel vermutet, daß bei Matthäus „mit V. 42 der ganze folgende Gleichniszyklus überschrieben sein soll“ (Untersuchungen ..., S. 210), doch läßt sich die Aussage auch als Abschlußbemerkung zu Mt 24,40f. ver-

Blick auf die Korrespondenz der Anordnung der Stücke Lk 12,39f. 42ff. par. Mt 24,43f. 45ff. ist auf eine beiden Evangelisten gemeinsame Vorlage zu schließen, die man wohl zu Recht der Spruchquelle (Q) zugewiesen hat[5]. Die Fassung des Gleichnisses vom Einbrecher in Q läßt sich kaum mit Sicherheit rekonstruieren. Doch dürfte der lukanische Text dem Q-Wortlaut aufs Ganze gesehen eher entsprechen als der matthäische. Das gegenüber der Lukas-Version in Mt 24,43 überschießende ἐγρηγόρησεν ἂν καί ist wohl ebenso der evangelistischen Redaktion zuzuschreiben[6] (vgl. Mt 24,42!) wie die auf eine Verstärkung der Verbindung von Gleichnis und Anwendung abzielende Wendung διὰ τοῦτο Mt 24,44[7]. Ferner dürfte die „imperativische Form des γινώσκετε bei Lukas ... ursprünglich sein gegenüber der — nach dem Kontext — indikativischen des Matthäus"[8]. Schließlich bleibt zu fragen, ob die lukanische Version nicht auch darin, daß sie das Wort ὥρα in der Applikation *und* im Gleichnis bietet, der Vorlage korrespondiert, zumal sich die Verwendung von φυλακή in Mt 24,43 aus bestimmten theologischen Sonderinteressen des Verfassers des Matthäusevangeliums erklären lassen könnte[9]. Weniger bedeutsam und wohl auch nicht sicher zu entscheiden ist die Frage nach der Priorität von ἀφῆκεν (Lk 12,39) bzw. εἴασεν (Mt 24,43) und τὸν οἶκον (Lk 12,39) bzw. τὴν οἰκίαν (Mt 24,43). Auf Grund dieser Erwägungen kann mit Vorbehalt folgende Textform für die Spruchquelle vorausgesetzt werden:

(a) τοῦτο[10] δὲ γινώσκετε,
ὅτι εἰ ᾔδει ὁ οἰκοδεσπότης ποίᾳ ὥρᾳ ὁ κλέπτης ἔρχεται,
οὐκ ἂν ἀφῆκεν(?) διορυχθῆναι τὸν οἶκον(?) αὐτοῦ.

(b) καὶ ὑμεῖς γίνεσθε ἕτοιμοι,
ὅτι ᾗ ὥρᾳ οὐ δοκεῖτε ὁ υἱὸς τοῦ ἀνθρώπου ἔρχεται.

(2) Zur Klärung der weitergehenden Frage, ob sich der für Q anzunehmende Aussagezusammenhang auf die Verkündigung Jesu zurückführen läßt oder ob

stehen. „Daß es sich in Mt 24,42 im Sinne der Matthäus-Redaktion um einen Abschluß handeln soll, kann man aus dem parallelen Abschlußvers zum Gleichnis von den zehn Jungfrauen entnehmen (25,13)" (H.E. Tödt, a.a.O., S. 82). *Kompositorisch* gesehen könnten die drei Aussagen Mt 24,39b.42.44 im Rahmen des Evangeliums als Abschlußbemerkungen gedacht sein (vgl. H.E. Tödt, ebd. C. Colpes Kritik an Tödt — vgl. ThW Bd. VIII, 454 Anm. 365 — überzeugt nicht; inwiefern aus der Stellung des Diebesgleichnisses bei Lk! hervorgehen soll, daß es „schon vor Mt mit dem Sintflutgleichnis verbunden war" — ebd. —, bleibt unerfindlich).

[5] Vgl. R. Bultmann, Die Geschichte der synoptischen Tradition, 3. Aufl. 1957, S. 185; A. Strobel, Untersuchungen ..., S. 208; D. Lührmann, Die Redaktion der Logienquelle, S. 69.

[6] Vgl. A. Jülicher, Die Gleichnisreden Jesu, II, S. 138; A. Strobel, Untersuchungen ..., S. 214.

[7] Vgl. A. Jülicher, a.a.O., S. 137f.; C. Colpe, ThW Bd. VIII, 454 Anm. 365.

[8] E. Grässer, Das Problem der Parusieverzögerung in den synoptischen Evangelien und in der Apostelgeschichte, S. 93 Anm. 1.

[9] Vgl. A. Strobel, Untersuchungen ..., S. 214. Hingegen hält A. Jülicher φυλακή für ursprünglich, „da ὥρᾳ bei Lc als Konformation zu (sc. V.) 40 erscheint" (a.a.O., S. 138).

[10] Das ebenfalls vorausweisende ἐκεῖνο Mt 24,43 scheint einen Gegensatz zu Mt 24,42b anzuzeigen (vgl. Bl-Debr § 291,5) und könnte darum gegenüber τοῦτο als sekundär zu betrachten sein.

er als eine durch bestimmte Gemeindeinteressen veranlaßte Sekundärbildung zu beurteilen ist, sind formgeschichtliche Überlegungen notwendig. Zunächst gilt zu prüfen, ob es sich bei der für Q reklamierten Gleichnisfassung um ein in sich geschlossenes, einheitlich konzipiertes Überlieferungsstück handelt. Der erste Teil der Tradition (a) stellt ein (vielleicht aus einem Bildwort entwickeltes[11]) Gleichnis dar, das ohne „Vergleichungspartikel in der Form der Aussage" gebildet ist[12]. Die schon in Q begegnende Einleitung τοῦτο δὲ γινώσκετε ὅτι „scheint als Übergangswendung sekundär zu sein"[13]. Sie hat vermutlich einen ursprünglich anders lautenden Gleichnisanfang ersetzt und ist möglicherweise der Redaktion der Logienquelle zuzuschreiben. Der zweite Teil des Überlieferungsstückes (b) läßt sich nach formgeschichtlichen Gesichtspunkten als Gleichnisanwendung charakterisieren, die wie Lk 16, 9; Mk 13, 35 und Mt 25, 13 imperativische Form aufweist[14]. Wie ist nun das Verhältnis von Gleichnis und Applikation im Rahmen der vorliegenden Überlieferungseinheit zu beurteilen? In der exegetischen Literatur wird diese Frage unterschiedlich beantwortet. Die Diskussion des Problems ist verwickelt und vor allem dadurch belastet, daß man stilkritischen Beobachtungen kaum Beachtung schenkt, sich auch am Problem der Aussagenlogik wenig interessiert zeigt und die Aufmerksamkeit statt dessen vorschnell der Erörterung sachkritischer Argumente zuwendet (vgl. z.B. die auf den Themenkreis ‚Naherwartung — Parusieverzögerung' bezogene Auseinandersetzung, ferner die Debatte um die ‚Echtheit' der Menschensohnworte). Eine Skizze der gängigen Auslegungsformationen vermag diesen Sachverhalt zu illustrieren.

(3) Kennzeichnend für die *erste* der hier zu nennenden exegetischen Positionen ist *die Annahme der ursprünglichen Integrität des Traditionsstückes*. So ist nach der Überzeugung R. Bultmanns das Gleichnis vom Dieb „einheitlich komponiert" und weist „keine sekundären Züge" auf[15]. Die Anwendung wird als stilgemäß charakterisiert: „ein Verdacht gegen ihre Ursprünglichkeit liegt nicht vor"[16]. Die Anhänger dieser von R. Bultmann vertretenen Auffassung, nach der an der ursprünglichen Zusammengehörigkeit von Gleichnis und Deutung (in der vorliegenden Form) festzuhalten ist, gelangen allerdings zu gegensätzlichen Urteilen über die Authentizität des Überlieferungsstückes. Repräsentant des kritischen Flügels ist Ph. Vielhauer. S. E. bestehen „begründete Zweifel" an der Echtheit des Gleichnisses[17]. Sie beruhen auf der Einsicht, daß das Traditionsstück „die Parusieverzögerung und die Reflexion der Gemeinde über die Zeit bis zum Ende spiegelt"[18]. Das Gleichnis ist „von Haus aus christologisch"[19] konzipiert und auf Grund sachkritischer Erwägungen als Gemeindebildung anzusehen[20]; denn „daß die Mahnung zur Wachsamkeit mit der Ungewißheit des Wann statt mit der Gewißheit der Nähe motiviert wird, weist nicht in die Ver-

---

[11] Vgl. R. Bultmann, Die Geschichte der synoptischen Tradition, 3. Aufl. 1957, S. 186; E. Fuchs, in: GA Bd. II, S. 310.

[12] R. Bultmann, a.a.O., S. 185.

[13] R. Bultmann, ebd.

[14] Vgl. R. Bultmann, ebd. (s. dazu auch u. Anm. 47).

[15] A.a.O., S. 125.

[16] R. Bultmann, a.a.O., S. 185; vgl. ebd., S. 200.

[17] Jesus und der Menschensohn, in: Aufsätze zum Neuen Testament, S. 108 (vgl. ebd., S. 107f.); vgl. Ders., Gottesreich und Menschensohn in der Verkündigung Jesu, ebd., S. 73.

[18] A.a.O., S. 107.

[19] A.a.O., S. 73 Anm. 79.

[20] Vgl. ebd., S. 73.

kündigung Jesu, sondern in die der Gemeinde"[21]. Demgegenüber hält H. E. Tödt, der wie Vielhauer die Integrität des Stückes voraussetzt, das Gleichnis für echt: „Daß die Mahnung zur dauernden Bereitschaft mit dem Hinweis auf die Ungewißheit der Stunde, zu der der Dieb kommt und zu der der Menschensohn kommt, die Verzögerung der Parusie voraussetzt, vermag ich nicht zu erkennen."[22] Freilich überzeugt diese gegen Vielhauer gerichtete apologetische Bemerkung insofern nicht, als Tödt selbst bei der Erörterung des Aussagewillens d. St. Formulierungen verwendet, die das Phänomen der Verzögerung ausdrücklich geltend machen: „Die Unbestimmtheit der Stunde, in der der Menschensohn kommt, wird betont und die Mahnung erhoben, wach zu sein; zu jeder Stunde, sofort oder auch später (!), wie der Dieb in der Nacht kann er kommen."[23] Daß Vielhauer dieser Charakteristik der Gleichnisintention durchaus zustimmen, sie aber eben als Argument für die Richtigkeit der von ihm vertretenen These in Anspruch nehmen könnte, scheint Tödt nicht bewußt zu sein. Allerdings steht Tödt mit seiner Behauptung der Authentizität des Gleichnisses nicht allein. Er kann sich auf W. G. Kümmel[24] und selbst auf R. Bultmann berufen, der immerhin offenläßt, ob Lk 12,39f. Par. auf Jesus zurückgeht oder jüdischer Tradition entstammt[25]. Auch H. Conzelmann scheint nicht grundsätzlich auszuschließen, daß das Gleichnis vom Dieb zur authentischen Überlieferung von Jesu Verkündigung zu rechnen ist. Er pointiert freilich — anders als Tödt — das Moment der ‚Plötzlichkeit' als tertium comparationis und stellt — ohne sich auf das Menschensohnproblem einzulassen — beiläufig fest: „Die Betonung der Plötzlichkeit des ‚Einbruches' *kann*, *muß* aber nicht Indiz sein, daß an eine Parusieverzögerung gedacht ist."[26]

Charakteristisches Merkmal der *zweiten* hier zu referierenden exegetischen Position ist *die Bestreitung der Integrität des Traditionsstückes*. So bezweifelt J. Jeremias die Ursprünglichkeit der „Anwendung auf den wiederkehrenden (?)

---

[21] A. a. O., S. 108. Vgl. E. Grässer, Das Problem der Parusieverzögerung.... S. 93f., auf den sich auch Vielhauer (ebd., Anm. 26) beruft (Grässers Position differiert allerdings insofern von derjenigen Vielhauers, als er den Hinweis auf das ‚Motiv der Unwissenheit' in Mt 24,44 als Argument „gegen die Ursprünglichkeit der Anwendung" anführt — vgl. a. a. O., S. 94). Vielhauers Beweisführung macht sich E. Jüngel, Paulus und Jesus, S. 241, zu eigen.

[22] A. a. O., S. 308.

[23] A. a. O., S. 50. Vgl. im übrigen die Replik Vielhauers (a. a. O., S. 107f.) auf Tödts Kritik, in welcher Vielhauer die Stringenz der Argumentation Tödts überzeugend in Frage zu stellen vermag.

[24] Vgl. Verheißung und Erfüllung, 3. Aufl. 1956, S. 49.

[25] Vgl. Die Geschichte der synoptischen Tradition, 3. Aufl. 1957, S. 163. Bultmann bleibt unentschieden (vgl. ebd., S. 136), obwohl er zunächst (vgl. ebd., S. 133) stärker die Möglichkeit jüdischen Ursprungs für Lk 12,39f. Par. in Betracht zieht (vgl. auch ebd., S. 220).

[26] Gegenwart und Zukunft in der synoptischen Tradition, ZThK 54/1957, 286 (die Aussage bezieht sich auf Mt 24,43f.; Lk 12,39f.); ebenso urteilt H. Braun, Spätjüdisch-häretischer und frühchristlicher Radikalismus, Bd. II, S. 19 Anm. 6: „Das Gleichnis vom Dieb mit der Pointe der Plötzlichkeit kann auf Jesus selber, kann aber auch auf die anhebende Verlegenheit der Parusieverzögerung gehen." (Die Bemerkung kommentiert den Satz: „Denn — so soll man wissen — plötzlich wie ein Dieb bricht der Menschensohn herein . . ." — ebd., S. 19 —; daraus läßt sich schließen, daß sie nicht allein auf Lk 12,39 Par., sondern auf Lk 12,39f. Par. gemünzt ist).

Menschensohn"[27]. Er konzediert zwar, daß das Gleichnis in der vorliegenden Form im Rahmen der Evangelien als „Weckruf an die Führer der Kirche" fungiert (vgl. die Adressierung in Lk 12,22; Mt 24,3), „angesichts der Verzögerung der Parusie nicht zu erschlaffen"[28]. Doch stellt er in Abrede, daß diese Tendenz dem Gleichnis von Anfang an inhärent gewesen sei. S.E. ist die Figur des Einbrechers erst sekundär „mit Hilfe christologischer Allegorisierung zum Bilde für den Menschensohn" geworden[29] (Beweis: ThEv Spr. 21 — vgl. Spr. 103 — fehlt die Anwendung auf den Menschensohn[30]; *erst* Apk 3,3; 16,15 „wird Christus selbst mit dem Diebe verglichen"[31]). Nach seiner (an Erwägungen C.H. Dodds[32] anknüpfenden) Vermutung war „der Einbruch ursprünglich Bild für die bevorstehende Katastrophe"[33] (vgl. die Applikation des Motivs auf den ‚Jüngsten Tag' 1 Thess 5,2.4; 2 Petr 3,10) und das Gleichnis „als Weckruf an die Menge" angesichts dieses Verhängnisses konzipiert[34].

Auf die methodischen und sachlichen Mängel der Argumentationsweise von Jeremias hat bereits Ph. Vielhauer hingewiesen[35], so daß sich hier kritische Anmerkungen erübrigen. Festzustellen bleibt in diesem Zusammenhang nur, daß Jeremias nicht deutlich genug zu erkennen gibt, ob er die ursprüngliche Zusammengehörigkeit von Gleichnis und Anwendung überhaupt in Frage stellen oder lediglich das Auftreten von ὁ υἱὸς τοῦ ἀνθρώπου in der Applikation beanstanden will. Vielhauer scheint eher das Letztere zu vermuten, wenn er in seinem kritischen Referat der von Jeremias vertretenen Auffassung hervorhebt, dieser wolle, „um die Echtheit des Gleichnisses zu retten, den Menschensohn eliminieren und ihn durch die eschatologische Katastrophe (‚Tag Jahves' Am 5,18; Jes 2,12 u.ö.) ersetzen"[36]. Für die Vermutung, daß Jeremias die Einheitlichkeit von Gleichnis und Anwendung nicht generell zu bestreiten sucht, spricht in der Tat, daß er zwar die Rede vom Menschensohn in Lk 12,40 par. Mt 24,44 als sekundär beurteilt, die Pointe des Gleichnisses aber in einem eschatologisch motivierten Weckruf erblickt, der s.E. inhaltlich auf die Mahnung hinausläuft: „Rüstet euch, bald ist es zu spät!"[37] Sieht man von der Begründung ab, entspricht dieser Imperativ dem καὶ ὑμεῖς γίνεσθε ἕτοιμοι der Anwendung. Er läßt sich jedenfalls dem Gleichnis selbst — wie noch zu zeigen sein wird — kaum abgewinnen. Auf Grund dieser Erwägung besteht Anlaß zu der Vermutung, daß Jeremias faktisch nur den Menschensohntitel in Lk 12,40b Par. literarkritisch eliminiert, die ursprüngliche Zusammengehörigkeit von Gleichnis und Anwendung aber stillschweigend voraussetzt. Doch ist wegen der mangelnden Prägnanz seiner Darlegungen ein sicheres Urteil nicht möglich.

---

[27] Die Gleichnisse Jesu, 7. Aufl. 1965, S. 46.

[28] A.a.O., S. 47. Auf die Frage nach der Funktion des Gleichnisses in Q geht Jeremias nicht ein.

[29] Ebd.; vgl. E. Schweizer, in: Neotestamentica, S. 62.

[30] Vgl. a.a.O., S. 46.

[31] A.a.O., S. 47.

[32] Vgl. The Parables of the Kingdom, S. 132ff. (dazu s. W.G. Kümmel, Verheißung und Erfüllung, 3. Aufl. 1956, S. 52 Anm. 125).

[33] A.a.O., S. 47.

[34] A.a.O., S. 46. Jeremias verweist darauf, daß die Aussagen der außersynoptischen Belege des Motivs (1 Thess 5,2.4; 2 Petr 3,10; Apk 3,3; 16,15) an die ‚Ungläubigen' und ‚Unbußfertigen' adressiert seien (vgl. a.a.O., S. 47).

[35] Vgl. in: Aufsätze zum Neuen Testament, S. 73 Anm. 79.

[36] Ebd.

[37] A.a.O., S. 46; vgl. auch ebd., S. 107.

Konsequenter als JEREMIAS bestreitet C. COLPE ausdrücklich, daß das vorliegende Traditionsstück einheitlich konzipiert ist. Er beurteilt die Deutung als sekundäre Anfügung: Erst als die Urkirche das Gleichnis „auf ihre durch das Ausbleiben der Parusie veränderte Situation bezog, konnte der Akzent auf den Kommenden verlagert u damit der Dieb zu einer Metapher für den Menschensohn werden ... Dies wurde durch Anfügung von Mt 24,44 Par ausgedrückt."[38] Die Authentizität des eigentlichen Gleichnisses (Mt 24,43 par. Lk 12,39) ist nach COLPES Ansicht indessen nicht zu bezweifeln. Im Anschluß an JEREMIAS stellt er fest: „Das Gleichnis ist als Ankündigung der bevorstehenden Krisis für die Menge, zu der es Jesus urspr gesagt hat, voll verständlich."[39] Allein, *inwiefern* die Aussage von Mt 24,43 Par. — für sich genommen — als eine (Jesu Verkündigung ohne Bedenken zuzumutende) Krisisankündigung verständlich sein soll, begründet COLPE mit keinem Wort. Er scheint selbst zu bemerken, daß das Gleichnis weniger ein ‚Was' (Einbruch = Krisis) als vielmehr ein ‚Wie' bzw. ‚Wann' pointiert (der Einbruch als überraschend[40] eintreffendes Ereignis), und konstatiert beiläufig, der irreale Bedingungssatz Mt 24,43 weise „auf die Unbestimmtheit der Stunde, statt jeder apokalyptischen Ausmalung oder Berechnung"[41]. Doch bleibt diese Anmerkung ohne Einfluß auf die Charakteristik des Stückes als Krisisgleichnis. Sie steht zusammenhanglos neben der Behauptung, Mt 24,43 Par. sei auf die ‚Ankündigung der bevorstehenden Krisis' abgezweckt. Völlig unklar erscheint schließlich COLPES Andeutung, das (s.E. offenbar zum ursprünglichen Bestand des Überlieferungsstückes zu rechnende) γινώσκετε weise „in die Sachhälfte hinüber"[42]. Seine Verlegenheit beruht vermutlich darauf, daß er einerseits den Interpretationsansatz von JEREMIAS festhalten will, andererseits aber bei der Bestimmung des tertium comparationis die Aussage der (als sekundär beurteilten) Anwendung ausklammern muß, dem Gleichnis somit nicht wie JEREMIAS als Pointe die Forderung rechten Verhaltens *angesichts* der kommenden Katastrophe abzugewinnen vermag.

(4) In der Absicht, das Knäuel der exegetischen Probleme zu entwirren, setzen wir neu ein und suchen die Frage nach dem Verhältnis von Gleichnis und Anwendung mit Hilfe von Sachgesichtspunkten zu klären, die — obwohl sie ansatzweise z.T. bereits von A. JÜLICHER[43] bedacht wurden — im Umkreis der bisher genannten Deutungsversuche kaum Beachtung finden. Zunächst ist auf den Sachverhalt aufmerksam zu machen, daß sich die Stilgemäßheit der Applikation bei den mit Anwendung überlieferten Gleichnissen in den seltensten Fällen erweisen läßt[44]. Im übrigen ist selbst dann, wenn dieser Nachweis gelingt, die Ursprünglichkeit der Applikation keineswegs gesichert[45], da prinzipiell zu fragen bleibt, „ob das eigentliche Gleichnis eine ausdrücklich *genannte* Anwendung wünscht"[46]. Schon auf Grund dieser allgemeinen Überlegung dürfte gegen-

[38] ThW Bd. VIII, 454.

[39] Ebd.

[40] Vgl. E. FUCHS, Hermeneutik, 4. Aufl. 1970, S. 223.

[41] ThW Bd. VIII, 454 Anm. 364.

[42] Ebd.

[43] Vgl. a.a.O., S. 140ff.

[44] Vgl. E. FUCHS, Hermeneutik, 4. Aufl. 1970, S. 221ff.

[45] Vgl. R. BULTMANN, Die Geschichte der synoptischen Tradition, 3. Aufl. 1957, S. 199f.

[46] E. FUCHS, Hermeneutik, 4. Aufl. 1970, S. 221f. FUCHS fragt, ob man nicht sagen müsse, „daß die Anwendung des im Bildteil Gesagten gerade *offen* bleiben soll, weil der Bildteil den Partner eben deshalb zu einer Stellungnahme zwingt, um ihn *daraufhin* bei einem bestimmten Verhalten zu behaften" (a.a.O., S. 222).

über der Behauptung der ursprünglichen Zusammengehörigkeit von Gleichnis und Anwendung in Lk 12,39f. Par. eine gewisse Zurückhaltung angebracht sein. Stellt man nun ferner im besonderen in Rechnung, daß die Lk 12,40 Par. vergleichbaren imperativisch geformten Gleichnisanwendungen im Neuen Testament (mit οὕτως: Mk 13,29; Lk 17,10; ohne οὕτως: Mk 13,35; Lk 10,37b; 16,9; Mt 25,13) — von einer fraglichen Stelle abgesehen — sekundären, z.T. sogar ausgesprochen redaktionellen Charakter tragen[47], verstärken sich die Zweifel an der Integrität der Überlieferung von Lk 12,39f. Par. (Q-Fassung).

Wie wenig es sich bei dem Traditionsstück um eine einheitliche Komposition handelt, wird deutlich, sobald man beide Teile der Überlieferung (a; b) zunächst isoliert betrachtet und dann den Skopus des Gleichnisses (a) mit dem der Anwendung (b) vergleicht. Sieht man von der vermutlich sekundären Einleitung ab, weist die *Gleichnisaussage* (a) die Form einer hypothetischen Periode auf, in welcher Bedingung und Folge als irrealer Fall dargestellt sind. Der irreale Indikativ in Protasis und Apodosis hat „plusquamperfektischen Ton“[48], so daß folgende Übersetzung der Q-Fassung erlaubt scheint: ‚Wenn der Hausherr gewußt hätte, zu welcher Stunde der Dieb kommt (kommen würde), hätte er (sicher) nicht in sein Haus einbrechen lassen‘[49]. Die Aussage pointiert wohl ohne Zweifel den Einbruch als ein „unvorhersehbares Ereignis“, wie E. LINNEMANN betont[50]. Indessen ist das Moment des ‚Unberechenbaren‘ mit dem Gesichtspunkt der ‚Unaufhaltsamkeit‘, an dem das Interesse ebenfalls haftet, verschränkt[51]. Die Aussage setzt den alltäglichen Fall[52] eines Einbruchs als bereits

---

„Das Gleichnis ... versetzt also dadurch in Spannung, daß es eben *nicht* von vornherein verrät, wo der Sprecher hinauswill. Das besagt, daß die Bildhälfte in diesem Fall die Sachhälfte in keiner Weise vorwegnimmt. Nur weil die Anwendung offen bleibt, scheint es begreiflich, daß das Gleichnis zur Erzählung hintendiert“ (ebd.).

[47] Als redaktionell sind die Gleichnisanwendungen Mk 13,29. 35 zu beurteilen (vgl. R. Pesch, Naherwartungen, S. 179ff. 199ff.; schon R. BULTMANN bezweifelte die Ursprünglichkeit beider Stücke, vgl. Die Geschichte der synoptischen Tradition, 3. Aufl. 1957, S. 187f. — anders allerdings ebd., S. 200, zu Mk 13,35); Lk 16,9 gehört in die Reihe der Sprüche Lk 16,9–13, die der Parabel vom ungerechten Haushalter als Anhang beigefügt wurden (zur Analyse vgl. R. BULTMANN, a.a.O., S. 190; J. JEREMIAS, Die Gleichnisse Jesu, 7. Aufl. 1965, S. 42ff.; E. JÜNGEL, Paulus und Jesus, S. 157f.); als redaktionell dürfte ferner die Anwendung Mt 25,13 zu beurteilen sein (vgl. R. BULTMANN, a.a.O., S. 191; A. STROBEL, Untersuchungen ..., S. 234. 250; E. LINNEMANN, Gleichnisse Jesu, 5. Aufl. 1969, S. 134; vgl. ebd., S. 194 Anm. 11 zu S. 134); schließlich erscheint auch BULTMANNS Behauptung der Ursprünglichkeit von Lk 17,10 (vgl. a.a.O., S. 184. 200) zweifelhaft (vgl. E. FUCHS, Hermeneutik, 4. Aufl. 1970, S. 223). Strittig ist allerdings die Beurteilung von Lk 10,37b (zur Auseinandersetzung vgl. R. BULTMANN, a.a.O., S. 192, mit E. LINNEMANN, a.a.O., S. 60f., S. 145 Anm. 14 zu S. 61; S. 146 Anm. 16 zu S. 62).

[48] A. JÜLICHER, a.a.O., S. 138.

[49] Vgl. die Übersetzung des Textes bei J. JEREMIAS, Die Gleichnisse Jesu, 7. Aufl. 1965, S. 45; ferner A. JÜLICHER, ebd.

[50] A.a.O., S. 141.

[51] Auf Grund dieser Beobachtung erscheint es als verfehlt, das tertium comparationis auf den Gesichtspunkt der ‚Plötzlichkeit‘ festzulegen (gegen H. CONZELMANN; H. BRAUN — s.o. Anm. 26); zur Sache vgl. auch A. STROBEL, Untersuchungen ..., S. 212 (s. ferner o. S. 55 Anm. 3).

eingetreten voraus und stellt von diesem fiktiv eingenommenen Standpunkt aus das Geschehen als ein Ereignis dar, das unter der angegebenen Prämisse (Unbekanntsein der Stunde) nicht zu verhindern, nicht aufzuhalten war.

Isoliert betrachtet, lassen sich dem Gleichnis keinerlei Anhaltspunkte für die Sache entnehmen, auf die es ursprünglich gemünzt gewesen sein mochte. Doch ist aus der Beobachtung, daß sich das Traditionsstück einem eschatologisch geprägten Zusammenhang (vgl. Q, Lk–Mt) einpassen ließ, mit Vorbehalt zu schließen, daß ihm schon früher ein eschatologischer Sachbezug innewohnte. Appliziert man die Aussage auf die Frage nach der rechten Einstellung gegenüber der eschatologischen Zukunft, wird man in ihr freilich keineswegs die Weisung abgebildet sehen: ‚Rüstet euch, bald ist es zu spät!‘[53] Vielmehr hat das Gleichnis „seinen Vergleichspunkt in der Unmöglichkeit, Vorsorge zu treffen“[54]. Dieser Sachverhalt wurde bereits präzise von A. Jülicher erfaßt, wie das folgende Zitat aus seiner z.T. sehr scharfsinnigen Analyse zeigt: „So wie ein Hausherr, da er nicht weiß, wann der Dieb kommt, sich gegen den Einbruch selber schlechterdings nicht schützen kann, — kännte er die Stunde, so würde ers wahrlich thun! — ebenso könnt auch Ihr, da Ihr die Stunde der Parusie nicht kennt, Euch vor ihr nicht schützen: Ihr müßt Euch drein ergeben, daß sie Euch überrascht ...“[55] Jülicher fährt dann allerdings — weil er mit dieser Paraphrase den Sinn des Gleichnisses „in der ‚Quelle‘“ zu eruieren sucht — unter deutlicher Bezugnahme auf die Anwendung fort: „. . . und (sc. Ihr müßt) sonach alle Kraft darauf wenden, daß sie Euch nichts anhaben kann: jederzeit bereit!“[56] Klammert man diesen Nachsatz, welcher gemäß der Tendenz der ‚Quelle‘ (= Q) Gleichnis und Anwendung miteinander in Einklang zu bringen sucht, aus, trifft die Charakteristik Jülichers genau die Pointe des ersten Teils der Überlieferung (a).

Ganz anders ist die Aussage der *Anwendung* (b) strukturiert. Sie läßt sich formgeschichtlich als Mahnwort kennzeichnen[57], das einheitlich konzipiert und auch bei isolierter Betrachtung in sich verständlich ist. Der auf den Imperativ folgende ὅτι-Satz hat kausalen Sinn. Die Mahnung zur Bereitschaft wird mit dem Hinweis darauf begründet, daß der Menschensohn überraschend in Erscheinung tritt. Seine Ankunft wird gerade dann Ereignis, wenn niemand mit ihr rechnet. Darum gilt es, jederzeit der eschatologischen Stunde gewärtig, d.h. gerüstet zu sein. Vergleicht man den Skopus dieses Mahnwortes mit dem des Gleichnisses, so zeigt sich, daß beide Stücke in Spannung miteinander stehen. Während nämlich das Gleichnis, indem es den eschatologischen Termin als ein menschlicher Kalkulation entzogenes Datum zu verstehen lehrt, die Unmöglichkeit demonstriert, sich auf das Eschaton zu präparieren, dient in der Anwendung die Hervorhebung des unvorhersehbaren und ungewissen Charakters der eschatologischen Stunde im Gegenteil gerade als Motivation der Forderung, sich für

---

[52] Vgl. A. Jülicher, a.a.O., S. 138f.; gegen J. Jeremias, nach dessen Auffassung das Gleichnis an ein „konkretes Ereignis . . ., nämlich an einen unlängst erfolgten Einbruch“, anknüpft (Die Gleichnisse Jesu, 7. Aufl. 1965, S. 45; vgl. ebd., S. 19).

[53] So J. Jeremias (s. o. Anm. 37); vgl. dagegen E. Linnemann, a.a.O., S. 141f.

[54] So zu Recht E. Linnemann, a.a.O., S. 141.

[55] A.a.O., S. 141.

[56] Ebd.

[57] Vgl. R. Bultmanns Kategorie der ‚Mahnrede‘ (Die Geschichte der synoptischen Tradition, 3. Aufl. 1957, S. 124ff.), die im Rahmen seiner Analyse ‚prophetischer und apokalyptischer Worte‘ (ebd., S. 113ff.) Verwendung findet.

das Ereignis der Ankunft des Menschensohnes bereit zu halten[58]. *Im Blick auf die damit offen zutage tretende logische Inkongruenz*[59] *beider Aussagen ist die Anwendung mit* E. FUCHS *als ‚stilwidrig' zu beurteilen*[60]. Die Behauptung der ursprünglichen Integrität des Traditionsstückes läßt sich wegen der unverkennbaren Inkonzinnität von Gleichnis und Mahnwort nicht aufrechterhalten[61]. Bezeichnend ist, daß der gelegentlich unternommene Versuch, den Aussagegehalt von Gleichnis und Applikation auf *eine* Pointe abzustimmen, zu Textmanipulationen, Eintragungen und phantastischen Verdrehungen nötigt. So basiert H. PREISKERS Paraphrase: „Wie der Hausherr durch sein Wachen das Einbrechen des Diebes verhindert, so sollen die Jünger durch Wachen auf das Kommen des Herrn sich rüsten ..."[62] — ebensowenig auf dem vorliegenden Text wie E. KLOSTERMANNS Feststellung: „der Hausherr, der die Stunde des Einbruchs vorher wüßte, würde sich gewiß wach halten — so müßt auch ihr wachbleiben, weil ihr die Stunde eben *nicht* wißt ..."[63] Auch der Hinweis, es

---

[58] Schon A. JÜLICHER empfand es als merkwürdig, daß die Exegeten „die Schwierigkeit, das Gleichnisbild (sc. Mt 24,) 43 zu der daraus gezogenen Folgerung 44 in ein erträgliches Verhältnis zu setzen, entweder gar nicht empfinden oder durch Künsteleien verhüllen. Die Ungewißheit der verhängnisvollen Stunde soll das tert. comp. sein, aber — in 43 hat sie die Wirkung, daß der Diebstahl glänzend glückt, in 44, daß die Jünger nicht überrascht werden?" (a.a.O., S. 140f.).

[59] H. GOLLINGER spricht von einer „gedankliche(n) Inkonsequenz" („Ihr wißt nicht, an welchem Tag euer Herr kommt". Auslegung von Mt 24,37–51, BibLeb 11/1970, 243).

[60] Vgl. Hermeneutik, 4. Aufl. 1970, S. 223; ebenso E. LINNEMANN, Gleichnisse Jesu, 5. Aufl. 1969, S. 141.

[61] Die Bedenken gegen die Ursprünglichkeit der Anwendung lassen sich nicht dadurch zerstreuen, daß man den Menschensohn in Lk 12,40b eliminiert und durch einen Ausdruck wie ἡμέρα κρίσεως oder dgl. ersetzt, denn die oben herausgestellte Spannung zwischen Gleichnis und Anwendung wird damit ja nicht aufgehoben. So sah sich bereits A. JÜLICHER zu der Konsequenz genötigt: „... mir sieht der ganze Vers Mt 44 aus wie die Zuthat eines Christen zu dem ohne ‚Deutung' umlaufenden Wort vom Dieb; so erklärt sich die Ungleichheit zwischen 43 und 44 am einfachsten" (a.a.O., S. 144).

[62] ThW Bd. III, 755.

[63] Das Matthäusevangelium (HNT 4), 2. Aufl. 1927, S. 197f.; (ähnlich E. LÖVESTAM, Spiritual Wakefulness in the New Testament, S. 102; vgl. H. GOLLINGER, BibLeb 11/1970, 243). Auch A. STROBELS Analyse des Textes, die sich durch eine Reihe guter Einzelbeobachtungen auszeichnet, vermag im Ergebnis nicht zu überzeugen, weil sie ebenfalls die zwischen Gleichnis und Anwendung bestehende Inkonzinnität in unzulässiger Weise überspielt: „Etwas Unerwartetes brach — so will das Gleichnis sagen — für den Hausherrn herein, das er natürlicherweise nicht hat einberechnen können. Es ist unaufhaltsam gewesen, *es sei denn, er hätte den Dieb durch zufälliges Wachsein am Einbruch gehindert. Der Ruf zur Wachsamkeit und Bereitschaft wird so als unbedingt erforderliche Haltung herausgestellt. Nicht ohne den Nebenton: Es gibt ein Zu-spät!*" (Untersuchungen ..., S. 212; die STROBELS Ausführungen leitende Harmonisierungstendenz ist an den von mir hervorgehobenen Formulierungen abzulesen) Wenig durchdacht ist D. LÜHRMANNS Charakteristik d. St.: „Mit dem Bild vom Kommen des Menschensohnes wie eines Diebs in der Nacht (Lk 12,39/Mt 24,43), das sich in der urchristlichen Literatur häufig findet, wird ... die Mahnung begründet,

handle sich bei Lk 12,39f. Par. um eine „Verdeutlichung durch gegensätzliches Beispiel“[64], ist irreführend. Zwar könnte der Imperativ Lk 12,40a Par. zur Not im Sinne einer „sich aus dem Bild als gegensätzliche Anwendung ergebende(n) Folgerung“[65] ausgelegt werden; doch wäre die Gedankenfolge auch bei diesem Verständnis nur dann konzinn, wenn der Begründungssatz Lk 12,40b Par. auf das *Wissen* der Adressaten um die eschatologische Stunde abgehoben hätte: ‚... denn ihr kennt die Stunde, zu welcher der Menschensohn kommt‘[66].

(5) Ob das erst sekundär mit der vorliegenden Anwendung verknüpfte Gleichnisfragment (a) auf ein authentisches Wort Jesu zurückgeht, erscheint zweifelhaft[67]. Die Möglichkeit jüdischen Ursprungs — von R. Bultmann bereits im

---

bereit zu sein, weil man nicht weiß, wann der Menschensohn kommen wird“ (a.a.O., S. 69). Lührmann vermischt einerseits fahrlässig Gleichnis und Anwendung (weder trifft zu, daß Lk. 12,39 Par. das ‚Bild vom Kommen des Menschensohnes wie eines Diebs in der Nacht‘ enthält, noch liegt Lk 12,39f. Par. ein ausgeführter Vergleich Dieb-Menschensohn vor); er verweist andererseits zu Unrecht auf die ebd. Anm. 3 genannten Belege aus der urchristlichen Literatur (an keiner der genannten Stellen ist vom Menschensohn die Rede); schließlich übersieht er, daß die Mahnung Lk 12,40a Par. zunächst durch den ὅτι-Satz Lk 12,40b Par. begründet wird (der von Lührmann postulierte Begründungszusammenhang zwischen Lk 12,39 und 12,40a konkurriert jedenfalls mit dem zwischen Lk 12,40a und 12,40b).

[64] So E. Klostermann, a.a.O., S. 198, mit Verweis auf P. Fiebig, Altjüdische Gleichnisse und die Gleichnisse Jesu, S. 64ff. Im Unterschied zu den bei Fiebig gesammelten Aussagen, die eindeutig im Sinne einer Präzisierung e contrario entworfen sind, ist der adversative Charakter von Lk 12,40 Par. jedoch keineswegs offensichtlich (vgl. bereits U. Holzmeister, Das Gleichnis vom Diebe in den Evangelien und beim hl. Paulus, ZKTh 40/1916, 720).

[65] W.G. Kümmel, Verheißung und Erfüllung, 3. Aufl. 1956, S. 49; ähnlich R. Bultmann, Die Geschichte der synoptischen Tradition, 3. Aufl. 1957, S. 200: Ein Beispiel für die Art der Anwendung e contrario ist bei den Synoptikern Lk 12,40, „wo nach der Schilderung des Einbruchs fortgefahren wird καὶ ὑμεῖς γίνεσθε ἕτοιμοι, nämlich: damit euch *nicht* Ähnliches geschehe“.

[66] Im übrigen ist mit C. Colpe darauf zu verweisen, daß die Verbindung von Gleichnis und Mahnung „von Mt als so locker empfunden (wurde), daß er διὰ τοῦτο einsetzte“ (ThW Bd. VIII, 454 Anm. 365). Für die These, daß es sich bei Lk 12,40 Par. um ein ursprünglich selbständiges Traditionsstück handelt, könnte auch Did 16,1 sprechen. Dort findet sich die Aussage: ... (ἀλλὰ) γίνεσθε ἕτοιμοι· οὐ γὰρ οἴδατε τὴν ὥραν, ἐν ῇ ὁ κύριος ἡμῶν ἔρχεται. Trotz der formulierungsmäßigen Differenzen (vgl. u.a. die Verwendung von ὁ κύριος statt ὁ υἱὸς τοῦ ἀνθρώπου) wird man diese Aussage als Sachparallele zu Lk 12,40 Par. betrachten dürfen. Interessant ist nun, daß die Mahnung in Did 16,1 ohne das Gleichnis vom Dieb überliefert wird. Da sich nach H. Koester (Synoptische Überlieferung bei den Apostolischen Vätern, S. 174ff.) eine Abhängigkeit der Stelle von Mt 24,42ff. nicht zwingend erweisen läßt, wird man Did 16,1 vielleicht als Beleg für die ursprüngliche Selbständigkeit der Mahnung anführen dürfen. Sollte die Kenntnis von Mt 24,42ff. indessen doch für Did 16,1 vorauszusetzen sein, könnte die Stelle gleichwohl das Ergebnis unserer Analyse indirekt bestätigen. Denn in diesem Fall bliebe zu erwägen, ob die Auslassung des Gleichnisses vom Dieb in Did 16,1 nicht gerade darauf beruhen könnte, daß man die Verbindung von Mt 24,43 und 24,44 als zu anstößig empfand.

[67] Schon A. Jülicher sah sich — um die Echtheit des Gleichnisses zu retten — zu einer Änderung des Wortlautes von Mt 24,43 veranlaßt: „... die ursprüng-

Blick auf Lk 12, 39f. (Par.) insgesamt erwogen[68] — ist für das Traditionsstück Lk 12, 39 Par. (a) jedenfalls nicht auszuschließen[69]. Sofern das Gleichnis tatsächlich von Haus aus eschatologisch geprägt und darauf abgezweckt war, *das Eschaton als ein unvermutet eintreffendes Ereignis zu kennzeichnen, vor dem sich niemand abzusichern vermag, läßt es sich zwanglos in die Reihe jener (oben angeführten[70]) Aussagen jüdisch-apokalyptischer Herkunft einordnen, welche ebenfalls die Unberechenbarkeit des eschatologischen Termins pointieren und (häufig mit Hilfe des Bildes von der Schwangeren) das Unaufhaltsame des eschatologischen Geschehens zu demonstrieren suchen*[71].

Damit entfällt zugleich die Annahme, 1 Thess 5, 2b sei durch das (ursprünglich auf Jesus zurückgehende) Gleichnis vom Einbrecher veranlaßt[72]. Man wird vielmehr davon auszugehen haben, daß die nach unserer Analyse von Lk 12, 39f. Par. allein vergleichbaren Aussagen Lk 12, 39 (Q-Fassung ohne Einleitung) und 1 Thess 5, 2b einer gemeinsamen Tradition jüdisch-apokalyptischer Art entstammen[73]. In formaler Hinsicht bestehen zwischen beiden Stellen erhebliche Differenzen (1 Thess 5, 2b: Aussage über die Ankunft der ἡμέρα κυρίου, in wel-

liche Form des Gleichnisses (sc. Mt 24,) 43 hat vielleicht nicht sowohl das ‚Wenn' als das ‚Daß' betont: Wenn der Hausherr weiß, daß ein Dieb zu ihm kommen will, so (wacht er und) läßt es nicht zu einem Einbruch kommen" (a.a.O., S. 144). Doch wird man, zumal wenn die Frage nach der Authentizität des Gleichnisses zur Entscheidung steht, auf derartige Konstruktionen aus methodischen Gründen zu verzichten haben (vgl. in diesem Zusammenhang auch Ph. Vielhauers Kritik an der Position von J. Jeremias, a.a.O., S. 108).

[68] Die Geschichte der synoptischen Tradition, 3. Aufl. 1957, S. 133 (s. dazu o. Anm. 25).

[69] Vgl. in diesem Zusammenhang die Ausführungen von E. Fuchs, Verheißung und Erfüllung, in: GA Bd. II, S. 69f., zu W. G. Kümmels Position in: Verheißung und Erfüllung, S. 30f. (= 3. Aufl. 1956, S. 48f.). Fuchs läßt zunächst den Versuch Kümmels gelten, Stücke wie Lk 12, 36–38; Mt 24, 45–51 und Mt 24, 43f. Par. der Verkündigung Jesu vorzubehalten. Doch er schränkt diese Konzession sofort durch die Bemerkung ein: „Aber dann tadelt Jesus m.E. die Sicherheit seiner Zeitgenossen *mit traditionellen Metaphern*. Für sein eigenes Verständnis des Eschaton sagen die Stücke nichts aus, wie mir scheint" (a.a.O., S. 69f. — Hervorhebung von mir).

[70] Siehe o. S. 69ff.

[71] Wurde das Gleichnis Lk 12, 39 Par. ursprünglich gegen eine theologische Position aufgeboten, deren Vertreter den eschatologischen Termin zu wissen vorgaben (vgl. die Verwendung von ὥρα und εἰδέναι)? War es darauf angelegt, eine das Kommen (vgl. ἔρχεσθαι) des Eschaton auf Tag und Stunde genau fixierende These *ironisch* ad absurdum zu führen (vgl. die als irreale Periode gefaßte Aussageform)? Es wäre durchaus denkbar, daß die Aussage das Fragment eines (jüdischen) Streitgesprächs darstellt (Antwort auf eine zuvor beschriebene Position; zur Sache vgl. R. Bultmann, Die Geschichte der synoptischen Tradition, 3. Aufl. 1957, S. 42).

[72] Gegen J. Jeremias, Die Gleichnisse Jesu, 7. Aufl. 1965, S. 47.

[73] A. Strobels These, die Ausführungen von 1 Thess 5, 1ff. seien mittelbar durch Mt 24, 43f. veranlaßt (s.o. Anm. 2), ist unbegründet, da lediglich die Aussagen Lk 12, 39 par. Mt. 24, 43 und 1 Thess 5, 2b als Sachparallelen in Betracht gezogen werden können. Die Behauptung weitergehender Beziehungen insbesondere ‚passatheologischer Prägung' (vgl. Untersuchungen . . ., S. 112f.) läßt sich nicht stichhaltig beweisen. *Im übrigen gilt zu beachten, daß die Wachsamkeitsforderung in 1 Thess 5, 6 keineswegs durch die Aussage 1 Thess 5, 2, sondern*

cher ein knapp gehaltener Vergleich die Art und Weise des ‚Kommens' präzisiert — Lk 12,39 Par.: breiter angelegtes, in die Form einer irrealen Periode gefaßtes Gleichnis, das neben der Figur des Diebes die des Hausherrn enthält). Sachlich stimmen die genannten Aussagen indessen darin überein, daß sie das (negativ im Sinne der Krisis begriffene) Eschaton als ein menschlicher Berechnung entzogenes Ereignis zu verstehen geben. Ebendieses beiden Stellen gemeinsame Sachanliegen entspricht auffallend der zu 1 Thess 5,3 aufgewiesenen jüdisch-apokalyptischen Tradition, die sowohl den Gedanken der Unberechenbarkeit als auch den der Unaufhaltsamkeit der eschatologischen Wende zur Sprache bringt und sich eindringlich bemüht, einer theozentrischen Zeitauffassung Geltung zu verschaffen. Auf Grund der sich darin abzeichnenden Sachverwandtschaft wird man das synoptische Gleichnis vom Einbrecher (Lk 12,39 Par.) und den paulinischen Satz 1 Thess 5,2b als Derivate der gekennzeichneten jüdischen Überlieferung ansehen dürfen, auch wenn literarische Belege für eine ähnliche Verwendung des Motivs innerhalb des jüdischen Schrifttums fehlen.

(6) Das sich im Gefolge unserer formgeschichtlichen Erwägungen zu Lk 12, 39f. Par. neu stellende Problem der Authentizität des Mahnwortes (b) kann im Rahmen unserer Untersuchung ausgeklammert bleiben[74]. Abschließend ist nur noch die Frage zu bedenken, wodurch das Zusammenwachsen derartig heterogener Traditionselemente wie Lk 12,39 Par. und Lk 12,40 Par. in Q veranlaßt sein könnte. Vermutlich erklärt sich der Vorgang der Kombination beider Stücke so, daß nicht die Mahnung dem Gleichnis als Anwendung, sondern das Gleichnis dem Mahnwort als Illustration beigefügt wurde. Im Zusammenhang der Logienquelle konzentrierte sich wohl alles Interesse auf das Mahnwort[75] (vgl. das Stilgesetz vom Achtergewicht[76]), und die Inkonzinnität beider Stücke wurde vermutlich zunächst darum nicht empfunden, weil nicht das Mahnwort den Skopus des Gleichnisses, sondern vielmehr das Gleichnis im vorhinein die Pointe des Mahnworts (genauer: die Pointe der Begründung der Mahnung) verdeutlichen sollte. Dem Gleichnis kam lediglich die (illustrative) Funktion zu, den leitenden Gesichtspunkt des ὅτι-Satzes von Lk 12,40b (Ungewißheit der eschatologischen Stunde) zu verdeutlichen.

---

durch den Indikativ 1 Thess 5,4f. motiviert wird. (Vgl. dagegen die Verbindung des Gleichnisses vom Dieb Lk 12,39 Par. mit dem Mahnwort Lk 12,40 Par. in Q und bei Mt-Lk).

[74] Es läßt sich schwerlich bestreiten, daß der Spruch Lk 12,40 Par. das Faktum der ‚Parusieverzögerung' voraussetzt; vgl. die Begründung der Mahnung, welche das ‚pendulae expectationis incertum' geltend macht und damit die Krise der Hoffnung aufzufangen sucht. Man hält „die Zeitform der Erwartung fest und löst sie doch zugleich von jedem Terminproblem" (E. Grässer, a.a.O., S. 94). Darum dürfte es sich bei der Aussage mit großer Wahrscheinlichkeit um eine Gemeindebildung handeln; anders C. Colpe, ThW Bd. VIII, 454f.

[75] Nach D. Lührmann übernimmt Lk 12,39f. par. Mt 24,43f. „im Q-Kontext die Funktion einer Einleitung zum folgenden Gleichnis" (a.a.O., S. 70); denn die Mahnung von Lk 12,40 Par. wird durch Lk 12,42–46 par. Mt 24,45–51a ausgelegt und konkretisiert, „das γίνεσθε ἕτοιμοι ... mit Inhalt erfüllt" (A. Jülicher, a.a.O., S. 145, zu Mt 24,45ff.). Diese Feststellung bestätigt die o. geäußerte Vermutung, daß in Q alles Interesse an dem Mahnwort Lk 12,40 Par. haftet.

[76] Vgl. R. Bultmann, Die Geschichte der synoptischen Tradition, 3. Aufl. 1957, S. 207.

bb) ThEv Spr. 21b

Wir stellen die Erörterung der genannten übrigen *neutestamentlichen* Sachparallelen zu 1 Thess 5,2 zurück und richten unser Augenmerk zunächst auf die Stelle ThEv Spr. 21b, da das dort überlieferte Logion direkte Beziehungen zur synoptischen Tradition erkennen läßt. Die Aussage hat folgenden Wortlaut:

‚Darum sage ich:

(a) Wenn der Hausherr weiß, daß er kommt, der Dieb, wird er wachen, bevor er kommt, (und) ihn nicht eindringen lassen in sein Haus seines Reiches, damit er seine Sachen wegträgt.

(b) Ihr aber wachet vor der Welt! Gürtet euch um eure Hüften mit großer Kraft, damit die Räuber keinen Weg finden, zu euch zu kommen. Denn den Besitz, nach dem ihr blickt, werden sie finden.‘[1]

Sieht man von der als Überleitungswendung dienenden Einleitung (‚darum sage ich‘) ab, enthält der Spruch zwei Teile, nämlich ein Gleichnis (a) und eine darauf bezogene Anwendung (b). Der erste Teil (a) entspricht dem in Q überlieferten Gleichnis vom Dieb (Lk 12,39 Par.). Wie W. Schrage zu Recht feststellt, „ist die Kenntnis desselben bei Th eine durch das NT vermittelte. Grammatisch handelt es sich um einen nur wenig veränderten, oft bis in die Wortstellung hinein mit Mt/Lk identischen Konditionalsatz“[2]. Auf eine spezielle Abhängigkeit der Aussage des Thomasevangeliums von der Gleichnisfassung bei Mt könnte die Hervorhebung des ‚Wachens‘ schließen lassen (vgl. das wohl evangelistischer Redaktion entstammende ἐγρηγόρησεν ἄν, Mt 24,43)[3]. Freilich sind auch einige auffällige Abweichungen von der synoptischen Tradition des Gleichnisses zu notieren: „Th hat das Gleichnis vom Dieb in der Nacht mit Zügen jenes Bildwortes kombiniert, das Mk 3,27/Mt 12,29 überliefert wird (vgl. Log 35), was sub voce οἰκία naheliegen mußte. Von hier kommt die Erwähnung der σκεύη, die weggenommen werden. Aus dem Kontext dieses Logions (Mk 3,24f.) ist aber möglicherweise auch die Interpretation der οἰκία durch βασιλεία zu erklären, die Th so gut in sein Konzept passen mußte, sich aber grammatisch nur schwer einfügt.“[4] Als besonders auffällig bleibt hervorzuheben, daß der in Q vorliegende Irrealis vermieden und das Gleichnis in die Form eines realen Konditionalsatzes gekleidet ist[5]. Die Aussage bei Th entspricht somit der von A. Jülicher postulierten Urform des synoptischen Gleichnisses[6]. Allein, der Sachverhalt, daß die Th-Version des Gleichnisses in der Form einer realen Periode begegnet, garantiert keineswegs deren Ursprünglichkeit bzw. Authentizi-

[1] Übersetzung nach E. Haenchen, in: Synopsis quattuor evangeliorum (ed. K. Aland), S. 520.

[2] Das Verhältnis des Thomas-Evangeliums zur synoptischen Tradition und zu den koptischen Evangelienübersetzungen, S. 67. E. Haenchen hingegen vermutet eher, daß „in diesem Spruch außerkanonisches Gleichnismaterial gnostischer Art“ begegnet (Literatur zum Thomasevangelium, ThR N.F. 27/1961, 171).

[3] Vgl. W. Schrage, ebd.

[4] W. Schrage, ebd.; vgl. auch H. Montefiore, A Comparison of the Parables of the Gospel According to Thomas and of the Synoptic Gospels, NTS VII/1960–61, 243 (‚conflation of parables‘); ferner H.-W. Bartsch, Das Thomas-Evangelium und die synoptischen Evangelien, NTS VI/1959–60, 260.

[5] Vgl. W. Schrage, ebd., S. 69; B. Gärtner, The Theology of the Gospel According to Thomas, S. 179.

[6] Siehe o. S. 93 Anm. 67.

tät. Es handelt sich vielmehr um eine sekundäre Vereinfachung, die sachlich bedingt ist. Dies wird ersichtlich, sobald man die Anwendung in die Analyse einbezieht.

Formal gesehen entspricht die Applikation (b) der Aussage von Lk 12,40 Par. insofern, als sie ebenfalls imperativisch gebildet ist. Analog zu der Wendung γίνεσθε ἕτοιμοι (Lk 12,40 Par.) beginnt die Mahnung mit dem (an Mt 24,42 erinnernden) Imperativ ‚ihr aber wachet'. Doch schon der den Imperativ präzisierende Zusatz ‚vor der Welt' kennzeichnet die gegenüber Lk 12,40 Par. ganz andersartige Intention der Aussage. Die Mahnung gibt sich entsprechend dem gnostischen Sachanliegen des Thomasevangeliums als eine Warnung zu verstehen, welche den Gnostiker vor dem Verfallensein an die Machtsphäre des Kosmos, vor der (erneuten?) Bindung an die dem pneumatischen Selbst abträgliche Herrschaft der Sarx[7] zu bewahren sucht[8]. „Für den Gnostiker gilt es, sich vor der Welt wie vor einem Dieb in acht zu nehmen (Log 21), sich der Welt zu enthalten (Log 27), die Welt zu verleugnen (ἀρνεῖσθαι, Log 110) und (an ihr) ‚vorüberzugehen' (Log 42)."[9] Diese Warnung wird im Folgenden durch einen zweiten Imperativ bekräftigt, der ebenfalls traditionell geprägt ist (vgl. Lk 12, 35; auch Did 16,1), aber wohl „ohne den Umweg über Lk angewachsen sein" dürfte[10]. Die Hörer sind gehalten, die Lenden zu gürten[11] (vgl. ThEv Spr. 103) und sich zum Kampf zu rüsten, um dem Andringen des (hier durch das Bild der ‚Räuber' repräsentierten) Kosmos Einhalt zu gebieten und dem Zugriff der Sarx zuvorzukommen. Das *Fehlen* des Hinweises auf das unvermutete Kommen des *Menschensohnes* hat sachliche Gründe und signalisiert keineswegs einen ursprünglichen Zug der Überlieferung. Wer wie J. JEREMIAS meint, aus dem Wortlaut von ThEv Spr. 21b (vgl. Spr. 103) Rückschlüsse auf den von Haus aus unchristologischen Charakter des Gleichnisses vom Dieb ziehen zu können[12], verkennt, daß sich das Fehlen der Menschensohnaussage in ThEv Spr. 21b als bewußte, mit der gnostischen Tendenz der Logiensammlung konform gehende Auslassung erklärt. Zu Recht bemerkt W. SCHRAGE z.St.: „Daß Th Jesus die Mahnung zur Wachsamkeit nicht im Blick auf die Parusie aussprechen läßt, wird man angesichts der gnostischen Eschatologie oder besser Enteschatologisierung ohnehin nicht anders erwarten."[13]

Von der eindeutig gnostisch orientierten Zielsetzung der Applikation (b) her erhellt auch der Sinn der Gleichnisaussage (a) in ThEv Spr. 21b. Th gibt „expressis verbis zu erkennen, in welchen Verständnishorizont er das Wort Jesu gerückt hat: Der Dieb, vor dem man sich in acht nehmen soll, ist der Kosmos, wie die anschließenden Worte zeigen: ‚Ihr aber, wacht vor der Welt...'"[14] Mit Absicht wird der Irrealis vermieden und die Aussage dahingehend umgebogen, daß sie im Unterschied zu Lk 12,39 Par. gerade die Notwendigkeit zu pointieren vermag, (gegenüber dem Angriff des Kosmos) Vorsorge zu treffen. „Der Gnostiker kann sehr wohl wissen, welche Gefahren ihm von der Welt her drohen. Darum wird in Log 103 nicht wie Lk 12,37 derjenige selig gepriesen,

[7] „Kosmos kann ... parallel zu Sarx stehen (Log 28 ...)" (W. SCHRAGE, ebd., S. 50f.).

[8] Vgl. E. HAENCHEN, Die Botschaft des Thomas-Evangeliums, S. 52.

[9] W. SCHRAGE, ebd., S. 51; vgl. ebd., S. 68.

[10] W. SCHRAGE, ebd., S. 68.

[11] Die (in Lk 12,35 fehlende) Wendung ‚mit großer Kraft' ist nach H.-W. BARTSCH (NTS VI/1959–60, 260) „mit gnostischem Einfluß zu erklären".

[12] Vgl. Die Gleichnisse Jesu, 7. Aufl. 1965, S. 46.

[13] Ebd., S. 68.

[14] W. SCHRAGE, ebd.

den der Herr wachend findet, sondern derjenige, der um das Kommen der ‚Räuber' (ein weiteres Bild für die Welt) *weiß*."[15] Die Gleichnisaussage in ThEv Spr. 21b ist also nicht im Blick auf die alltägliche Erfahrung entworfen, nach der ein Einbruch „ein in jeder Beziehung unvorhersehbares Ereignis" darstellt, „sowohl in seinem ‚wann' als auch in seinem ‚daß'"[16] (so Lk 12,39 Par.), sondern sie ist vielmehr von der Sache diktiert, um die es Th geht. Nur wenn der Einbruch als ein abwendbares Geschehen und nicht als unaufhaltsames Verhängnis erscheint, kann das Gleichnis die Funktion einer Warnung vor dem Angriff des Kosmos übernehmen. Als sachlich bedingt erweisen sich auch die Zusätze zu dem aus Q bekannten Überlieferungsstoff. Nach der überzeugenden Auslegung d.St. durch E. HAENCHEN veranschaulichen sie das Verhalten der Welt, die „nur zu bereit (ist), wie ein Einbrecher in das innere Reich des Gnostikers einzudringen und seine σκεύη, die mühsam gehütete Überzeugung seiner außerweltlichen Existenz, zu rauben"[17]. Ob man allerdings wie HAENCHEN voraussetzen darf, daß die Aussage speziell auf die Situation der Todesstunde zugespitzt sei, erscheint fraglich[18].

Als *Ergebnis* unserer Analyse ist festzuhalten: Bei ThEv Spr. 21b handelt es sich um ein gnostischem Selbstverständnis Ausdruck gebendes Logion, das gegenüber Lk 12,39f. Par. als sekundär zu beurteilen ist. Der aus Q bekannte Gleichnisstoff wird durch aktualisierende Umprägungen, Auslassungen und Erweiterungen *dem spezifisch gnostischen Interesse von Th* dienstbar gemacht. Die Aussage läßt deutlich eine allegorisierende Tendenz erkennen, sofern sie nämlich den Hörer dazu veranlaßt, den Dieb (bzw. den Räuber) mit der Welt sowie den Hausherrn mit dem Gnostiker zu identifizieren[19] und das ‚Haus seines Reiches' als Metapher für den „göttliche(n) Wesenskern und das praeexistente Pneumaelement"[20] des Menschen (vgl. ThEv Spr. 3) sowie die ‚Sachen' (σκεύη; vgl. auch das Wort ‚Besitz' Spr. 21b fin.) als Metapher für die Erkenntnis seines außerweltlichen Existenzgrundes und Ursprungs zu deuten.

cc) 2Petr 3,10a

Die Aussage ἥξει δὲ ἡμέρα κυρίου ὡς κλέπτης (2Petr 3,10a) erscheint in formaler wie auch in sachlicher Hinsicht als eine 1Thess 5,2b besonders nahestehende Sachparallele. Wir behandeln diesen wohl jüngsten neutestamentlichen

---

[15] W. SCHRAGE, ebd., S. 69. Zu ThEv Spr. 103, das den Sachgehalt von Spr. 21b in der Form eines Makarismus (vgl. Lk 12,37) knapp zusammenfaßt und hier nicht weiter zu erörtern ist, vgl. W. SCHRAGE, ebd., S. 193.

[16] E. LINNEMANN, Die Gleichnisse Jesu, 5. Aufl. 1969, S. 141.

[17] Die Botschaft des Thomas-Evangeliums, S. 69.

[18] „Wenn der Gnostiker seinen Geistbesitz nicht sichert, wenn er sich der Welt überläßt und dann der Tod ihn in diesem Zustand ereilt, dann ist das Göttliche für ihn unwiederbringlich verloren" (E. HAENCHEN, ThR N.F. 27/1961, 312). Anders urteilt HAENCHEN in: Die Botschaft des Thomas-Evangeliums, S. 51f.; er bezieht dort lediglich ThEv Spr. 21a auf die ‚Sterbestunde' und stellt zu Spr. 21b fest: „Aber der Mensch lebt nicht nur in der Sterbestunde. Die Welt will schon vorher das Ihre" (ebd., S. 52). Nach W. SCHRAGE, a.a.O., S. 69 Anm. 7, trifft allein die zuletzt genannte Deutung für ThEv Spr. 21b zu.

[19] Vgl. W. SCHRAGE, ebd., S. 68f.

[20] W. SCHRAGE, ebd., S. 31; vgl. auch E. HAENCHEN, Die Botschaft des Thomas-Evangeliums, S. 67.

Beleg[1] für das Bild vom Dieb bewußt im Anschluß an die Analyse von ThEv Spr. 21b, da 2Petr 3,10 — im Verhältnis zu der in ThEv erkennbaren Tendenz — ein gegenläufiges Interesse wahrnimmt, das sich gerade vor dem Hintergrund der gekennzeichneten *gnostischen* Applikation des Gleichnisses vom Einbrecher profilieren läßt.

(1) Um die Funktion, die dem Wort vom Dieb in 2Petr 3,10a zufällt, genau zu ermitteln, fragen wir zunächst nach dem Stellenwert der Aussage innerhalb des vorliegenden literarischen Zusammenhangs. Auf den ersten Blick ist deutlich, daß 2Petr 3,10 einer Argumentationsreihe angehört, die mit 2Petr 3,5 einsetzt und offenbar bis 3,10 reicht. In der Regel bezieht man die Verse 3,11–13 noch in diesen Sachzusammenhang mit ein und setzt einen Einschnitt nicht schon zwischen 3,10 und 3,11, sondern erst zwischen 3,13 und 3,14 voraus (vgl. den Neuansatz διό, ἀγαπητοί, 3,14)[2]. Allein, dieser Dispositionsvorschlag überzeugt insofern nicht, als er unterschlägt, daß sich bereits mit 3,11f. ein (gegenüber 3,5–10) neuartiger, paränetisch orientierter Gesichtspunkt vorschiebt, der dann auch in 3,14f. 17f. dominiert. Trotz der nicht zu leugnenden Sprach- und Sachbezüge zum rückwärtigen Kontext (vgl. nur 3,12b mit 3,10b) wird man das in den V. 11–13 Gesagte somit stärker von den vorausgehenden Ausführungen abzusetzen haben und den Abschnitt 3,5–10 als relativ geschlossene literarische Einheit betrachten dürfen[3].

(2) Die Beweisführung in 2Petr 3,5–10 gilt einer Widerlegung der in 3,4 angeführten Spottrede: ποῦ ἐστιν ἡ ἐπαγγελία τῆς παρουσίας αὐτοῦ; ἀφ' ἧς γὰρ οἱ πατέρες ἐκοιμήθησαν, πάντα οὕτως διαμένει ἀπ' ἀρχῆς κτίσεως. Soll die sachliche Position, die diesen als Selbstäußerung der Spötter (vgl. 3,3) deklarierten Sätzen zugrunde liegt, genauer fixiert werden, ist wenigstens ansatzweise *das Problem der in 2 Petr anvisierten Front* zu erörtern. Wir gehen von der heute fast allgemein anerkannten Annahme aus, daß der Brief einheitlich konzipiert ist und daß es sich bei den in Kp. 2 und 3 charakterisierten Häretikern um ein und dieselbe Gruppe handelt[4]. Der Verfasser von 2Petr hat es offensichtlich mit Bedacht unterlassen, über die Denkweise der von ihm bekämpften Gegner objektiv zu informieren. „Das entspricht der Taktik der Ketzerbekämpfung in der nachapostolischen Zeit.“[5] Hinweise auf das Selbstverständnis der Opponenten lassen sich aus den größtenteils polemisch gefärbten Ausführungen des Briefes daher

---

[1] Zur Abfassungszeit von 2Petr vgl. W. G. Kümmel, Einleitung in das Neue Testament, 16. Aufl. 1969, S. 317.

[2] Vgl. z.B. G. Hollmann - W. Bousset, Der Brief des Judas und der zweite Brief des Petrus (in: Die Schriften des Neuen Testaments, 3. Bd.), S. 313. 316; J. Schneider, Die Briefe des Jakobus, Petrus, Judas und Johannes (NTD 10/9. Aufl. 1961), S. 116. 120; E. Fascher, RGG³ V, 259; W. G. Kümmel, Einleitung in das Neue Testament, 16. Aufl. 1969, S. 313f.; D. v. Allmen, L'apocalyptique juive et le retard de la parousie en II Pierre 3: 1–13, RThPh XVI/1966, 255ff.

[3] So mit W.M.L. de Wette, Kurze Erklärung der Briefe des Petrus Judas und Jakobus, 3. Ausg. 1865, S. 183. 187; W. Marxsen, Einleitung in das Neue Testament, S. 205f.; vgl. M. Green, The Second Epistle General of Peter and the General Epistle of Jude, S. 129ff. 139ff.; auch R. Knopf, a.a.O., S. 320; H. Windisch (H. Preisker), Die katholischen Briefe (HNT 15/3. Aufl. 1951), S. 103; C. Spicq, Les épîtres de Saint Pierre, S. 242. 256.

[4] So schon H. Werdermann, Die Irrlehrer des Judas- und 2. Petrusbriefes, S. 68ff.

[5] E. Käsemann, Eine Apologie der urchristlichen Eschatologie, in: ExVuB Bd. I, S. 136.

nur indirekt erschließen[6]. So gibt eine Stelle wie 1,20f. Anlaß zu der Vermutung, daß sich die Gegner als *Geistträger* verstanden. Der von ihnen praktizierten pneumatischen Exegese (vgl. 1,20f. mit 1,16; 2,3 und 3,16) vermag sich der Verfasser nur dadurch zu erwehren, daß er den Besitz des πνεῦμα ἅγιον an die apostolische Lehrtradition bindet und damit das freie Walten des Geistes als illegitim erklärt (vgl. 1,16–21; ferner 1,12; 2,21; 3,2.16). Wie weiterhin aus der Polemik in 2,10f. ersichtlich, suchten die Repräsentanten der Front, gegen die sich 2Petr wendet, die ihnen pneumatisch verbürgte Selbstgewißheit wohl durch *Verachtung der Engelmächte* zu demonstrieren. Vielleicht gaben sie ihrem Überlegenheitsbewußtsein (vgl. 2,18) auch durch ein *radikal libertinistisches Verhalten* Ausdruck (vgl. das Stichwort ἀσέλγεια in 2,2; ferner 2,12ff.; 3,3 fin.)[7]. Schließlich — und dies fügt sich in das gekennzeichnete Gesamtbild ohne Zwang ein — beanspruchten sie offenbar für sich in exklusiver Weise die Präsenz der eschatologischen ζωή, wie die Anspielung auf das Schlagwort ἐλευθερία ... τῆς φθορᾶς in 2,19 erkennen läßt. Man hat in diesem Zusammenhang wohl nicht zu Unrecht auf den der Parole ‚*Freiheit vom Vergänglichen*‘ sachlich benachbarten Satz ἀνάστασιν ἤδη γεγονέναι (2Tim 2,18) verwiesen[8] und die pneumatisch begründete Souveränität und Heilssicherheit der Häretiker auf die Formel gebracht: „ils se croyaient déjà ressuscités“[9]. Wenn die genannten Gesichtspunkte tatsächlich als Wesensmerkmale der in 2Petr bekämpften Konzeption in Betracht zu ziehen sind, wird man deren Charakter als typisch gnostisch kennzeichnen dürfen[10] (vgl. die auffallend häufig begegnenden Stichwörter γνῶσις/

---

[6] Zum Folgenden vgl. H. Werdermann, a.a.O., S. 27ff. (bes. die Zusammenfassungen ebd., S. 78ff. 104. 123f.); E. Käsemann, ExVuB Bd. I, S. 135ff. (bes. S. 136f.); K.H. Schelkle, Die Petrusbriefe. Der Judasbrief, S. 230ff. (Exkurs: ‚Irrlehren und Irrlehrer in Jud und 2Petr‘); W. Marxsen, Einleitung in das Neue Testament, S. 204ff.; Ders., Der „Frühkatholizismus“ im Neuen Testament, S. 7ff.; W.G. Kümmel, Einleitung in das Neue Testament, 16. Aufl. 1969, S. 315f.; D. v. Allmen, RThPh XVI/1966, 264ff.; Ch.H. Talbert, II Peter and the Delay of the Parousia, VigChr 20/1966, 141ff.; G. Ziener, Die Sicherung der rechten Lehre, in: Gestalt und Anspruch des Neuen Testaments (hrsg. von J. Schreiner), S. 309ff.

[7] Im Blick auf diesen Sachgesichtspunkt scheint besondere Zurückhaltung geboten; vgl. E. Käsemann, ExVuB Bd. I, S. 154f.: „So ist es ... keineswegs von vornherein ausgemacht, wenngleich recht wahrscheinlich, daß es sich bei der Irrlehre um eine libertinistische Gnosis handelt. Wir wissen ja, daß selbst Paulus von seinen Gegnern des Libertinismus beschuldigt worden ist, und haben deshalb allen Grund, vorsichtig zu sein. Das, was der Verfasser Ausschweifung nennt, könnte auf die Ekstase derer zusammenschrumpfen, welche das Mahl der Seligen zu feiern meinen.“ Auch A. Strobel stellt die übliche Kennzeichnung der Gegner als ‚libertinistische Gnostiker‘ in Frage: „Ob man nicht eher von jüdischen (oder judenchristlichen?) Gnostikern sprechen sollte?“ (Untersuchungen ..., S. 97).

[8] Vgl. H. Werdermann, a.a.O., S. 68 (vgl. ebd., S. 46); Ch.H. Talbert, VigChr 20/1966, 141.

[9] D. v. Allmen, RThPh XVI/1966, 264.

[10] So urteilen die o. Anm. 6 Genannten; vgl. auch R. Knopf, a.a.O., S. 249. Die Aussage 2Petr 3,15f. gibt Anlaß zu der Vermutung, daß sich die gnostischen Irrlehrer zur Legitimation ihrer Konzeption vornehmlich auf Paulus beriefen (vgl. R. Knopf, ebd., S. 325ff.; H. Werdermann, a.a.O., S. 89f.; E. Käsemann, ExVuB Bd. I, S. 141 Anm. 10).

ἐπίγνωσις in 1,5f.; 3,18/1,2f.8; 2,20[11]). Denn wo die Losung der ‚Freiheit vom Vergänglichen' ausgerufen, die Entmachtung der Gewalten des alten Äons behauptet und das geschichtliche Verhalten als für das pneumatische Selbst bedeutungslos erklärt wird, befindet man sich ohne Zweifel im Bereich eines ausgesprochen gnostisch bestimmten Denkens.

Es ist naheliegend zu vermuten, daß die Verspottung der christlichen Parusieerwartung, die der Verfasser in 3,4 erwähnt, durch dieselbe gnostische Grundeinstellung motiviert ist, auf die sich die genannten übrigen Anspielungen des Briefes beziehen[12]. R. BULTMANN hat zwar entschieden in Abrede gestellt, daß „die Bekämpfung des Zweifels an der Parusie 2.Pt 3,1–10" durch „gnostische Gegnerschaft veranlaßt" sein könnte[13]. Doch erscheinen derartige Bedenken als unbegründet, da einerseits nicht zu leugnen ist, daß der Brief auch abgesehen von 3,1ff. Anhaltspunkte für die Annahme einer gnostischen Front bietet, und da andererseits ebensowenig zu bezweifeln ist, daß gerade Gnostiker die urchristliche Eschatologie in Mißkredit zu bringen suchten. „Denn soweit wir zu sehen vermögen, haben diese daran direkt oder indirekt stets Kritik geübt. Schon die korinthischen Enthusiasten fühlen sich der Anfechtung und darum zugleich der irdischen Verantwortung enthoben, weil nach ihrer Überzeugung die Taufe ihnen die himmlische Natur und die Freiheit des Pneumatikers verliehen hat. Sie feiern die Eucharistie als die dem alten Äon Entrückten wie das Mahl der Seligen und bestreiten, wie 1.Kor. 15 doch wohl zu interpretieren ist, die Notwendigkeit der leiblichen Auferstehung in der Zukunft, weil sie die Auferstehung bereits im Sakrament erfahren zu haben wähnen[14]. Aus dem gleichen Grunde erklären ja auch die Irrlehrer von 2.Tim. 2,18, Auferstehung sei schon geschehen,

[11] „Da 2Petr immer wieder von der wahren γνῶσις ... und ἐπίγνωσις ... spricht, will er, wie es scheint, die wahre Gnosis der falschen gegenüberstellen, d.h. die Irrlehrer sind mit der gnostischen Bewegung verbunden" (K.H. SCHELKLE, a.a.O., S. 230).

[12] So die o. Anm. 6 Genannten; vgl. bereits G. HOLLMANN-W. BOUSSET, a.a.O., S. 314; ferner Ph. VIELHAUER, Art. Apokalyptik des Urchristentums, bei Hennecke, Bd. II, 3. Aufl. 1964, 434; A. VÖGTLE, a.a.O., S. 122. Möglicherweise beruhen die o. angeführten Wesensmerkmale des Denkens der Opponenten auf einer häretischen Christologie (vgl. 2Petr 2,1f.; 1,16 — s. dazu auch K.H. SCHELKLE, a.a.O., S. 231).

[13] Bultmann, NT (5. Aufl. 1965), S. 172 (ähnlich H. WINDISCH, Die katholischen Briefe, HNT 4/2, 1911, S. 97; anders jedoch HNT 15, 2. Aufl. 1930 / 3. Aufl. 1951, S. 100). BULTMANN bestreitet im selben Zusammenhang, daß der in 1Clem 23–26 „ausführlich vorgetragene Beweis für die Auferstehung" (ebd.) durch gnostische Thesen motiviert sei (vgl. die Sachparallele zu 2Petr 3,4 in 1Clem 23,3; auch 2Clem 11,2; zur Interpretation von 1Clem 23 s. A. STROBEL, Untersuchungen ..., S. 117ff.; O. KNOCH, Eigenart und Bedeutung der Eschatologie im theologischen Aufriß des ersten Clemensbriefes, S. 110ff.). Doch läßt sich möglicherweise auch für 1Clem 23ff. (wie für den Brief als ganzen) die Annahme einer gnostischen Front rechtfertigen (vgl. H. WERDERMANN, a.a.O., S. 135ff.; W. BAUER, Rechtgläubigkeit und Ketzerei im ältesten Christentum, 2. Aufl. 1964, S. 103ff., bes. S. 104, und neuerdings Ch.H. TALBERT, VigChr 20/1966, 144; anders jedoch J. ROHDE, Häresie und Schisma im ersten Clemensbrief und in den Ignatius-Briefen, NovTest X/1968, 225f.).

[14] Diese Sicht hat E. GÜTTGEMANNS insofern modifiziert, als er für die Kontroverse zwischen Paulus und den Gnostikern in Korinth *christologische* Lehrdifferenzen verantwortlich macht (vgl. a.a.O., S. 62ff.).

und die Modifikation solcher Aussage in dem 4. Evangelium, den Deuteropaulinen und den Taufparänesen des NT weist zum mindesten auf den nämlichen Ursprung in gnostischer Tradition zurück. Alle Gnosis bezeugt die Gegenwärtigkeit des Heils und setzt sich damit von der Apokalyptik ab.“[15] Appliziert man diese Erwägung E. KÄSEMANNS ihrer Intention gemäß auf 2Petr 3,4, so zeigt sich, daß die dort referierte Kritik der christlichen Parusieerwartung mit gnostischer Denkweise durchaus im Einklang steht[16]. Freilich gilt zu beachten, daß *die eigentliche gnostische Position* der Aussage von 2Petr 3,4 *vorausliegt*. So urteilt D. v. ALLMEN zu Recht: “Le ‘retard’ de la parousie n’était, pour les hérétiques, qu’un élément de ‘preuve’ à l’appui de leurs thèses, et non pas le centre même de leur négation de l’eschatologie.”[17] Ähnlich äußert sich Ch. H. TALBERT z. St.: “The heretics who are speaking of a delayed Parousia are Gnostics who advocate a realized-spiritualized eschatology. They, therefore, would be disturbed by any hope of a future Parousia. In fact, it seems that their question about the delay of the Parousia, just as their appeal to the stability of the universe, is but an argument used to justify a position held already on other grounds.”[18] Dies besagt: Die auf eine Negation der futurischen Eschatologie hinauslaufende Argumentation von 2Petr 3,4 ist *die logische Konsequenz* der eigentlichen gnostischen Position, welche sich in *der Behauptung der Präsenz von Erlösung, Heil und Auferstehung* manifestiert. „Wer den Geist hat, der ist stark, wissend, unvergänglich, der hat, was andere erst von der Zukunft erwarten; er ist bereits (geistig) auferstanden (vgl. 2.Tim. 2,18; 1.Kor. 15). Wie der Gnostiker nichts mehr zu fürchten hat, so hat er auch nichts mehr zu hoffen.“[19]

(3) Wie begegnet der Verfasser von 2Petr der gnostischen Infragestellung christlicher Parusieerwartung, auf die er in 3,4 anspielt? Eine Antwort auf diese Frage wird insonderheit aus der Analyse von 3,5–10 zu gewinnen sein. Doch ist zu beachten, daß die vorausgehenden Darlegungen des Briefes bereits eine Reihe von Gesichtspunkten enthalten, die indirekt die Stellungnahme von 3,5–10 vorbereiten und die dort angestrebte Apologie absichern. Wie E. KÄSEMANN zutreffend bemerkt, diskreditiert z.B. 2Petr 2 „die Glaubwürdigkeit der die kirchliche Eschatologie angreifenden Gnostiker und dient so via negationis dem angestrengten Beweis“[20]. Die „schriftstellerische Reflexion“[21] verratende literarische Fiktion der Weissagung (vgl. 3,3 mit 2,1ff.) ist ebenfalls auf die Verstärkung der in 3,5ff. ausdrücklich geltend gemachten Argumente abgezweckt. Denn sie erlaubt es dem Verfasser, den schon „eingetretenen Zustand als nicht zufällig, sondern im Rahmen der Heilsgeschichte notwendig zu kennzeichnen“ und „ihn von den Verhältnissen der apostolischen Zeit abzuheben“[22].

[15] E. KÄSEMANN, ExVuB Bd. I, S. 137.

[16] Vgl. auch o. S. 82 Anm. 1.

[17] RThPh XVI/1966, 265.

[18] VigChr 20/1966, 142f.

[19] H. WERDERMANN, a.a.O., S. 68; vgl. auch M. GREEN, a.a.O., S. 127: “These men do not mock merely because the second coming has delayed; they laugh at the very idea.”

[20] ExVuB Bd. I, S. 143. Aufschlußreich ist auch ein Vergleich von 2Petr 2, 4ff. mit Jud 5ff. Weil der Verfasser von 2Petr „das Beispiel der Sintflut gegen die Leugner der Parusie brauchte“ (W. G. KÜMMEL, Einleitung in das Neue Testament, 16. Aufl. 1969, S. 314; vgl. 2Petr 3,6), wandelt er die Vorlage (Jud) ab und ersetzt durch die Aussage 2Petr 2,5 das in Jud 5 genannte Paradigma vom Abfall Israels in der Wüste.

[21] W. G. KÜMMEL, ebd., S. 315.

[22] E. KÄSEMANN, ExVuB Bd. I, S. 135.

Wie die Formulierungen von 3,1f. und 2,1 (vgl. die Parallelisierung von ψευδοπροφῆται und ψευδοδιδάσκαλοι) zeigen, soll das Auftreten der Spötter als ein von der prophetischen Überlieferung beglaubigtes, in der Geschichte Israels bereits im voraus abgebildetes Geschehen der Endzeit erscheinen. Wenn die Adressaten in 3,1f. gemahnt werden, sich der Worte der heiligen Propheten zu erinnern (vgl. dagegen Jud 17), so ist dabei offensichtlich vorausgesetzt, daß die Rückbesinnung auf das prophetische Wort die Notwendigkeit der gegenwärtigen Situation erschließt[23]. A. VÖGTLE hat darauf aufmerksam gemacht, daß alle „wesentlichen Momente der durch die Besinnung auf die prophetischen Vorhersagen zu gewinnenden Erkenntnis von 3,3f. ... sich ... aus der Prophetie belegen (lassen): die Kennzeichnung der Gegner als ihre eigenen Wege wandelnde Sünder, und zwar als ‚Spottreden führende Spötter'; dann der Bezug ihres Spottes auf die Nichterfüllung der verheißenen Parusie, deren Bestreitung ja zugleich die des göttlichen Gerichts bedeutet; weiter die traditionelle Formel des höhnischen Skeptizismus: ‚Wo ist ...?', ‚Wo bleibt ...?'[24]; ferner die diesem Spott entsprechende Argumentation, es tue sich ja nichts, kein Heil, kein Unheil, die Erfahrung spreche gegen die Gültigkeit des Wortes Gottes (vgl. 3,4 etwa mit Ez 12,22; Jer 5,12f.; Jes 5,18f.)[25]; schließlich der unterschwellige, auch durch die Fortsetzung 3,5ff. bestätigte Gedanke, daß das Auftreten solcher gottloser Spötter in Wirklichkeit das sicher kommende Gericht Gottes nach sich zieht[26] (vgl. Jer 5,12–14; Jes 5,18–20 u.ö.), also als Phänomen der Endzeit, ‚am Ende der Tage' beurteilt werden kann."[27] Von daher gesehen erscheint zweifelhaft, ob 2Petr 3,4 tatsächlich das wörtliche Zitat eines in gnostischen Kreisen umlaufenden Logions darstellt. Die Aussage dürfte zwar in sachlicher Hinsicht gnostischem Anspruch durchaus entsprechen. Gleichwohl bleibt zu fragen, ob die Formulierung von 3,4 selbst nicht wenigstens teilweise der Hand des Verfassers entstammt. Jedenfalls ist mit der Möglichkeit zu rechnen, daß er einen ihm überlieferten gnostischen Spruch nach Maßgabe prophetischer Redeweise umstilisiert (vgl. 3,4a) und im Blick auf sein eigenes Sachanliegen abgewandelt hat. So ist die (mit der Zeitbestimmung ἀφ' ἧς γὰρ οἱ πατέρες ἐκοιμήθησαν konkurrierende) Wendung ἀπ' ἀρχῆς κτίσεως in 3,4 fin. möglicherweise eine redaktionelle „Zuspitzung der gegnerischen Argumentation, auf die es dem Verfasser im Hinblick auf die beabsichtigte Widerlegung der Parusiespötter in den anschließenden VV. 5–7 ankommt"[28].

---

[23] Vgl. A. VÖGTLE, a.a.O., S. 124ff.

[24] Vgl. Ps 42,4.11; 79,10; 115,2; Jo 2,17; ferner Jer 17,15; Mal 2,17.

[25] Vgl. die Tendenz der Volksklagelieder in 4Esr 3,4–36; 5,23–30; 6,38–59 (s. dazu im einzelnen W. HARNISCH, a.a.O., S. 19ff.).

[26] Vgl. 2Petr 2,1 fin.

[27] A. VÖGTLE, a.a.O., S. 126.

[28] A. VÖGTLE, a.a.O., S. 131; ebenso R. PESCH, in: Gestalt und Anspruch des Neuen Testaments (hrsg. von J. Schreiner), S. 325. Die Spannung zwischen den beiden Zeitbestimmungen in 2Petr 3,4b beruht demnach auf der redaktionellen Regie des Verfassers von 2Petr, der die Redensart der Spötter aus Gründen der dialogischen Kontinuität (vgl. die folgende Beweisführung in 3,5–7) um die Wendung ἀπ' ἀρχῆς κτίσεως erweiterte. Beachtung verdient allerdings auch die zuerst von F. SPITTA erwogene Lösung, nach der 2Petr 3,4bα eng mit 3,4a zu verbinden, ἀφ' ἧς auf den unmittelbar vorhergehenden Genitiv τῆς παρουσίας αὐτοῦ zu beziehen und bei ἀπό die Grundbedeutung der ‚Trennung (von etwas)' vorauszusetzen ist (Der zweite Brief des Petrus und der Brief des Judas, S. 235f.): „Die Väter sind entschlafen von der Parusie weg, ihr Tod hat sie der

(4) Welche Beweiskraft kommt nun den Ausführungen von *2 Petr 3,5–10* zu? Um die Funktion des Wortes vom Dieb im Rahmen des vorliegenden Aussagezusammenhangs zu erhellen, orientieren wir uns an der Frage nach der Zielsetzung und Stringenz der Gedankenfolge von 3,5–10, ohne dabei alle exegetischen Einzelprobleme zu berücksichtigen. Zunächst ist festzustellen, daß die in 3,5–7.8–10 genannten Argumente an die Doppelaussage von 3,4a.b — kompositorisch gesehen — in chiastischer Reihenfolge anschließen. Während sich die V. 5–7 auf V. 4b beziehen, greifen die V. 8–10 auf V. 4a zurück. Abgesehen von den analog gebildeten redaktionellen Einführungsformeln in den V. 5a und 8a[29] sowie dem durch ὡς eingeleiteten Zusatz in V. 9aβ erweisen sich alle angeführten Aussagen bei näherem Zusehen als traditionell geprägt. Der Verfasser scheint verschiedene Überlieferungsstücke *jüdisch-apokalyptischen Charakters* ad hoc aufgegriffen und koordiniert zu haben[30].

(a) Um den in V. 4b ausgesprochenen Einwand zu entkräften (‚Denn seit die Väter entschlafen sind, geht alles so wie von Anfang der Welt weiter'[31]), verwendet der Verfasser in den *V. 5–7* einen *apokalyptischen Gerichtstopos*[32], dessen ursprüngliche Fortsetzung möglicherweise noch durch V. 10b repräsentiert wird[33]. Die wiedergegebene apokalyptische Tradition demonstriert am Sintflutgeschehen, das als kosmisches Verhängnis und insofern als radikale Geschichtszäsur ausgegeben wird[34], die geschichtliche Wirksamkeit des Schöpferwortes[35] und vermag somit als Argument gegen das πάντα οὕτως διαμένει ἀπ' ἀρχῆς κτίσεως (V. 4bβ) zu dienen. „Die durch das Wort geschaffene Welt ist schon einmal, nämlich in der Sintflut, untergegangen. Die Irrlehrer haben also unrecht, wenn sie behaupten, es bliebe sich alles ewig gleich."[36] Zum anderen erweist das Überlieferungsstück das Kommen der mit der Parusie verbundenen Gerichtskatastrophe als zwangsläufig, indem es den Gedanken der Entsprechung von Urzeit und Endzeit, von Wasser- und Feuergericht, geltend macht[37]. Die

---

Parusie entzogen" (ebd., S. 236). 2 Petr 3,4bβ bildet dann einen selbständigen Satz. SPITTAS Auslegungsvorschlag wurde von H. WERDERMANN, a.a.O., S. 65f. übernommen (vgl. jetzt auch D. v. ALLMEN, RThPh XVI/1966, 258 Anm. 2).

[29] Vgl. D. v. ALLMEN, ebd., 260.

[30] Daß 2 Petr 3,5–10 eine Komposition jüdisch-apokalyptischer Traditionsstücke darstellt, haben neuerdings vor allem A. STROBEL (Untersuchungen . . ., S. 87ff.), D. v. ALLMEN (RThPh XVI/1966, 256ff.) und A. VÖGTLE (a.a.O., S. 133ff.) herausgestellt. Obwohl über das traditionelle Gepräge des Abschnitts weitgehend Einmütigkeit herrscht, weichen die Urteile über Herkunft und Tendenz des benutzten Materials im einzelnen jedoch z.T. erheblich voneinander ab. Wir überprüfen die in den genannten Arbeiten vertretenen Standpunkte, indem wir uns im Folgenden erneut der Frage nach dem traditionsgeschichtlichen Hintergrund von 2 Petr 3,5–10 stellen. Zum anderen gilt zu untersuchen, welche Funktion den Einzelaussagen im Rahmen des Sachanliegens von 2 Petr zufällt.

[31] Übersetzung nach Ph. VIELHAUER, bei Hennecke, Bd. II, 3. Aufl. 1964, S. 434.

[32] Vgl. A. VÖGTLE, a.a.O., S. 133ff.

[33] Vgl. D. v. ALLMEN, RThPh XVI/1966, 263.

[34] So deutlich äthHen 83,3–5; vgl. auch 4 Esr 9,20 — eine Aussage, die auf Gen 6,11f. anspielt (s. dazu W. HARNISCH, a.a.O., S. 137f.).

[35] Siehe u. Anm. 38.

[36] E. KÄSEMANN, ExVuB Bd. I, S. 156.

[37] Vgl. VitAd 49. Weitere Belege zur Parallelisierung von Sintflut und Weltende sowie zur eschatologischen Noahtypologie in jüdisch-apokalyptischer Tra-

ἡμέρα κρίσεως καὶ ἀπωλείας, die den Gottlosen aufbehalten ist (3,7), „hat in der Sintflut ihren Präzedenzfall und ihr Gegenstück ..., muß also mit Sicherheit erwartet werden; denn dasselbe göttliche Wort, das den künftigen Untergang bestimmt, hat seine Kraft schon bei der Sintflut bewährt“[38]. In Übereinstimmung mit apokalyptischer Denkweise (vgl. nur sBar 48,2ff.; 51,11; 54,1ff.) pointiert die Aussage die Selbigkeit des geschichtsmächtigen Schöpferwortes und sieht gerade darin die Nezessität des Endgerichts garantiert.

(b) Die *V. 8–10* gelten einer Widerlegung von V.4a. Sie suchen die höhnisch gestellte Frage ‚Wo bleibt die Verheißung seiner (sc. Christi) Parusie?‘ ad absurdum zu führen, indem sie einer *theozentrischen Zeitauffassung* Geltung verschaffen und damit zugleich den *eschatologischen Vorbehalt Gottes* einschärfen. Zu beachten ist, daß der in 3,8–10 ausdrücklich thematisierte theozentrische Gesichtspunkt bereits in 3,7 anklingt (vgl. die auf die göttliche Verfügung weisenden part. pass. τεθησαυρισμένοι und τηρούμενοι)[39]. Die Aussagereihen der V. 5–7 und 8–10 sind also kunstvoll miteinander verklammert. Auch die Gedankenfolge von 3,8–10 läßt das beachtliche literarische Geschick des Verfassers erkennen. Er hat die ihm überkommenen Traditionselemente im Blick auf sein Sachanliegen geordnet und derart zusammengestellt, daß eine Aussage mit innerer Konsequenz aus der anderen folgt[40]. So besitzt der Satz *V. 8b* den Charakter eines Axioms[41], das im Folgenden (V. 9f.) auf das in Frage stehende Problem angewandt und in zweifacher Hinsicht entfaltet wird. Im Anschluß an Ps 90,4 (= 89,4LXX) demonstriert die Aussage von V. 8b, daß *Gottes Zeitmaß und menschliche Zeiterfahrung inkommensurabel sind*[42]. Die Um-

dition finden sich bei A. STROBEL, Untersuchungen ..., S. 97 Anm. 5; zur Sache vgl. außer den bei W. HARNISCH, a.a.O., S. 139 Anm. 3, Genannten noch R. MAYER, Die biblische Vorstellung vom Weltenbrand, S. 114ff. (bes. S. 118); L. GOPPELT, ThW Bd. VIII, 328 und ebd. Anm. 99; J.P. LEWIS, A Study of the Interpretation of Noah and the Flood in Jewish and Christian Literature, S. 113 (zur Gestalt Noahs in den Apokryphen und Pseudepigraphen vgl. ebd., S. 10ff.); A. VÖGTLE, a.a.O., S. 133. Belege zur Vorstellung vom eschatologischen Feuergericht in jüdischer Überlieferung bei R. MAYER, a.a.O., S. 114ff.; J. MAIER, Die Texte vom Toten Meer, Bd. II, S. 79 (zu 1 QH 3,24–36); vgl. ebd., S. 77 (zu 1 QH 3,14f.).

[38] H. WINDISCH, HNT 15, 3. Aufl. 1951, S. 102. WINDISCH (ebd., S. 101) konjiziert anstelle von δι' ὧν in V. 6 δι' οὗ (vgl. Min. 69: δι' ὅν — zu ergänzen ist: λόγον).

[39] Vgl. A. STROBEL, Untersuchungen ..., S. 95.

[40] Es kann jedenfalls keine Rede davon sein, „daß die Argumente unverbunden und nicht ohne Spannung teils unter sich, teils zum Briefganzen nebeneinander stehen“ (E. KÄSEMANN, ExVuB Bd. I, S. 157). Was W. MARXSEN im Blick auf die Gesamtdisposition von 2 Petr feststellt, gilt im besonderen für die Aussagereihe in 2 Petr 3,5–10: Das Ganze ist „sehr kunstvoll miteinander verknüpft“ (Einleitung in das Neue Testament, S. 207). Ähnlich urteilt A. STROBEL: „Tatsächlich präsentiert sich der ganze Abschnitt in vorbildlicher Geschlossenheit!“ (Untersuchungen ..., S. 88 Anm. 7).

[41] So zu Recht W.M.L. de WETTE, Kurze Erklärung der Briefe des Petrus Judas und Jakobus, S. 186.

[42] Dies ist nach H.-J. KRAUS, Psalmen (BK XV/2), 2. Aufl. 1961, S. 630, auch der Aussagewille des Psalmenverses selbst: „Mit unerhörter Kühnheit unternimmt der Psalmist hier das Wagnis, den ewigen Hintergrund aufzureißen, auf dem das menschliche Leben zu Staub zerfällt. Gottes Ewigkeit ([sc. vgl. V.] 2) und menschliche Zeit sind letztlich inkommensurabel — das ist die Intention

kehrung des V. 8bβ begegnenden Zitats aus Ps 89,4LXX in der ersten Satzhälfte (V. 8bα) hat vermutlich lediglich bestärkenden Sinn[43]. Zieht man παρὰ κυρίῳ in V. 8bα zu μία ἡμέρα[44] und unterstellt man — was durch die chiastische Wortstellung nahegelegt wird — den Außen- und Innengliedern des Satzes jeweils den nämlichen Bedeutungsgehalt, ist die Aussage mit F. Spitta folgendermaßen wiederzugeben: „Ein Tag vor dem Herrn ist wie tausend Jahre und tausend Jahre wie ein Tag vor dem Herrn."[45] Der Satz gibt — was durchweg verkannt wird — einem in jüdisch-apokalyptischer Tradition auch sonst vertretenen theozentrischen Zeitdenken[46] Ausdruck und erweist dasselbe zugleich als schriftgemäß (vgl. die Anlehnung der Formulierung an Ps 89,4 LXX). Damit wird die Provokation von V. 4a als unbillig und anmaßend verworfen. Wer wie die gnostischen Irrlehrer meint, das faktische Ausbleiben der Parusieverheißung als Argument für die eigene Position aufbieten zu können, verkennt die fundamentale Differenz zwischen göttlichem und menschlichem Zeitmaß. Die Hyperbolik des Zahlenvergleichs (tausend Jahre — ein Tag) ist nicht dahingehend zu pressen, als sei mit 2Petr 3,8b einer die eschatologische Erwartung faktisch aufhebenden Zeitdehnung das Wort geredet[47]. Die Aussage pointiert lediglich den absoluten eschatologischen Vorbehalt Gottes, entzieht auf diese Weise gut apokalyptisch jeder chronologischen Berechnung des Endes den Boden und zerbricht damit zugleich die Prämisse, auf der die rhetorische Frage von V. 4a aufruht[48].

---

der grandiosen Aussage (vgl. 2 Petr 3,8 vgl. aber auch Ps 84,11)." — Auf die damit für 2Petr 3,8b behauptete Pointe heben fast alle Kommentare z.St. ab, so daß sich Einzelbelege erübrigen (zur Kritik der von unserer Interpretation abweichenden Auffassungen s.u. Anm. 48).

[43] Vgl. G. Hollmann-W. Bousset, a.a.O., S. 315; gegen A. Strobel, der (Untersuchungen . . ., S. 94 Anm. 1) zu dem Schluß gelangt, für das Anliegen des Verfassers von 2Petr sei vor allem V. 8bα von Interesse, „während der folgende Teil nur die Funktion des wörtlichen Zitats ausübt" (zur Kritik der Interpretation Strobels s. auch u. Anm. 48).

[44] Vgl. F. Spitta, a.a.O., S. 251.

[45] Ebd., S. 252.

[46] Siehe o. S. 69ff.

[47] Gegen H. Windisch, der behauptet, damit sei „das Ende möglicherweise auf Jahrtausende hinausgeschoben" (HNT 15, 3. Aufl. 1951, S. 102).

[48] Berücksichtigt man die Sachbeziehung zwischen 3,8b und 3,4a einerseits sowie 3,9f. andererseits, erscheint es als verfehlt und durch nichts nahegelegt, die Pointe von 3,8b im ersten Satzteil (3,8bα) zu suchen und denselben im Sinne der „jüdische(n) Milleniumslehre" (A. Strobel, Untersuchungen . . ., S. 94) auf die Dauer der Messiasherrschaft zu beziehen (so unabhängig voneinander A. Strobel, ebd., S. 93f., sowie D. v. Allmen, RThPh XVI/1966, 261f., im Anschluß an F. Spitta, a.a.O., S. 255ff.). Ist das in V. 4 Gesagte thema probandum der Beweisführung in den V. 5–10, fielen Ausführungen über die Dauer der Messiasherrschaft völlig aus dem Rahmen (vgl. die kritischen Anmerkungen zu Spittas Position bei R. Knopf, a.a.O., S. 316). Spittas Deutung erscheint auch insofern als verfehlt, als sie in den V. 5–7. 8. 9 jeweils einen Wechsel der Adressaten voraussetzen muß (vgl. a.a.O., S. 258; s. dazu den bereits von E. Kühl, Die Briefe Petri und Judae, MeyerK 12. Abt., 6. Aufl. 1897, S. 449, geltend gemachten Einwand). Demgegenüber präsentieren sich die Aussagen der V. (5–7) 8–10 bei der hier vertretenen Interpretation als in sich geschlossene, auf *einen* thematischen Gesichtspunkt bezogene und einheitlich adressierte Gedankenfolge.

(c) Die Aussage von *V. 9* appliziert den in V. 8 genannten Grundsatz auf das zur Debatte stehende Spezialproblem. Wieder greift der Verfasser auf traditionelle jüdisch-apokalyptische Topoi zurück[49]. Geschickt verbindet er zwei heterogene Überlieferungselemente, indem er den Satz in die Form einer Antithese (genauer: einer ‚correctio') kleidet. Die Formulierung der *Negation* (V. 9a) ist überlieferungsgeschichtlich durch jene theozentrische ‚Aufhalt-Tradition' jüdisch-apokalyptischen Gepräges beeinflußt, die auf Hab 2,3 (MT) zurückgeht und — jeweils mit charakteristischen Abwandlungen — u.a. durch 1 QpHab 7,5–12; Hab 2,3 LXX/Aquila; Sir 32,22 (= 35,19LXX) sowie neutestamentlich durch Hebr 10,37 repräsentiert wird. Das dem 'ḥr PI. von Hab 2,3bβ (LXX: χρονίζειν) entsprechende Verb βραδύνειν, das hier offenbar im Sinne des Synonyms ὑστερεῖν (vgl. Hab 2,3bα LXX) Verwendung findet (man beachte die außergewöhnliche Konstruktion mit Gen.)[50], ist durch die Fassung von Hab 2,3 bei Aquila und Sir 35,19LXX belegt[51]. Wie bereits E. Kühl hervorhob, meint das Wort nicht einfach das Phänomen des ‚Aufschubs', „sondern es liegt der Begriff der *Säumigkeit* (Gen 43,10) darin, die selbst ein Nichterfüllen in Aussicht stellt"[52]. Dieser Einsicht sucht auch der Übersetzungsvorschlag bei Bl-Debr (§ 180,5) zu entsprechen: Der Herr (gemeint ist: Gott) „hält sich nicht zaudernd zurück von der Erfüllung der V.(erheißung)"[53]. Die Aussage 2Petr 3,9a negiert somit nicht die Möglichkeit einer Verzögerung, sondern die des *definitiven Ausbleibens* der ἐπαγγελία[54]. Nur wenn dies der Fall ist, entspricht die Formulierung antithetisch dem Anspruch der gnostischen Spötter. Denn deren Argumentation (vgl. V. 4) setzt ja nicht den Gedanken eines befristeten Aufschubs, sondern den des Nicht-Kommens, d.h. des absoluten Ausbleibens der eschatologischen Zukunft voraus. Die Aussage von V. 9a will also einerseits noch einmal die These der Opponenten (vgl. V. 4a) vor Augen führen, wie auch zu allem Überfluß der vermutlich redaktionelle Zusatz ὥς τινες βραδύτητα ἡγοῦνται deutlich macht[55]. Andererseits zielt sie als Negation eben darauf

[49] Gegen D. v. Allmen, der die Aussage von V. 9 bedenkenlos auf den Verfasser von 2Petr zurückführt: "Nous pouvons donc affirmer sans aucune hésitation que le verset 9 est de la propre main de l'auteur de II Pierre" (RThPh XVI/1966, 259; vgl. ebd., 259f.). Hätte v. Allmen die Erwägungen von A. Strobel z.St. (vgl. Untersuchungen . . ., S. 87ff.) beachtet, wäre er vermutlich zu einer Revision dieser Auffassung gelangt, zumal er immerhin den jüdischen Charakter von V. 9b anerkennt (vgl. ebd., 260).

[50] Vgl. Bl-Debr § 180,5 (S. 116); ferner W.M.L. de Wette, Kurze Erklärung der Briefe des Petrus Judas und Jakobus, 3. Ausg. 1865, S. 186; R. Knopf, a.a.O., S. 316f.; H. Windisch, HNT 15, 3. Aufl. 1951, S. 102, und vor allem A. Strobel, Untersuchungen . . ., S. 89f.

[51] Vgl. A. Strobel, ebd., S. 68f. 63f. 90.

[52] A.a.O., S. 448f.

[53] A.a.O., S. 116.

[54] Vgl. A. Strobel, Untersuchungen . . ., S. 89f.

[55] In Übereinstimmung mit der gängigen Exegese sieht E. Käsemann den Abschnitt 3,5–10 von einer doppelten Zielsetzung bestimmt: Der Verfasser will einerseits der gnostischen Infragestellung christlicher Eschatologie begegnen, andererseits der in der Gemeinde Platz greifenden „Verlegenheit und Unruhe über die Tatsache der Parusieverzögerung, die natürlich die gegnerische Argumentation unterstützt" (ExVuB Bd. I, S. 136), zuvorkommen. Bei 3,5–10(13) handelt es sich also um eine Apologie, die „im Widerspruch zur Häresie einen apokalyptischen Entwurf" geltend macht und „gleichzeitig die Bedenken der Gemeinde über die Parusieverzögerung zu zerstreuen sucht" (ebd., S. 143; vgl.

ab, den gegnerischen Einwand außer Kraft zu setzen. Und zwar trägt diese Abwehr der oppositionellen Auffassung zugleich die Züge einer *autoritativen Zurechtweisung*. Denn indem der Verfasser die Negation in Analogie zu der bekannten, im prophetischen Wort wurzelnden ‚Aufhalt-Tradition' formuliert, verleiht er ihr den Charakter einer bindenden, durch die Überlieferung beglaubigten Richtigstellung.

Die eigentliche Konkretion des in V. 8b grundsätzlich behaupteten theozentrischen Zeitdenkens bleibt der *Position* V. 9b vorbehalten. Die Aussage begründet das Ausbleiben der endzeitlichen Verheißung mit dem Hinweis auf die göttliche Langmut, die, indem sie allen die Gelegenheit zur Buße einräumt, zu verhindern sucht, daß einige dem endgültigen Verderben anheimfallen. Auch dieser Gedanke ist — überlieferungsgeschichtlich betrachtet — weisheitlich-apokalyptischer Tradition verpflichtet. Wie die hier zu nennenden Sachparallelen Weish 15,1 (vgl. 12,8ff. 20); Sir 35,19LXX; 2Makk 6,14ff.; 4 Esr 7,74 (Lat.); sBar 21,20f.; 12,4; 59,6 (vgl. 24,2) zeigen, ist μακροθυμία (vgl. die lat. und syr. Äquivalente in 4Esr und sBar) „nicht einfach positiver Begriff, sondern, entsprechend apokalyptischem und weisheitlichem Denken, nur bedingt positiv: Die göttliche Langmut ist ein vorläufiges Zurückhalten des Gotteszorns, eine Frist, die Gott vor dem endgültigen Hereinbrechen des Gerichtes noch gewährt."[56] Der Ausdruck hat nach hebräischem Sprachempfinden „einen ausgesprochen chronologischen Bedeutungsgehalt"[57], wird also weniger affektbetont verwendet und kennzeichnet *die begrenzte Zeit der (langen) Geduld Gottes*. Die Einschaltung dieser Frist, die das Kommen des Endgerichts retardiert und somit letztmalig die Möglichkeit der Umkehr einräumt (vgl. 4Esr 7,74 mit 7,82; sBar 85,12), beruht allein *auf göttlichem Vorsatz*, entspricht nach 4 Esr 7, 74 der den Geschichtslauf latent bestimmenden Zeitverfügung Gottes und ist menschlicher Beeinflussung radikal entzogen[58]. Die Aussage 2Petr 3,9b ist ohne Zweifel im Bereich dieser weisheitlich-apokalyptischen Auffassung von der göttlichen Langmut angesiedelt[59]. Sie macht deutlich, daß der den Gott-

S. 136). Versteht man jedoch βραδύνειν/βραδύτης (V. 9a) in dem o. angegebenen Sinn und bezieht man die Negation von V. 9a auf die Möglichkeit des definitiven *Ausbleibens* der Verheißung, ist das Problem der *Verzögerung* der Parusie in V. 9 nicht thematisiert. Es empfiehlt sich darum nicht, den Abschnitt 3,5–10 auf eine Doppelfront zu beziehen und in den τινές von V. 9a andere als die in V. 3f. genannten Häretiker zu erblicken. Obwohl nicht auszuschließen ist, daß sich Teile der Gemeinde von der Argumentation der Gnostiker möglicherweise gerade wegen der Tatsache der Parusieverzögerung beeindrucken ließen, ist die Argumentation von 3,5–10 und speziell die von 3,9 offensichtlich einzig und allein kritisch auf die gnostische Bestreitung christlicher Eschatologie überhaupt ausgerichtet. Zu Recht stellt Ch.H. Talbert fest: "II Peter can be regarded as evidence for a serious disturbance within the Church over the delay of the Parousia only if the problem of eschatology is not treated in relation to the problem of heresy about which the entire document is concerned. Such a method of exegesis is surely incorrect. It is in relation to the problem of heresy that the problem of eschatology must be treated" (VigChr 20/1966, 142).

[56] U. Luz, a.a.O., S. 243 (vgl. ebd. Anm. 60); vgl. F. Horst, ThW Bd. IV, 380. W. Otts Kritik an Horst (vgl. Gebet und Heil, S. 44ff.) ist unbegründet. Zur Sache s. W. Harnisch, a.a.O., S. 314ff.

[57] A. Strobel, Untersuchungen . . ., S. 31.

[58] Vgl. W. Harnisch, a.a.O., S. 315ff. 319 und ebd. Anm. 3.

[59] Gegen A. Strobel, der (Untersuchungen . . ., S. 90ff.) die Aussage 2Petr 3,9b auf die Lehrmeinung R. Eliezers zurückführt. Nach Eliezers Auffassung

losen bestimmte Tag des Gerichts und Verderbens (vgl. V. 7) vorläufig noch durch die Periode der langen Geduld Gottes aufgehalten wird. Die Gewährung dieser Zeit, die als Bußfrist wahrgenommen sein will (vgl. ἀλλὰ πάντας εἰς μετάνοιαν χωρῆσαι; s. auch V. 15a), gründet im Willensentscheid Gottes (βουλόμενος), der menschlichem Einblick verschlossen bleibt. Die Bedingung, von der die Ratifikation der Verheißung abhängt, ist ausschließlich göttlicher Natur. So wahrt die Aussage den eschatologischen Vorbehalt Gottes und expliziert damit zugleich den in V. 8b geltend gemachten theozentrischen Grundsatz[60].

Der Gedanke, daß infolge der Langmut *allen* ein Zeitraum zur Buße eröffnet sei (vgl. V. 9b fin.), scheint freilich „der sonst im Brief durchgängig vertretenen Meinung" zu widersprechen, „daß die Gottlosen zum Untergang bestimmt sind"[61]. Doch ist zweifelhaft, ob πάντες tatsächlich in einem absoluten Sinn inkludierend gemeint ist. Näherliegend dürfte die Vermutung sein, daß sich das Wort im vorliegenden Zusammenhang auf die Gesamtzahl derer bezieht, die zur ἰσότιμος ἡμῖν πίστις (1,1), zum festgegründeten Stand ἐν τῇ παρούσῃ ἀληθείᾳ (1,12) berufen sind. Ähnlich urteilt A. STROBEL: „Gemeint ist ... offenbar die Gesamtheit der christlichen Gemeinde (s. ὑμᾶς V. 9)"[62]. Ist damit der Radius von πάντες zutreffend fixiert, befindet sich die Formulierung von V. 9b fin. keineswegs in Spannung zu der in 2Petr sonst wahrnehmbaren Differenzierung zwischen Gottlosen und Gerechten.

---

beruht das Ausbleiben des eschatologischen Heils auf der Unbußfertigkeit Israels, vgl. pTaan 1,1 (63d) — also auf einem nicht Gott, sondern dem Menschen anzulastenden Faktor (vgl. Bill. I, 162ff. 599f.; IV/2, 1013ff.; A. STROBEL, a.a.O., S. 23ff. 90. 92; W. HARNISCH, a.a.O., S. 289 und ebd. Anm. 2). Wäre die Aussage 2Petr 3,9b tatsächlich im Sinne dieser anthropozentrischen Linie der ‚Aufhalt-Tradition' entworfen, bliebe sie im Rahmen des durchweg theozentrisch bestimmten Zusammenhangs von 3,8–10 völlig isoliert. Beachtet man hingegen, daß das Motiv der göttlichen Langmut im Bereich weisheitlich-apokalyptischer Überlieferung verankert und dort auf ein streng theozentrisch orientiertes Denken bezogen ist, und stellt man ferner in Rechnung, daß STROBEL selbst konzedieren muß, 2Petr spreche nicht von einer durch den Menschen zu erfüllenden Bedingung, sondern stelle „alles den weisen Plänen Gottes anheim" (a.a.O., S. 90), wird man davon Abstand nehmen, die Lehrmeinung R. Eliezers als den Hintergrund, ja als „Quelle" (STROBEL, a.a.O., S. 96) der Aussage 2Petr 3,9b zu beanspruchen. Die unverkennbare sachliche Verwandtschaft von 2Petr 3,9b mit den genannten Belegen aus weisheitlich-apokalyptischer Überlieferung spricht vielmehr eindeutig für die o. vertretene traditionsgeschichtliche Beurteilung d. St. Ist die Aussage aber der theozentrischen Linie der ‚Aufhalt-Tradition' zuzuweisen, fügt sie sich ausgezeichnet in den Gesamtzusammenhang von 3,5–10 ein. Allerdings bleibt dann eine Spannung zwischen 3,9b und 3,12 zu konstatieren. Denn in dem σπεύδοντας τὴν παρουσίαν ... (3,12) könnte tatsächlich der Gedanke R. Eliezers anklingen, daß ein bußfertiges Verhalten (vgl. 2Petr 3,11) das Kommen der Endzeit zu beschleunigen vermag (vgl. A. STROBEL, a.a.O., S. 92) — es sei denn, σπεύδειν wäre hier im abgeschwächten Sinn von ‚erstreben' gebraucht (vgl. H. WINDISCH, HNT 15, 3. Aufl. 1951, S. 103; vgl. DERS., HNT 4/2, S. 101). Doch gilt zu beachten, daß 3,12 nicht mehr der Argumentationsreihe 3,8–10, sondern dem paränetisch orientierten Sachzusammenhang 3,11ff. angehört (vgl. auch die Ablösung von σπεύδειν durch σπουδάζειν in 3,14; s. dazu D. v. ALLMEN, RThPh XVI/1966, 263).

[60] Vgl. J. SCHNEIDER, NTD 10/9. Aufl. 1961, S. 118.

[61] E. KÄSEMANN, ExVuB Bd. I, S. 157.

[62] A.a.O., S. 92; so schon R. KNOPF, a.a.O., S. 317.

(d) Schließlich steht auch die Aussage *V. 10a* im Zeichen der in V. 8b propagierten theozentrischen Zeitauffassung. Durch die adversative Partikel δέ mit V. 9 verbunden, kennzeichnet der Satz einerseits die ἡμέρα κυρίου als ein *mit absoluter Sicherheit* eintreffendes Ereignis. „Nachdrucksvoll steht ἥξει δέ — im Gegensatz gegen das Vorherg. — voran."[63] Die Aussage kommt einem möglichen Mißverständnis von V. 9b zuvor. Der eschatologische Gerichtstag wird durch die göttliche Langmut keineswegs — wie man aus V. 9b schließen könnte — aufgehoben, sondern lediglich für eine gewisse Zeit aufgehalten (vgl. sBar 12,4: Gottes Zorn ist jetzt noch ‚durch die Langmut wie durch Zäume gehemmt'[64]). Nach Ablauf der festgesetzten (Buß-)Frist tritt er zwangsläufig in Erscheinung. Andererseits hält der Satz am Gesichtspunkt der *Unberechenbarkeit* des eschatologischen Termins fest. Die ἡμέρα κυρίου kommt gewiß, aber überraschend und unversehens wie der Dieb. Der Vergleich hat wie 1Thess 5,2b die Funktion, das Unvermutete der Ankunft dieses Tages einzuschärfen. Pointiert ist das Moment des Unvorhersehbaren, wobei auch hier (wie 1Thess 5,2b) ein drohender Ton mitschwingen dürfte[65]. Daß der Gottestag negativ als ein Geschehen der Krisis ins Auge gefaßt ist, zeigt deutlich die Fortsetzung der Aussage in *V. 10b*, wo der Verfasser (möglicherweise unter Neuaufnahme der in V. 5b–7 benutzten Tradition[66]) das Ende apokalyptisch im Sinne einer kosmischen Katastrophe vorstellt und — wenn der lectio difficilior des Textes[67] zu folgen ist — als einen Gerichtsakt kennzeichnet, in welchem die geschichtlichen Taten der Erdbewohner eingeklagt werden[68].

(5) Man hat den Satz ἥξει δὲ ἡμέρα κυρίου ὡς κλέπτης 2Petr 3,10a traditionsgeschichtlich auf das synoptische Gleichnis vom ‚nächtlichen Einbrecher' (Lk 12,39f. Par.) zurückführen wollen. So urteilt E. Käsemann, „eine Reminiszenz wie 3,10a" verrate „Bekanntschaft mit evangelischer Tradition"[69]. Doch läßt die weitgehende Übereinstimmung der Formulierung mit 1Thess 5,2b[70] eher an eine unmittelbare Abhängigkeit der Stelle von dieser paulinischen Aussage denken (vgl. auch die in den Kommentaren — soweit ich sehe — durchweg außer acht gelassene sachliche Korrespondenz zwischen ἐπάγοντες ἑαυτοῖς ταχινὴν ἀπώλειαν 2Petr 2,1 fin. und τότε αἰφνίδιος αὐτοῖς ἐφίσταται ὄλεθρος 1Thess

[63] E. Kühl, a.a.O., S. 450. Spielt ἥξει auf Mal 3,1 LXX an? (Vgl. 1Clem 23,5b).

[64] Text nach B. Violet, Die Apokalypsen des Esra und des Baruch in deutscher Gestalt, 220.

[65] „Der Vers will deutlich vor falscher Sicherheit ... warnen" (E. Käsemann, ExVuB Bd. I, S. 157).

[66] Vgl. D. v. Allmen, RThPh XVI/1966, 263.

[67] Vgl. die Diskussion der Varianten bei R. Knopf, a.a.O., S. 319; K.H. Schelkle, a.a.O., S. 228 Anm. 3.

[68] Vgl. F. W. Danker, II Peter 3:10 and Psalm of Solomon 17:10, ZNW 53/1962, 82ff. (Danker vermutet auf Grund der Stelle PsSal 17,10 als ursprünglichen Text von 2Petr 3,10b: καὶ γῆ κατὰ τὰ ἐν αὐτῇ ἔργα εὑρεθήσεται = "'And it shall be found to the earth according to the works in it,' i.e. 'The earth shall be *judged* according to the deeds done in it'" —ebd., 86); vgl. auch H. Lenhard, Ein Beitrag zur Übersetzung von II Ptr 3,10d, ZNW 52/1961, 128f.

[69] ExVuB Bd. I, S. 138; vgl. auch D. v. Allmen, RThPh XVI/1966, 258f.

[70] Unterschiedlich ist die Verwendung des Verbs (ἥξει, 2Petr 3,10a — ἔρχεται, 1Thess 5,2b). Gegenüber 1Thess 5,2b fehlt in 2Petr 3,10a ἐν νυκτί; der von einigen Hss. (u.a. Kod. C, Koine) und einer der syr. Übersetzungen (Heraclea) bezeugte Zusatz ἐν νυκτί dürfte als Angleichung an 1Thess 5,2b zu beurteilen sein.

5,3). Indessen gilt zu beachten, daß es sich bei dem Satz 1Thess 5,2b nach unserem Dafürhalten nicht um eine spezifisch christliche, womöglich gar auf Jesu Verkündigung zurückgehende Aussage, sondern höchst wahrscheinlich um ein jüdisch-apokalyptisches Theologumenon handelt[71]. Auch 2Petr 3,10a begegnet charakteristischerweise im Rahmen einer Reihe von Argumenten, *die ausnahmslos jüdisch-apokalyptischer Tradition entstammen*. Dieser Sachverhalt läßt den Schluß zu, daß der Verfasser — selbst wenn er die Aussage der paulinischen Überlieferung entnommen haben sollte[72] — noch um deren Verankerung in apokalyptischer Denkweise wußte und sie darum zwanglos innerhalb eines durchweg apokalyptisch geprägten Zusammenhangs in Anschlag bringen konnte. Der Satz eignete sich insofern vorzüglich als Argument gegen die enthusiastische Mißachtung der Parusieerwartung seitens der gnostischen Spötter, als er einerseits den Termin des Endgerichts in der Schwebe beläßt, indem er ihn allein Gott anheimstellt, andererseits aber das Zwangsläufige dieses Geschehens zum Ausdruck bringt — eines Geschehens, das die Spötter (vgl. 3,3f.) und Leugner der κυριότης Jesu Christi (vgl. 2,1) endgültig dem Verderben ausliefern soll (vgl. 2,1 fin. 3. 9.12.17; 3,7.10b).

(6) Sehr aufschlußreich ist die Beobachtung, daß das Dieb-Motiv im Rahmen der Argumentationseinheit 2Petr 3,5–10 anders als in ThEv Spr. 21b, aber — sofern unsere Erwägungen zur Tendenz von 1Thess 5,1–3 zutreffen — in überraschender Analogie zu 1Thess 5,2 betont *antignostisch* Verwendung findet. Und zwar wird die Aussage vom unvermuteten Kommen der ἡμέρα κυρίου wie in 1Thess 5,2 *kritisch* gegen den Anspruch gnostischer Enthusiasten aufgeboten, die vorgeben, bereits im Eschaton angelangt zu sein, und — in logischer Konsequenz dieses Vollkommenheitsbewußtseins — die Parusieerwartung der Gemeinde diskreditieren. Sprächen nicht schon andere Indizien für die Vermutung einer gnostischen Front in 1Thess 5,1ff., wäre man allein im Blick auf die eindeutig antignostische Ausrichtung von 2Petr 3,10a (der Sachparallele zu 1Thess 5,2b) gehalten, wenigstens arbeitshypothetisch auch bei der Interpretation von 1Thess 5,2b (vgl. 5,2f.) die Annahme gnostischer Gegnerschaft zu erproben. Da wir unabhängig von einem Vergleich mit 2Petr 3,10a zu der Auffassung gelangt sind, daß die Aussage 1Thess 5,2b antignostisch konzipiert ist, kann das Ergebnis der Analyse von 2Petr 3, 10a (vgl. 3,3f. mit 3,5–10) nachträglich als indirekte Bestätigung unserer Erwägungen zu 1Thess 5,1–3 geltend gemacht werden. Freilich ist nicht zu übersehen, daß der Verfasser von 2Petr in der Absicht, die gnostische Kritik an der christlichen Parusieerwartung abzuwehren, viel ausführlicher, als dies bei Paulus der Fall ist, apokalyptische Überlieferung zu Wort kommen läßt (vgl. 2Petr 3,5–10 mit 1Thess 5,2f.). Gleichwohl bleibt eine bemerkenswerte *Übereinstimmung* in der Aussagetendenz festzuhalten. Der Rückgriff auf apokalyptische Tradition dient hier wie dort demselben Sachanliegen. Eine auffällige Verwandtschaft im Stil der Argumentation zeichnet sich auch darin ab, daß die gnostische Front in beiden Fällen mit Hilfe prophetischer Tradition charakterisiert wird (vgl. 1Thess 5,3a mit 2Petr 3,1–4; 2,1). Ferner wird den Irrlehrern hier wie dort im Sinne apokalyptischen Denkens das rasche Verhängnis endgültigen Verderbens in Aussicht gestellt (vgl. 1Thess 5,3 mit 2Petr 2,1), wobei die Ankündigung bei 2Petr insofern deutlicher ihre apo-

---

[71] Siehe o. S. 74ff. 93ff.

[72] Natürlich kommt auch die Möglichkeit einer direkten Abhängigkeit d.St. von jüdischer Tradition in Betracht.

kalyptische Herkunft verrät, als sie im Stil des apokalyptischen ‚ius talionis' entworfen ist[73].

Vor dem Hintergrund der gekennzeichneten Analogie tritt die fundamentale *Differenz* zwischen 1 Thess 5,1–3 und 2 Petr 3,5–10 allerdings um so deutlicher zutage. Während den apokalyptischen Aussagen im paulinischen Zusammenhang ausschließlich kritische Funktion innewohnt, nehmen sie in 2 Petr zugleich ein ausgesprochen *apologetisches Interesse* wahr. Sie haben für den Verfasser von 2 Petr nicht nur polemischen Sinn, sondern umschreiben auch inhaltlich die von ihm vertretene eschatologische Konzeption, sind also *zugleich positiv* gemeint. Während Paulus durch den Rekurs auf apokalyptische Tradition in 1 Thess 5,2f. lediglich einen Vorbehalt einschärft, ohne seine eigene Position in der Apokalyptik aufgehen zu lassen, stabilisiert der Verfasser von 2 Petr, indem er geschickt kombinierte apokalyptische Einzelaussagen gegen die gnostischen Häretiker ins Feld führt, die apokalyptische Formation zugleich als den Inbegriff ‚christlicher' Eschatologie[74]. Wie wenig jedoch diese Eschatologie in Wahrheit christ-

---

[73] Vgl. die Entsprechung von οἵτινες παρεισάξουσιν αἱρέσεις ἀπωλείας und ἐπάγοντες ἑαυτοῖς ταχινὴν ἀπώλειαν; zum apokalyptischen ‚ius talionis' vgl. W. Harnisch, a.a.O., S. 154f. 198ff.

[74] Vgl. E. Käsemann, ExVuB Bd. I, S. 147; D. v. Allmen, RThPh XVI/1966, 266. 268f. Dasselbe Urteil dürfte übrigens für die Argumentationsreihe in *2 Thess 2,3–12* gelten. Gerade wenn man den sehr bedenkenswerten Interpretationsvorschlag von A. Strobel (vgl. Untersuchungen ..., S. 98ff.) voraussetzt, erscheint 2 Thess 2,3ff. trotz aller Differenzen in formaler und inhaltlicher Hinsicht als Sachparallele zu 2 Petr 3,5ff. Um die gnostische These von der Präsenz des Eschaton (2 Thess 2,2 fin.; s. o. S. 82 Anm. 1) zu widerlegen, pointiert der Verfasser unter Rückgriff auf jüdisch-apokalyptische Tradition den eschatologischen Vorbehalt Gottes (vgl. 2,5–7): Die Offenbarung des Antichristen, die vor dem Ende stattfinden muß (vgl. 2,3f.) und sich bereits in der Gegenwart ankündigt (vgl. 2,7), wird auf Grund göttlicher Verfügung vorläufig noch ‚aufgehalten' (κατέχον – κατέχων; vgl. 2,5–7), damit sie zu der ihr vorbehaltenen Zeit (ἐν τῷ αὐτοῦ καιρῷ, 2,6; vgl. καὶ τότε, 2,8) Ereignis werden kann (zur Einzelinterpretation vgl. A. Strobel, a.a.O., S. 101ff.). Wie Strobel zu Recht feststellt, gibt der Abschnitt einem streng theozentrischen Zeitverständnis (vgl. auch V. 11) Ausdruck (vgl. ebd., S. 107). Er gilt der Schilderung des plangemäß zum Austrag kommenden „endzeitlichen Gegensatzes zwischen dem Antichristen und Gott" (ebd., S. 108). Strobel setzt freilich hinzu: „bzw. Christus" (ebd., S. 109), doch erweist sich diese Charakteristik angesichts der einzig in V. 8 begegnenden Erwähnung Jesu als irreführend. Der Verfasser von 2 Thess gibt vielmehr unkritisch einer ausgesprochen *theozentrisch* denkenden Tradition apokalyptischer Prägung Raum, die im vorliegenden Zusammenhang nicht nur polemische, sondern auch apologetische Funktion übernimmt. Damit ist ähnlich wie in 2 Petr 3,5–10 die Eigenart der urchristlichen Eschatologie preisgegeben und erneut „jene Apokalyptik stabilisiert, welche Juden und Heiden auch schätzen und predigen" (E. Käsemann, ExVuB Bd. I, S. 147). Von der gegenüber 2 Petr 3,5–10 geltend zu machenden Sachkritik ist 2 Thess 2,3–12 kaum auszunehmen (vgl. W. Marxsen, Einleitung in das Neue Testament, S. 44; gegen A. Strobel, a.a.O., S. 110ff.; W. Schmithals, Paulus und die Gnostiker, S. 146ff., der die Echtheit von 2 Thess 2,1ff. nur mit Hilfe der anfechtbaren ‚Mißverständnistheorie' zu retten vermag — vgl. a.a.O., S. 152 und ebd. Anm. 285a — und sich bei der Analyse des Kapitels befremdlicherweise erlaubt, die V. 3–12 zu übergehen — vgl. ebd., S. 150).

lichem Denken entspricht, zeigt sich daran, daß „sie jede christologische Orientierung ... vermissen läßt“[75], eine rein anthropologisch ausgerichtete, nämlich auf die ‚Apotheose der Gerechten‘[76] bezogene „handfeste Vergeltungslehre“[77] propagiert und das Heil fast ausschließlich von der Zukunft erwartet[78]. „Jedenfalls liegt für den Verf. trotz aller großen Worte über die schon empfangene Gabe Gottes (1,3f.) das Heil im Grunde in der Zukunft. Das ist ja der Zweck des Schreibens, den Zweifel an der Parusie Christi zu bekämpfen (1,16; 3,4.12) und den Ernst des bevorstehenden Gerichtes und die Verantwortung reiner Lebensführung einzuschärfen (3,14.17f.).“[79] Die apokalyptischen Aussagen werden unmittelbar als Begründung des ethisch gemeinten Imperativs in Anspruch genommen (vgl. 3,5–10 mit 3,11ff.)[80]. Sie haben also im Blick auf das paränetische Gesamtanliegen des Briefes motivierende Kraft.

Daß diese Position der paulinischen zutiefst widerspricht, daß sie — nach paulinischen Kriterien geurteilt — in Wahrheit auf eine Destruktion der spezifischen Eigenart *christlicher* Theologie hinausläuft, wird sich noch deutlicher zeigen, sobald wir den Abschnitt 1Thess 5,4–11 in unsere Überlegungen einbeziehen.

dd) Apk 3,3b (16,15)

In der vermutlich vor 2Petr anzusetzenden Johannesapokalypse[1] begegnet der Vergleich mit dem Dieb an zwei Stellen: Apk 3,3 innerhalb des 5. Sendschreibens an die Gemeinde in Sardes (Apk 3,1–6) sowie Apk 16,15 in der Vision von den sieben Schalen (Apk 16).

Sieht man von den Rahmenaussagen in den V. 1a und 6 ab, gliedert sich das Sendschreiben an Sardes in zwei Teile, nämlich V. 1b.c–3 und V. 4f. Wie das ἀλλά in V. 4 anzeigt, ist zwischen den V. 3 und 4 eine Zäsur vorauszusetzen. Während der erste Teil (V. 1b.c–3) — in formaler Hinsicht entfernt mit der prophetischen Gerichtsankündigung[2] verwandt — die Gemeinde scharf zurechtweist, würdigt der zweite Teil (V. 4f.) verhalten die Einstellung der wenigen Unbefleckten und sagt diesen wie allen Treuen das eschatologische Heil zu (vgl. den Siegerspruch V. 5). Für unsere Fragestellung ist vor allem der erste, kritische Teil der Botschaft von Belang, die der Gemeindeengel aus dem Mund des himmlischen Jesus vernimmt (V. 1a erinnert an den prophetischen Botenauftrag).

Der Aussagenreihe von V. 1b.c–3 liegt folgende Disposition zugrunde: Auf eine der prophetischen Botenformel nachgebildete Einleitung (V. 1b) folgt die eigentliche Drohrede, die im Wechsel Anklagen (V. 1c.2b) und Mahnungen (V. 2a. 3a) vorbringt und in eine bedingte Gerichtsankündigung (V. 3b) aus-

---

[75] E. Käsemann, ebd., S. 143 (vgl. S. 143ff.); D. v. Allmen, ebd.

[76] Vgl. E. Käsemann, ebd., S. 144. 147. 148. 150f.

[77] E. Käsemann, ebd., S. 146.

[78] Vgl. W. Marxsen, Einleitung in das Neue Testament, S. 207: „Die Präsenz des Heiles ist fast aufgegeben bzw. drückt sich sehr bedenklich in der Terminologie hellenistischer Frömmigkeit aus“ (vgl. 2Petr 1,4).

[79] Bultmann, NT (5. Aufl. 1965), S. 520; vgl. dazu die rhetorische Frage E. Käsemanns: „Darf man dann aber unsern Brief noch ernsthaft eine Apologie der urchristlichen Eschatologie nennen?“ (a.a.O., S. 146; vgl. ebd., S. 157).

[80] Vgl. E. Käsemann, ebd., S. 145; Ch. H. Talbert, VigChr 20/1966, 139. 143.

[1] Zur Frage der Abfassungszeit der Apk vgl. W. G. Kümmel, Einleitung in das Neue Testament, 16. Aufl. 1969, S. 341ff.

[2] Vgl. C. Westermann, Grundformen prophetischer Rede, S. 92ff.

mündet. Die anklagenden Feststellungen halten der Gemeinde vor, daß sie nicht ist, was sie zu sein vorgibt (vgl. V. 1c). Ihre Werke erweisen sich vor dem Urteil Gottes als nichtig, weil sie nicht ‚vollkommen' sind, „was nicht quantitativ, sondern qualitativ zu verstehen ist"[3]: Das am Vollmaß Fehlende „qualifiziert das ganze wirklich Geleistete negativ"[4] (vgl. Mk 10,21). Die Mahnungen rufen in traditioneller Terminologie zur Wachsamkeit (V. 2a) und Buße (V. 3a) auf und fordern die Gemeinde an, das vernommene Kerygma im Glauben festzuhalten (vgl. V. 3a). Sie sind nicht nur „durch den Ausblick auf das nahe Ende bestimmt"[5], sondern implizit auch christologisch, nämlich durch den Indikativ des Schon-Empfangenhabens (vgl. V. 3a), motiviert. Dies wird im übrigen daraus ersichtlich, daß sich das V. 3a in paralleler Stellung zu μετανοεῖν begegnende τηρεῖν sachlich auf den λόγος τῆς ὑπομονῆς μου (Apk 3,10) bezieht. Bußruf und Wachsamkeitsforderung zielen damit konkret auf den Glauben ab, in dessen Vollzug der λόγος Jesu gehorsam bewahrt und festgehalten sein will (vgl. Apk 3,8b.10f.).

Verschärft werden die Anklagen und Mahnungen durch die abschließende Ankündigung: ἐὰν οὖν μὴ γρηγορήσῃς, ἥξω ὡς κλέπτης, καὶ οὐ μὴ γνῷς ποίαν ὥραν ἥξω ἐπὶ σέ (V. 3b)[6]. Im Unterschied zu den bisher behandelten Stellen aus der urchristlichen Literatur bezieht sich der Vergleich mit dem Dieb hier auf ein von Jesus selbst ausgesagtes Verhalten: ἥξω ὡς κλέπτης. Dieser Satz erweckt dadurch, daß er als Selbstaussage Jesu formuliert ist, den Eindruck einer Identifikation von Jesus und dem Dieb. Das Wort κλέπτης scheint als Metapher für Jesus selbst zu fungieren[7]. Doch widerrät der Nachsatz (καὶ οὐ μὴ γνῷς ...) einer derartigen Interpretation. Er zeigt vielmehr unmißverständlich an, daß ὡς κλέπτης im Sinne eines echten Vergleichs gebraucht und darauf abgezweckt ist, *die Art und Weise des Kommens* Jesu zu präzisieren. Die Wendung hat die Funktion, das Ereignis der künftigen Ankunft Jesu als ein *Verhängnis* zu kennzeichnen, das zu einem *unbekannten Termin überraschend und unvermutet* hereinbricht. Deutlicher noch als in 1Thess 5,2b und 2Petr 3,10a eignet der Aussage Apk 3,3b ein drohender Klang.

Als problematisch erscheint der Sachverhalt, daß die Ankündigung des Kommens Jesu ὡς κλέπτης an die Bedingung ἐὰν οὖν μὴ γρηγορήσῃς geknüpft ist. Ganz ähnliche Formulierungen finden sich innerhalb der Sendschreiben Apk 2,5 und 2,16 (vgl. 2,22). An beiden Stellen handelt es sich um (Apk 3,3b auch sachlich nahestehende) Ankündigungen des Kommens Jesu, die jeweils in die Form eines Konditionalsatzes gekleidet sind. Auch „an diesen Stellen geht dem Wort ‚ich komme' eine Mahnung zur Umkehr voran; der Satz selbst, der für uns in Frage kommt, hat beide Male die Form εἰ δὲ μή (sc. μετανοήσῃς), ἔρχομαί σοι κτλ."[8] In beiden Fällen wird „das ἔρχομαί σοι als bedingter Teil abhängig gemacht ... von dem Verhalten der einzelnen Gemeinde"[9]. Man hat

[3] W. HADORN, Die Offenbarung des Johannes (ThHK XVIII), S. 57.

[4] H. BRAUN, Spätjüdisch-häretischer und frühchristlicher Radikalismus, Bd. II, S. 75 Anm. 1 (zu Mk 10,21); auch W. HADORN verweist innerhalb der Auslegung von Apk 3,2 auf Mk 10,21 (vgl. ebd.).

[5] J. BEHM, ThW Bd. IV, 999; vgl. E. GRÄSSER, Das Problem der Parusieverzögerung ..., 2. Aufl. 1960, S. 93 Anm. 2.

[6] Die Formulierung erinnert nicht nur an Mt 24,42–44, sondern auch besonders an Mt 24,50 par. Lk 12,46 (vgl. E. LÖVESTAM, a.a.O., S. 101 Anm. 2).

[7] So C. COLPE, ThW Bd. VIII, 454.

[8] A. SATAKE, Die Gemeindeordnung in der Johannesapokalypse, S. 153 Anm. 1.

[9] T. HOLTZ, a.a.O., S. 207.

die darin liegende exegetische Problematik zu lösen versucht, indem man die genannten Aussagen nicht auf die Parusie, sondern auf „eine Art Zwischengericht“[10], auf „eine Zwischenerscheinung des Herrn im Lauf der Welt- bzw. Kirchengeschichte“[11] bezog[12]. Doch erweist sich diese Deutung angesichts „der eschatologischen Determiniertheit des Wortes ἔρχεσθαι in der Apc“[13] und im Blick auf die „Verwendung des Diebesbildes für das hier zur Debatte stehende Kommen des Christus“[14] als unhaltbar. Ist aber der Parusiebezug für Apk 2,5. 16; 3,3b konstitutiv, „muß“ — wie T. HOLTZ zu Recht feststellt — „der bedingte Teil der fraglichen Sätze jeweils im zweiten Glied gesucht werden“[15]. Dies besagt: Für den Fall, daß die angesprochenen Gemeinden unbußfertig bleiben, nämlich den Namen Jesu verleugnen (vgl. Apk 3,8) und somit preisgeben, was sie schon haben (vgl. Apk 3,11), wird ihnen das eschatologische Kommen Jesu *als Krisis, als überraschend hereinbrechendes und darum unabwendbares Strafverhängnis* angesagt; vgl. 3,3b (ἥξω ὡς κλέπτης κτλ.) mit 2,5: ἔρχομαί σοι καὶ κινήσω τὴν λυχνίαν σου ἐκ τοῦ τόπου αὐτῆς; 2,16: ἔρχομαί σοι ταχὺν καὶ πολεμήσω μετ' αὐτῶν ἐν τῇ ῥομφαίᾳ τοῦ στόματός μου.

Zu beachten gilt, daß die Aussage vom unvermuteten Kommen Jesu in Apk 3,3 nicht prinzipiell geltend gemacht wird und nicht zur Motivierung der Wachsamkeitsforderung fungiert. Es heißt bezeichnenderweise nicht: γίνου γρηγορῶν, ὅτι ἥξω ὡς κλέπτης[16], sondern: ἐὰν οὖν μὴ γρηγορήσῃς, ἥξω ὡς κλέπτης ... Die Apodosis ist durch die konditional gebaute und negativ formulierte Protasis ausdrücklich eingeschränkt und beansprucht nur im Blick auf das im Vordersatz gekennzeichnete negative Verhalten Gültigkeit. Die Aussage ἥξω ὡς κλέπτης hat somit analog zu 1Thess 5,2b und 2Petr 3,10a im vorliegenden Zusammenhang *kritische Funktion*. Sie schärft einen *Vorbehalt* ein, der sich an die Adresse der Unbußfertigen richtet[17] und von dem sich die Glaubenstreuen selbst nicht betreffen zu lassen brauchen (vgl. V. 4f.). Damit zeichnet sich hinsichtlich der Verwendung des Dieb-Motivs zwischen 1Thess 5,2b; 2Petr 3,10a und Apk 3,3b trotz aller Differenzen im einzelnen eine bemerkenswerte Sachverwandtschaft ab. Ja man kann fragen, ob der Aussage Apk 3,3b nicht (analog zu 1Thess 5,2b und 2Petr 3,10a) insgeheim sogar eine antihäretische Tendenz innewohnen könnte, geben doch Stellen wie Apk 2,2.6.(9?) 14–16.20–24 sowie 3,4.(9?) Anlaß zu der Vermutung, daß sich die Sendschreiben der Johannesapokalypse mit

---

[10] T. HOLTZ, ebd.

[11] A. SATAKE, a.a.O., S. 153 Anm. 1.

[12] Vgl. die bei HOLTZ, a.a.O., S. 207 Anm. 1 Genannten; ferner W. BOUSSET, Die Offenbarung Johannis (MeyerK 16. Abt./6. Aufl.), S. 205 (zu Apk 2,5), S. 223 (zu Apk 3,3); E. LOHSE, Die Offenbarung des Johannes (NTD 11/10. Aufl. 1971), S. 25 (zu Apk 2,5).

[13] T. HOLTZ, a.a.O., S. 207; vgl. J. SCHNEIDER, ThW Bd. II, 671f.

[14] T. HOLTZ, ebd.

[15] Ebd.

[16] Nur wenn diese Formulierung vorläge, wäre H. PREISKERS Paraphrase des Textes korrekt: „der Herr kommt unerwartet wie ein Dieb in der Nacht, was die Gemeinde zur Wachsamkeit aufrütteln soll“ (ThW Bd. III, 755).

[17] Vgl. A. JÜLICHER, a.a.O. (Bd. II), S. 142; J. JEREMIAS, Die Gleichnisse Jesu, 7. Aufl. 1965, S. 47; E. LÖVESTAM, a.a.O., S. 101: “For the unfaithful as opposed to the faithful ... the Son of Man will thus come like a thief, surprisingly and calamitously — in the same way as the master in the parable (sc. Mt 24, 45ff.) will come for the unfaithful servant at an unexpected moment with judgement and punishment.”

gnostisierenden Christen auseinandersetzen[18]. Für die Annahme einer antignostischen Polemik in Apk 3,3b ließe sich insonderheit die Sachparallele 2,16 (vgl. 2,14f!) anführen. Doch ist bei derartigen Erwägungen wegen ihres allzu hypothetischen Charakters besondere Zurückhaltung am Platz.

Der zweite Beleg für das Bild vom Dieb in der Johannesapokalypse, der innerhalb der Schalen-Vision begegnet (Apk 16,15), kann im Rahmen unserer Untersuchung ausgeklammert bleiben, da es sich bei der Aussage nach fast einhelligem Urteil um ein versprengtes Traditionsstück handelt, das im vorliegenden literarischen Zusammenhang ganz unpassend und störend wirkt[19]. "Rev. 16 : 15 has such a problematic position in the context that it is hazardous to base anything on this passage."[20] Die von verschiedenen Exegeten[21] vorgeschlagene Transponierung der Aussage in den Zusammenhang von Apk 3,1ff. (zwischen V. 3a und 3b) erscheint kaum annehmbar, da in diesem Fall die Satzfolge durch eine unerträgliche Wiederholung (ἰδοὺ ἔρχομαι ὡς κλέπτης — ἥξω ὡς κλέπτης) belastet würde und die generelle Ankündigung des Kommens Jesu ὡς κλέπτης (16,15) mit der bedingten (3,3b) in Spannung stünde.

2. *Das paulinische Evangelium (V. 4–10)*

Auf Grund unserer Erwägungen zum Charakter von 1Thess 5,1–3 ist bereits zu vermuten, daß sich das, was Paulus *positiv* zu sagen hat, erst in den das Sein der Gemeinde selbst explizierenden Ausführungen von 1Thess 5,4–10 findet. Wenn diese Vermutung zutreffen sollte, wären die Abschnitte 1Thess 4,13f. 15–17; 5,1–3. 4–10 — kompositorisch gesehen — *chiastisch* angeordnet: Als zusammengehörig erwiesen sich 1Thess 4,13f.; 5,4–10 (Entfaltung der paulinischen Position) und 1Thess 4,15–17; 5,1–3 (ausdrückliche Bestreitung der Gegenposition). Wir stellen die Frage, ob sich diese Beurteilung der inneren Disposition von 1Thess 4,13–5,10 tatsächlich aufrechterhalten läßt, vorläufig zurück und wenden uns zunächst der Analyse von 1Thess 5,4–10 zu[1].

---

[18] Zur Sache vgl. bereits H. Werdermann, a.a.O., S. 132ff.; ferner Bultmann NT (5. Aufl. 1965) S. 173; E. Lohse, Die Offenbarung des Johannes (NTD 11/10. Aufl. 1971), S. 25. 30f. (Lohse verweist bei der Interpretation von Apk 2,25 auf 2Tim 2,18 — vgl. ebd., S. 31); A. Satake, a.a.O., S. 66; W. Schmithals, NTS XVI/1969–70, 378.

[19] Vgl. E. Lohmeyer, Die Offenbarung des Johannes (HNT 16), 2. Aufl. 1953, S. 136f.; W. Harrington, Understanding the Apocalypse, S. 203, betrachtet Apk 16,15 als Parenthese.

[20] E. Lövestam, a.a.O., S. 101 Anm. 1.

[21] So z.B. R.H. Charles, A Critical and Exegetical Commentary on the Revelation of St. John, Bd. I, S. 80f.; E. Lohmeyer, HNT 16, 2. Aufl. 1953, S. 33f. (vgl. S. 136f.).

[1] Es mag befremden, daß wir den Abschnitt 1Thess 5,4–10 mit dem Titel ‚Das paulinische Evangelium' überschrieben haben, tritt doch der Begriff εὐαγγέλιον dort expressis verbis nicht in Erscheinung (zur Sache vgl. jetzt R. Schuster, Evangelium das Wort. Untersuchung zum Verständnis des Wortsinns von

a) *Rudimente einer vorpaulinischen Tauftradition?*

E. FUCHS hat wiederholt darauf aufmerksam gemacht, daß in dem Text 1Thess 5,4–10 traditionelle Taufsprache anklingt: „Terminologie (vgl. z.B. Gal 3,26f.) und Bekenntnisformel (vgl. Röm 6,3ff.) weisen von V. 4 an auf die *Taufe* hin, wie schon die Formel ‚in Christus' 4,16 eine Anspielung auf das Getauftsein dieser Gestorbenen und die Formel in 4,14 eine Vorwegnahme der in 5,10 gewesen war."[2] Diese Feststellung gibt Anlaß zu der Frage, welche Wendungen, Termini oder Wortkombinationen des Abschnitts 1Thess 5,4–10 sich im einzelnen möglicherweise als Bestandteile einer vorpaulinischen Tauftradition erweisen lassen.

Auffällig ist zunächst der in 1Thess 5,4f. begegnende Gegensatz φῶς–σκότος, der sich zwar in den Paulusbriefen belegen läßt, paulinischer Diktion selbst jedoch nicht eigentümlich zu sein scheint[3]. Durchmustert man die Einzelbelege, so zeigt sich, daß an den wenigen Stellen, wo die Worte φῶς/φωτίζειν–σκότος aufeinander bezogen sind, geprägte Terminologie Verwendung findet.

Röm 2,19 (φῶς τῶν ἐν σκότει) handelt es sich vielleicht um ein jüdisches Zitat (vgl. Jes 42,6f.; 49,6; Weish 18,4)[4]. Die Aussage 1Kor 4,5 (ὃς καὶ φωτίσει τὰ κρυπτὰ τοῦ σκότους ...) entspricht jüdischer Ausdrucksweise — „man kann sich geradezu fragen, ob Paulus hier ein Apokryphon zitiert"[5]. An der 1Thess 5,4ff. terminologisch wie (in eingeschränktem Sinn) sachlich verwandten Stelle Röm 13,12 (ἔργα τοῦ σκότους — ὅπλα τοῦ φωτός; vgl. Röm 13,11ff.) dürfte übernommene Begrifflichkeit vorliegen[6]. Jüdischer Tradition entstammt vermutlich auch der aus Gen 1,3 in Verbindung mit Ps 111,4LXX oder Jes 9,1 gebildete Satz 2Kor 4,6: ἐκ σκότους φῶς λάμψει[7] (vgl. das Stichwort φωτισμός in 2Kor 4,4.6, das Paulus vielleicht aus dem Munde der korinthischen Enthusiasten übernahm)[8].

Evangelium bei Paulus, Diss. theol. Marburg 1967; P. STUHLMACHER, Das paulinische Evangelium, I. Vorgeschichte). Indessen fällt diese terminologische Fehlanzeige nicht ins Gewicht, wenn sich nachweisen läßt, daß die Ausführungen von 1Thess 5,4–10 gerade einer Explikation der *Sache* des paulinischen Evangeliums gelten.

[2] GA Bd. III, S. 121; vgl. ebd., S. 339ff.; ferner N. SCHNEIDER, a.a.O., S. 74, sowie G. BRAUMANN, Vorpaulinische christliche Taufverkündigung bei Paulus, S. 34f.

[3] Vgl. H. CONZELMANN, Grundriß der Theologie des Neuen Testaments, 2.Aufl. 1968, S. 360.

[4] Vgl. H. LIETZMANN, An die Römer (HNT 8/4. Aufl. 1933), S. 43; H. CONZELMANN, ThW Bd. VII, 443 und ebd. Anm. 170. 171.

[5] H. CONZELMANN, ThW Bd. VII, 443.

[6] Vgl. H. CONZELMANN, ebd.; K.G. KUHN, ThW Bd. V, 300 (und ebd. Anm. 23) in Verbindung mit 297ff.; O. MERK, a.a.O., S. 166; H. BRAUN, Qumran und das Neue Testament, Bd. I, S. 185f.

[7] Vgl. H. CONZELMANN, ThW Bd. VII, 442 und ebd. Anm. 162.

[8] Wegen der umstrittenen Echtheit des Stückes 2Kor 6,14–7,1 klammern wir die Stelle 2Kor 6,14 aus.

Die zuletzt genannte Stelle ist für unsere Fragestellung von besonderem Interesse. Wie ein Vergleich mit Apg 26,18; 1Petr 2,9 und Eph 5,8 zeigt, kennzeichnet die (an den genannten Stellen jeweils variierte) traditionelle Aussage vom Wechsel ‚Finsternis–Licht' im Zusammenhang urchristlichen Denkens eben jene Kehre, die sich für den Glaubenden mit der Taufe vollzogen hat und die „in Analogie zur Schöpfung verstanden" wird[9]. Man interpretiert die Taufe als eine Art Metabasis, durch welche der Glaubende aus dem Bereich der Finsternis in den des Lichtes gelangt (vgl. auch 1Clem 59,2; 2Clem 1,2.8). Als besonders instruktives Beispiel für dieses Verständnis des Taufgeschehens ist der Abschnitt Kol 1,12–14 zu nennen:

(V. 12) εὐχαριστοῦντες τῷ πατρὶ
τῷ ἱκανώσαντι ὑμᾶς (ἡμᾶς?) εἰς τὴν μερίδα
τοῦ κλήρου τῶν ἁγίων ἐν τῷ φωτί·
(V. 13) ὃς ἐρρύσατο ἡμᾶς ἐκ τῆς ἐξουσίας τοῦ σκότους
καὶ μετέστησεν εἰς τὴν βασιλείαν τοῦ υἱοῦ τῆς ἀγάπης αὐτοῦ,
(V. 14) ἐν ᾧ ἔχομεν τὴν ἀπολύτρωσιν,
τὴν ἄφεσιν τῶν ἁμαρτιῶν . . .

Nach E. Käsemann[10] liegt dem Text Kol 1,12–20 ein vorchristlicher Hymnus zugrunde, der christlich redigiert und zu einer Taufliturgie umgestaltet wurde. Die sich christlicher Redaktion verdankenden V. (12) 13f. repräsentieren den Anfang der Gemeindehomologie, die Käsemann auf das Ereignis der Taufe bezogen sieht[11]. Käsemanns Analyse des Textes ist umstritten[12]. Bezweifelt wird insonderheit seine These, nach welcher der Verfasser des Briefes die V. (12?) 13–14 „bereits mit dem Hymnus verbunden vorgefunden" hat[13]. Aber auch wo das Verhältnis zwischen den V. 12–14 und 15ff. anders

---

[9] H. Conzelmann, ThW Bd. VII, 442; auch Röm 13,12b dürfte bereits vor Paulus auf die Taufe bezogen gewesen sein (vgl. O. Michel, Der Brief an die Römer, MeyerK 4. Abt./13. Aufl. 1966, S. 330).

[10] Eine urchristliche Taufliturgie, in: ExVuB Bd. I, S. 34ff.

[11] Vgl. ebd., S. 44ff.; ferner Bultmann, NT (5. Aufl. 1965), S. 511f.

[12] Zur neueren Diskussion vgl. insonderheit H. Hegermann, Die Vorstellung vom Schöpfungsmittler im hellenistischen Judentum und Urchristentum, S. 88ff.; H.J. Gabathuler, Jesus Christus. Haupt der Kirche — Haupt der Welt; A. Feuillet, Le Christ. Sagesse de Dieu, S. 163ff.; N. Kehl, Der Christushymnus im Kolosserbrief; E. Schweizer, Kolosser 1,15–20, in: EKK 1, S. 7ff. (jetzt auch in: Beiträge zur Theologie des Neuen Testaments, S. 113ff.); R. Schnackenburg, Die Aufnahme des Christushymnus durch den Verfasser des Kolosserbriefes, in: EKK 1, S. 33ff.; R. Deichgräber, Gotteshymnus und Christushymnus in der frühen Christenheit, S. 78ff. 143ff.; K. Wengst, Christologische Formeln und Lieder des Urchristentums, Diss. theol. Bonn 1967 (Typoskript), S. 163ff.; E. Lohse, Die Briefe an die Kolosser und an Philemon (MeyerK 9. Abt./2. Bd., 14. Aufl. 1968), S. 66ff.; A. Vögtle, a.a.O., S. 208ff.

[13] ExVuB Bd. I, S. 37f.

beurteilt wird, besteht ein gewisser Konsensus darüber, daß *der Abschnitt Kol 1,12–14* traditionell geprägt ist und auf das Taufgeschehen anspielt[14]. Ja man wird trotz der geltend gemachten Einwände mit R. Schnackenburg Kol 1,12–14 — für sich genommen — als einen dem Verfasser bereits vorgegebenen und vorgeformten Tauftext verstehen dürfen, „der Gedanken aus dem Taufgeschehen, vielleicht der Taufliturgie, enthält"[15]. Dafür lassen sich immer noch die von Käsemann geltend gemachten (nach seiner Intention allerdings auf Kol 1,12–20 insgesamt zu beziehenden) Argumente ins Feld führen: „Sachlich ist die Errettung aus der Gewalt der Finsternis und das Versetztwerden in das Reich seines Sohnes zweifellos mit der Taufe erfolgt. Auch die verwandten Termini weisen auf solche Beziehung. Die Taufe trennt die beiden Machtsphären so, daß nur ein μεταστῆναι von einem zum andern führt. Himmel und Hölle stehen sich hier gegenüber, so daß das Motiv der Entrückung sinnvoll die sakramentale Funktion der Eingliederung in den neuen Herrschaftsbereich umschreibt. Als himmlisches Dasein wird der durch die Taufe geschaffene Zustand in der Wendung vom Erbteil der Heiligen im Licht V. 12 gekennzeichnet. Denn ‚im Lichte' liegt die Himmelswelt oder, wie Lohmeyer will, das Paradies."[16]

In diesem Zusammenhang ist darauf aufmerksam zu machen, daß nach Eph 5,8 diejenigen, die einst den Bereich der Finsternis konstituierten, also selbst σκότος waren[17], nun aber ἐν κυρίῳ als φῶς anzusprechen sind, τέκνα φωτός genannt werden (vgl. υἱοὶ φωτός, 1 Thess 5,5). Der Ausdruck τέκνα/υἱοὶ φωτός (Eph 5,8; 1 Thess 5,5) findet seine genaue Entsprechung in den Qumranschriften (vgl. b^{e}nê 'ôr 1 QS 1,9; 2,16; 3,13.24.25; 1 QM 1,9 u.a.) — eine Beobachtung, die einen traditionsgeschichtlich oder sogar literarisch bedingten Einfluß der Terminologie von Qumran auf den Sprachgebrauch der christlichen

---

[14] Vgl. E. Schweizer, in: EKK 1, S. 9f. sowie S. 9 Anm. 9. 10; Ders., Die Kirche als Leib Christi in den paulinischen Antilegomena, in: Neotestamentica, S. 293 Anm. 1; R. Schnackenburg, in: EKK 1, S. 42f.; R. Deichgräber, a.a.O., S. 82; K. Wengst, a.a.O., S. 164; E. Lohse, MeyerK 9. Abt./2. Bd., S. 74 sowie S. 77 Anm. 1.

[15] EKK 1, S. 43 (Schnackenburg schwankt allerdings bei der Entscheidung der Frage, ob V. 14 dem Tauftext zuzurechnen ist oder nicht — vgl. ebd.). Demgegenüber beurteilt R. Deichgräber den Abschnitt Kol 1,12–14 als ein „ad hoc geschaffenes Prosagebet" (a.a.O., S. 78; vgl. ebd., S. 143ff.).

[16] ExVuB Bd. I, S. 44; vgl. auch E. Schweizer, Die „Mystik" des Sterbens und Auferstehens mit Christus bei Paulus, in: Beiträge zur Theologie des Neuen Testaments, S. 187. 190.

[17] Die gnostisch klingende Aussage ἦτε γάρ ποτε σκότος erweckt den Anschein, „als werde der Mensch mit seinem Raum identifiziert" (H. Conzelmann, ThW Bd. VII, 443).

Gemeinde vermuten ließ[18] (vgl. auch Lk 16,8; Joh 12,36). Die Frage nach der religionsgeschichtlichen Herkunft der Wendung kann hier dahingestellt bleiben. Für unsere Untersuchung ist vor allem die Einsicht von Belang, daß der Ausdruck ‚Söhne (Kinder) des Lichtes' in der christlichen Gemeinde offensichtlich liturgisch als Name der Getauften[19] Verwendung fand (vgl. Eph 5,8). Berücksichtigt man nun, daß der Gebrauch von φῶς/φωτίζειν–σκότος an den übrigen paulinischen Belegstellen keine Spracheigentümlichkeit des Apostels darstellt, sondern jeweils durch die Übernahme traditionell geprägter Aussagen bedingt ist[20], wird man die Verwendung des Gegensatzes φῶς–σκότος in 1 Thess 5,4f. wie auch die der Wendung υἱοὶ φωτός (1 Thess 5,5a) ebenso auf die Rezeption überlieferter Redeweise zurückführen dürdürfen. Und zwar gehört diese Redeweise, wie aus den genannten Be-

---

[18] Zur Sache vgl. das Resümee der Diskussion bei H. Braun, Qumran und das Neue Testament, Bd. I, S. 90f. (zu Lk 16,8), S. 127f. (zu Joh 12,35f.), S. 219ff. (zu Eph 5,3–11), S. 234 (zu 1 Thess 5,4–8); ferner J. Becker, Das Heil Gottes, S. 241f. (nach P. v. d. Osten-Sacken, Gott und Belial, S. 80ff., leitet sich der Licht-Finsternis-Dualismus in Qumran traditionsgeschichtlich von der alttestamentlichen Jom-Jahwe-Überlieferung her; vgl. Am 5,18–20). Zu beachten gilt, daß Paulus 1 Thess 5,5 im Unterschied zur Ausdrucksweise von Qumran *nur* von den ‚Söhnen des Lichts' spricht, diese also *nicht* den ‚Söhnen der Finsternis' konfrontiert. So warnt A. Strobel (im Blick auf 1 Thess 5,1ff.) überhaupt vor „einem vorschnellen Verweis auf Qumran" (Untersuchungen..., S. 113 Anm. 1) und möchte eher Weish 17–18,5 als Hintergrund für die paulinische Ausdrucksweise beanspruchen (vgl. ebd., S. 112f.). Im übrigen sollte man angesichts der Sachparallelen aus den Qumranschriften nicht den Blick dafür verlieren, daß der Gegensatz Licht–Finsternis ebensosehr für ein genuin gnostisches Denken konstitutiv ist, wenn sich auch dort das Interesse primär auf φῶς konzentriert und dualistische Begrifflichkeit „nur in einem relativ klar abgegrenzten Bezirk" (H. Conzelmann, ThW Bd. VII, 435) auftritt (zur Sache vgl. Bultmann, NT, 5. Aufl. 1965, S. 177; Ders., MeyerK, 2. Abt./14. Aufl. 1956, S. 272 Anm. 1; Ders., Zur Geschichte der Lichtsymbolik im Altertum, in: Exegetica, S. 342ff. 349ff.; H. Conzelmann, a.a.O., 434ff. — der Ausdruck ‚Lichtsöhne' ist vielleicht ThEv Spr. 50 — vgl. Spr. 24 — vorausgesetzt; s. dazu R. M. Grant/D. N. Freedman, Geheime Worte Jesu, S. 151; Ph. Vielhauer, in: Aufsätze zum Neuen Testament, S. 229ff.; W. Schrage, Das Verhältnis des Thomasevangeliums zur synoptischen Tradition..., S. 84f. — s. jetzt auch H. Conzelmann, ThW Bd. IX, 336 und ebd. Anm. 379, ferner 338 Anm. 303). Zurückhaltend äußert sich auch H. Braun zur Frage nach der Herkunft der paulinischen Licht–Finsternis-Terminologie: „... der paulinische Licht–Finsternis-Dualismus ist nicht alttestamentlich und geht nicht auf Jesus von Nazareth zurück; seine präzise religionsgeschichtliche Heimat scheint aber auch nicht Qumran speziell zu sein, denn andere hellenistisch-orientalische religiöse Aussageweisen stehen manchen paulinischen Formulierungen näher" (a.a.O., S. 186 — zu Röm 13,12–14; vgl. auch P. Benoit, Qumrân et le Nouveau Testament, NTS VII/1960–61, 289).

[19] Vgl. E. Fuchs, GA Bd. III, S. 343.

[20] Vgl. auch R. Deichgräber, a.a.O., S. 79f.

legen Apg 26,18; 1Petr 2,9; Eph 5,8; Kol 1,12f. (vgl. 2Kor 4,6; Röm 13,12b) ersichtlich, wohl in den Bereich einer auf die Taufe bezogenen Bekenntnistradition[21].

Als der überlieferten Taufsprache zugehörig ist vielleicht auch das auffällige πάντες in 1Thess 5,5a zu beurteilen. Darauf läßt insonderheit ein Vergleich mit Gal 3,26–28 schließen, wo Paulus ebenfalls im Anschluß an geprägte Tauftradition formuliert. Dort begegnet nicht nur die dem Ausdruck υἱοὶ φωτός (1Thess 5,5a) sachlich ebenbürtige Wendung υἱοὶ θεοῦ als Bezeichnung der Getauften, sondern auch das die Getauften zusammenschließende πάντες (vgl. Gal 3,26.28b). Mit Recht verweist E. FUCHS bei der Interpretation von 1Thess 5,4f. auf Gal 3,26ff. und bemerkt: „Der Ausdruck ‚Söhne', nämlich Gottes, gehört bei Paulus offenbar in die ihm überlieferte, kultisch ein πάντες anvisierende Taufsprache; Gal 3,26: ‚Denn alle seid ihr Söhne Gottes' (vgl. auch 1.Kor 10,1–4). Diese Söhne Gottes sind für Paulus und seine Gemeinde(!) *eschatologische Personen*, Gottes neue Kreatur, 2.Kor 5,17; Röm 8,14; — Röm 8,29 nennt er sie ‚gleichgestaltet (wir müssen wohl übersetzen: gleichen Wesens) mit dem Bild seines (nämlich Gottes) Sohnes'. Nach Gal 3,28 sind sie ‚alle' ‚Einer in Christus Jesus', d.h. nach Röm 8,29 dadurch bestimmt, daß Christus, in den sie hineingetauft sind, Röm 6,3, der ‚Erstgeborene bei vielen Brüdern' geworden ist."[22]

Beachtung verdient in diesem Zusammenhang ferner der in 1Thess 5,5a mit (πάντες . . . ὑμεῖς) υἱοὶ φωτός verbundene präsentische Indikativ ἐστέ (vgl. οὐκ ἐστὲ ἐν σκότει, V. 4; οὐκ ἐσμὲν νυκτὸς οὐδὲ σκότους, V. 5b; ἡμεῖς δὲ ἡμέρας ὄντες, V. 8a). Die sachlich ein ἤδη implizierende Aussage πάντες (γὰρ) ὑμεῖς υἱοὶ φωτός ἐστε überrascht insofern, als sie das allererst von der eschatologischen Zukunft zu erwartende Sein des υἱὸς φωτός bereits in der Gegenwart für die Glaubenden beansprucht. Es hat den Anschein, als sei dieser die Präsenz des eschatologischen Seins hervorhebende Indikativ gleichfalls in eben jener Tradition verankert, die das Heil als ein durch den Akt der Taufe bereits inszeniertes Geschehen versteht[23] und betont geltend macht, daß die Getauften schon jetzt als ‚eschatologische Personen' (E. FUCHS), als neue Kreatur (2Kor 5,17), ansprechbar sind. Wie ein Blick auf Gal 3,26–28 (vgl. Röm 8, 14–17) zeigt, begegnen ähnliche indikativisch formulierte Aussagen, die auf die Präsenz des eschatologischen Seins der ‚Söhne' (Gottes) abheben, bei Paulus auch sonst in Zusammenhängen, denen ältere

---

[21] Vgl. auch E. KÄSEMANN, RGG³ II, 994; zur Sache s. H. MALMEDE, Die Lichtsymbolik im Neuen Testament, Diss. phil. (Typoskript-Auszug) Köln 1960, S. 63ff.

[22] GA Bd. III, S. 339f.

[23] Zur Sache vgl. J.M. ROBINSON, ZThK 62/1965, 304f.

Tauftradition vorausliegt oder in denen Taufsprache anklingt (vgl. Röm 5,1[24])[25].

Wenn es sich als richtig erweisen sollte, daß 1 Thess 5,5aα (πάντες ... ὑμεῖς υἱοὶ φωτός ἐστε) die präsentische Eschatologie einer vorpaulinischen Tauftradition repräsentiert, gewinnt eine weitere, *1 Thess 5,9f.* betreffende Beobachtung an Gewicht. Einige Indizien sprechen dafür, daß der Formulierung von 1 Thess 5,9f. ein geprägtes Bekenntnis (bzw. Bekenntnisfragment) zugrunde liegt (zu beachten sind die präpositionalen Wendungen διὰ τοῦ κυρίου ἡμῶν Ἰησοῦ Χριστοῦ, V. 9; περὶ[26] ἡμῶν bei der Sterbensaussage, V. 10; ferner der Partizipialstil in V. 10a[27] sowie das einleitende ὅτι[28]). Paulus scheint die ihm überlieferte Homologie durch die Ergänzung von εἴτε ... εἴτε ... in V. 10b auf die Briefsituation appliziert, andererseits durch die Einführung der Antithese in V. 9 (οὐκ ... ἀλλά) theologisch präzisiert zu haben[29]. Als paulinische Interpretamente heben sich somit zunächst das εἴτε γρηγορῶμεν εἴτε καθεύδωμεν (einschließlich des ἅμα vor σύν[30], V. 10b) sowie der Satzteil οὐκ ... εἰς ὀργὴν ἀλλά (V. 9) heraus. Doch auch die auf ἀλλά folgende Position εἰς περιποίησιν σωτηρίας entspricht möglicherweise nicht mehr dem Wortlaut der Tradition. Zur Vorlage wird man zwar mit Sicherheit εἰς περιποίησιν zu rechnen haben, da περιποίησις innerhalb der gemeinhin als echt erkannten Paulusbriefe Hapaxlegomenon ist. Aber der Genitiv σωτηρίας könnte von Paulus als Gegenüber zu ὀργή und im Anschluß an V. 8 eingebracht sein, wo das Wort bereits im Zitat aus Jes 59,17 begegnet. Zu fragen bleibt dann allerdings, welcher Begriff durch σωτηρία ersetzt wurde. Sehr aufschlußreich ist ein Blick auf die Sachparallele 2 Thess 2,13f. Dort wird ähnlich wie

---

[24] Vgl. E. Fuchs, Die Freiheit des Glaubens, S. 116ff.

[25] Auch bei den Verben γρηγορεῖν und νήφειν (vgl. 1 Thess 5,6.8 mit 1 Petr 5,8; Kol 4,2; 2 Tim 4,5 u.a.) handelt es sich vermutlich um „paränetische Taufterminologie" (E. Fuchs, GA Bd. III, S. 341). Das in 1 Thess 5,8 begegnende ἐνδύσασθαι findet sich ebenfalls in Taufzusammenhängen (vgl. Gal 3,27 mit Röm 13,12.14), ist in der vorliegenden Formulierung allerdings Teil des Zitats aus Jes 59,17. Zur Gewandvorstellung bei Paulus und zu deren religionsgeschichtlichem Hintergrund vgl. E. Brandenburger, Adam und Christus, S. 77–157 (passim); H. Löwe, a.a.O., S. 68ff.

[26] Die Überlieferung ist nicht einheitlich; περί wird von B, א* sowie der Min 33 bezeugt, einige Hss. lesen ὑπέρ. K. Wengst (a.a.O., S. 73) vermutet, daß schon die vorpaulinische Formel mit der Variante περί gebraucht wurde (vgl. ebd., § 3 Anm. 6).

[27] Vgl. E. Norden, a.a.O., S. 380f. (vgl. ebd., S. 166ff. 201ff.); ferner G. Schille, Die Liebe Gottes in Christus, ZNW 59/1968, 235.

[28] Vgl. U. Wilckens, Die Missionsreden der Apostelgeschichte, S. 76 Anm. 1; E. Norden, ebd., S. 271. Möglicherweise entspricht auch ἵνα (V. 10) geprägtem Bekenntnisstil (vgl. Röm 6,4).

[29] Dazu s. ausführlich u. S. 143ff.

[30] Siehe o. S. 43 Anm. 20.

1 Thess 5,9 die ‚Erwählung' der Glaubenden thematisiert (vgl. εἵλατο, 2 Thess 2,13, mit ἔθετο, 1 Thess 5,9). Diese Erwählung geschieht εἰς σωτηρίαν (2 Thess 2,13). 2 Thess 2,14 expliziert diesen Sachverhalt unter Hinweis auf die göttliche Berufung der Glaubenden[31], die ihrerseits εἰς περιποίησιν δόξης (διά?[32]) τοῦ κυρίου ἡμῶν Ἰησοῦ Χριστοῦ erfolgt[33]. Im Blick auf die zuletzt genannte Formulierung von 2 Thess 2,14b wird man mit allem Vorbehalt die Möglichkeit in Rechnung stellen dürfen, daß der Genitiv σωτηρίας in 1 Thess 5,9 ein ursprünglich vorauszusetzendes δόξης verdrängt haben könnte[34]. Das Bekenntnis hätte dann den Sachverhalt festhalten wollen, daß die Glaubenden διὰ τοῦ κυρίου ἡμῶν Ἰησοῦ Χριστοῦ zum Gewinn, ja zum Besitz der δόξα bestimmt sind — eine Aussage, die 2 Thess 2,14 noch unverstellt zur Geltung kommt.

Daß ein derartiger Rekonstruktionsversuch der vorpaulinischen Tradition von 1 Thess 5,9f. nicht abwegig ist, erhellt aus folgender Überlegung. Der dem Bekenntnisstil entsprechende Aorist ἔθετο, der im vorliegenden Zusammenhang nicht unmittelbar christologisch (vgl. das προέθετο Röm 3,25), sondern soteriologisch akzentuiert ist, erinnert an gewisse prädestinatianische Aussagen des Römerbriefes[35]. Zu verweisen ist insbesondere auf den Abschnitt Röm 8,28–30, dem aller Wahrscheinlichkeit nach das Fragment eines vorpaulinischen Taufliedes zugrunde liegt[36]. Dieses Lied feiert die Erwählung, Berufung und

---

31 Vgl. Bultmann, NT (5. Aufl. 1965), S. 512f.

32 E. v. DOBSCHÜTZ (a.a.O., S. 300) empfindet die Verbindung der zwei artikellosen Substantive (περιποίησις, δόξα) mit der „so wuchtig determinierenden" christologischen Formel als auffällig und fragt: „sollte nach δόξης ein διά ausgefallen sein? Dann wäre die Wendung I (sc. Thess) 5,9 noch ähnlicher."

33 Vgl. Röm 9,23 (s. dazu U. LUZ, a.a.O., S. 248f.).

34 Für die vermutete paulinische Korrektur der Tradition lassen sich sachliche Gründe anführen (s. dazu ausführlich u. S. 143ff.). Für Paulus ist zwar gerade „die Begabung mit der göttlichen δόξα der positive Inhalt der σωτηρία" (so W. FOERSTER, ThW Bd. VII, 993, mit Verweis auf Röm 5 und 8, 30), doch hätte er seiner eigenen Intention zuwidergehandelt, wenn er nach dem in den V. 4–8 Gesagten unkritisch eine Tradition zitiert hätte, welche die Getauften schon in der Gegenwart *vorbehaltlos* des Heils versicherte und damit außer acht ließ, daß auf die „unparadoxe Epiphanie der δόξα" (E. GÜTTGEMANNS, a.a.O., S. 247, zu Phil 3,20f.) noch zu warten ist.

35 L. MATTERN orientiert sich bei der Interpretation d.St. an Röm 9,22f. (vgl. a.a.O., S. 78f.). Zu τιθέναι vgl. R. BULTMANN, MeyerK 2. Abt./14. Aufl. 1956, S. 420 Anm. 2.

36 Vgl. G. SCHILLE, Frühchristliche Hymnen, S. 89f.; DERS., ZNW 59/1968, 231; J. JERVELL, Imago Dei, S. 275 Anm. 359. Zurückhaltend urteilt U. LUZ, a.a.O., S. 251f.; er stellt den traditionellen Charakter der Prädestinationsaussagen Röm 8,28–30 fest und erwägt deren Herkunft aus der Taufsprache (vgl. E. FUCHS, Die Freiheit des Glaubens, S. 113), bemerkt jedoch einschränkend: „Daß sie Bestandteil einer Liturgie, eines Bekentnisses oder einer Doxologie

Rechtfertigung, ja die im Akt der Taufe bereits vollzogene Verherrlichung der Getauften (ἐδόξασεν, V. 30c). Daß die Getauften schon jetzt ‚zum Glanz gebracht sind‘, ist die triumphale Feststellung, in der die catena aurea von V. 29f. gipfelt. Derselben Gewißheit könnte das (dann ebenfalls auf die Taufe zu beziehende) vorpaulinische Bekenntnis Ausdruck geben, das hinter 1Thess 5,9f. zu vermuten ist:

. . . ὅτι
ἔθετο ἡμᾶς ὁ θεὸς εἰς περιποίησιν <δόξης>
διὰ τοῦ κυρίου ἡμῶν Ἰησοῦ Χριστοῦ,
τοῦ ἀποθανόντος περὶ (ὑπὲρ) ἡμῶν,
ἵνα σὺν αὐτῷ ζήσωμεν.

Das Geschick der Getauften ist der Empfang der ζωή[37] des Kyrios, nämlich der Gewinn jener δόξα, die dem ‚Glanz‘ des Erhöhten entspricht[38]. Wer aber infolge der Taufe an dieser δόξα bereits Anteil erhält, empfängt den neuen Namen eines υἱὸς φωτός (1Thess 5,5aα). Der in 1Thess 5,9 vielleicht zu supponierende Begriff δόξα könnte somit die Brücke bilden zwischen der vorpaulinischen Bekenntnistradition in 1Thess 5,9f. (vgl. Röm 8,29f.) und der ebenfalls auf vorgegebene Überlieferung zurückgehenden Aussage 1Thess 5,5aα[39]. Nicht anders als 1Thess 5,5aα pointiert das auf dem Umweg über 2Thess 2,13f. erschlossene Bekenntnis von 1Thess 5,9f. die in der Taufe begründete Heilsgewißheit der Glaubenden (vgl. außer Röm 8, 28–30 auch Röm 8,38f.; 1Kor 6,11; 2Kor 5,17; Gal 3,26–28; ferner

---

waren, ist nicht mehr beweisbar“ (ebd., S. 252). Zu Röm 8,28–30 vgl. auch E. Dinkler, Prädestination bei Paulus, in: Signum Crucis, S. 247ff., sowie H. R. Balz, Heilsvertrauen und Welterfahrung, S. 102ff., bes. S. 108. 113.

[37] Die Frage, ob ζήσωμεν (1Thess 5,10 fin.) präsentisch oder futurisch gemeint ist, wäre hinsichtlich der Intention des vorpaulinischen Bekenntnisses eindeutig im ersteren Sinn zu entscheiden.

[38] Vgl. dazu den Eph 5,14 zitierten Taufhymnus sowie die Ausführungen von J. M. Robinson, ZThK 62/1965, 307 Anm. 18, zu De resurr. 45,24–35.

[39] Ob und wie die Aussagen 1Thess 5,5aα und 5,9f. (rekonstruierter Text) einmal zusammenhingen, muß offenbleiben. Ein festgefügtes Bekenntnisformular läßt sich 1Thess 5,4ff. kaum erschließen. Bei den hier herausgestellten Sätzen handelt es sich bestenfalls um Rudimente einer vorpaulinischen Tauftradition. E. Fuchs gibt (GA Bd. III, S. 343) — allerdings mit äußerster Zurückhaltung — der Vermutung Ausdruck, daß Paulus in 1Thess 5,5ff. „ein Stück aus der Taufliturgie (zitiert), die umgestellt sein wird“: „sieht man von V. 7, V. 8a, dem εἴτε . . . εἴτε . . . in V. 10, wohl auch von den υἱοὶ ἡμέρας in V. 5a ab, so könnten die Verse 5a, 9, 10, 8b (dieser verkürzt) eine liturgisch geordnete, bei Paulus chiastisch umgestellte Reihenfolge hergeben“. Wir lassen diese Rekonstruktion einer vorgegebenen Ordnung (mit Fuchs) dahingestellt, zumal die Zuweisung von V. 8b in einen liturgischen Zusammenhang Schwierigkeiten bereitet (paulinisch akzentuierte Anspielung auf Jes 59,17; s.o. Anm. 25). Unsere Erwägungen knüpfen hinsichtlich V. 5aα und V. 9f. an die Beobachtungen von E. Fuchs an, modifizieren jedoch das Ergebnis seiner Analyse von V. 9f.

Eph 2,5f.; 5,8.14; Kol 1,12f.; 2,12f.). Was G. SCHILLE im Blick auf die von Paulus in Röm 8,28–30.38f. verwendeten hymnischen Fragmente feststellt, gilt auch für die hinter 1Thess 5,5aα und 5,9f. stehende Taufüberlieferung: „Nach der von Paulus aufgearbeiteten Tradition treffen Alter und Neuer Äon ... in der Taufe aufeinander. Denn die Taufe ist der Griff Gottes nach dem Menschen, wobei im Kampf mit den widergöttlichen Mächten der Täufling mit Christus stirbt, aber durch den Eingriff Gottes wie und mit Christus erweckt und damit dem Zugriff dieser Mächte entrissen wird ... Man wird den Triumphgesang auf die Liebe Gottes in Christus erst von der Einsicht aus richtig verstehen, daß die Getauften dem Zugriff der Mächte dieser Welt entzogen worden sind. Bedrohliche ‚künftige' Mächte sind schlechterdings undenkbar. Das Jüngste Gericht hat, falls es überhaupt in der Tauftradition eine Rolle gespielt hat, jedenfalls keine bedrohliche Wirkung für den Getauften."[40]

b) *Die paulinische Intention*

Im Folgenden soll der Abschnitt 1Thess 5,4–10 auf die theologische Absicht des Apostels hin befragt und analysiert werden. Dabei ist zu prüfen, in welcher Weise Paulus die ihm überlieferte Tauftradition geltend macht.

aa) Die Ansage des Zeitenwechsels (V. 4f.)

Der betont an die Gemeinde selbst gerichtete Abschnitt beginnt mit einer Reihe indikativisch formulierter Aussagen, die — wie bereits angedeutet — das eschatologische Sein der Getauften explizieren. Vers 4 gibt zunächst indirekt zu verstehen, daß sich die in V. 2f. ausgesprochene Drohung nur auf jene bezog, die sich noch ‚in Finsternis' befinden. Da das Kriterium des ἐν σκότει εἶναι auf die Glaubenden als Getaufte nicht mehr zutrifft, sind diese von der zuvor geltend gemachten ‚Absage' ausgenommen: „Ein dem Diebe Vergleichbares kann die Getauften nicht mehr packen, V. 4, weil sie wie ihr Herr, der ihnen vorausgegangene ‚Sohn', gar nicht mehr im Bereich von Nacht und Finsternis ‚sind'."[1] Was der Indikativ οὐκ ἐστὲ ἐν σκότει positiv besagt, entfaltet begründend (γάρ!) V. 5a: πάντες γὰρ ὑμεῖς υἱοὶ φωτός ἐστε καὶ υἱοὶ ἡμέρας. Paulus knüpft an eine Wendung der ihm vorge-

[40] ZNW 59/1968, 243; vgl. J.M. ROBINSON, ZThK 62/1965, 304ff.; E. KÄSEMANN, Der Ruf der Freiheit, S. 87f.

[1] E. FUCHS, GA Bd. III, S. 340f. In V. 4 vertritt ἵνα einen Infinitiv der Folge (vgl. Bl-Debr § 391,5). Auch an dieser Stelle dürfte ὡς κλέπτης wie in V. 2b zur Präzisierung des Verbs (in diesem Fall καταλάβῃ) verwendet sein, so daß zumindest als fraglich erscheint, ob man wie B. RIGAUX (a.a.O., S. 561) behaupten kann: "C'est ici que le jour devient le voleur."

gebenen Taufüberlieferung an (πάντες ... ἐστε), präzisiert das traditionelle υἱοὶ φωτός aber durch die analog gebildete Hinzufügung (καὶ) υἱοὶ ἡμέρας. Vers 5b wiederholt das in V. 5a Gesagte in negativer, die Konstruktion wiederum variierender Formulierung: οὐκ ἐσμὲν νυκτὸς οὐδὲ σκότους[2].

Für das Verständnis des Aussagewillens von V. 5 sind folgende Beobachtungen von Belang:

(1) Paulus modifiziert die traditionelle Unterscheidung von Licht und Finsternis als einander räumlich entgegenstehender Machtsphären[3] dadurch, daß er den Gegensatz von φῶς und σκότος mit dem von ἡμέρα und νύξ chiastisch verschränkt[4]. Wie E. FUCHS treffend bemerkt, deutet die „chiastische Wortstellung von Licht, Tag, Nacht und Finsternis (Rigaux) in V. 5 ... darauf hin, daß es nicht bloß auf den *Gegensatz* von Licht und Finsternis, sondern gerade auch wie bei Tag und Nacht auf den *Übergang* vom Finsteren ins Helle ankommt (vgl. Röm 13,11f.)“[5]. Paulus „kombiniert beide Blickrichtungen, die auf die Unterscheidung zweier Bereiche und die auf den Wechsel von ihnen gerichtete“[6]. Die Finsternis erscheint somit nicht nur als ein der Lichtsphäre gegenüberstehender, sondern eben auch und vor allem als *vorübergehender*, durch den Aufgang des Lichts bereits *verdrängter* Bereich. Auf Grund dieser Erwägungen ist ersichtlich, daß die negative Formulierung von V. 5b nicht als ein eigentlich überflüssiger, allenfalls der Bekräftigung von V. 5a und als Vorbereitung der Paränese V. 6ff. (vgl. 1. Pers. Pl.[7]) dienender Zusatz anzusehen ist. Hätte sich Paulus mit der Aussage V. 5a begnügt, wäre zwar der Gesichtspunkt des *Antagonismus* der beiden Bereiche (vgl. V. 4a mit V. 5a), weniger jedoch der des *Situationswechsels* zum Tragen gekommen (vgl. auch den Übergang von V. 7 zu V. 8a mit dem Wechsel der Genitive νυκτός, V. 7 – ἡμέρας, V. 8a).

---

[2] P. HOFFMANN (a.a.O., S. 229 Anm. 118) beobachtet richtig, daß die Wortwahl in den V. 4–8 (10) an die Ausdrucksweise von V. 2b (vgl. den t.t. ἡμέρα κυρίου und das Bild κλέπτης ἐν νυκτί) anschließt: „Diese beiden antithetischen Begriffe veranlassen eine weitere Abwandlung. So wird das ἐν νυκτί (5,2) durch ἐν σκότει (5,4a) aufgenommen. Antithetisch dazu und parallel zu ἡμέρα sind die υἱοὶ φωτός genannt. Dem Bildwert von ἡμέρα und νύξ entsprechen die verbalen Aussagen: καθεύδειν und γρηγορεῖν (5,6). Letzteres assoziiert νήφειν. Antithetisch zu γρηγορεῖν und νήφειν bringt 5,7 καθεύδειν und μεθύσκεσθαι. 5,10 nimmt schließlich γρηγορεῖν und καθεύδειν in neuer übertragener Bedeutung auf.“

[3] Vgl. H. CONZELMANN, ThW Bd. VII, 433. 443; E. KÄSEMANN, ExVuB Bd. I, S. 44; E. LOHSE, MeyerK 9. Abt./2. Bd., 14. Aufl. 1968, S. 71ff.

[4] Auf die in V. 5 vorliegende Stilfigur des Chiasmus hatte vor B. RIGAUX (vgl. a.a.O., S. 563) bereits E. v. DOBSCHÜTZ, a.a.O., S. 208, aufmerksam gemacht.

[5] GA Bd. III, S. 341 (Hervorhebungen von mir).

[6] E. FUCHS, ebd.

[7] Siehe o. S. 17 Anm. 11.

(2) Die Ausdrucksweise von V. 5b könnte allerdings noch auf ein weiteres paulinisches Sachanliegen hinweisen. Auffällig ist, daß Paulus in V. 5b die nach V. 4a eigentlich zu erwartende Formulierung οὐκ ἐσμὲν ἐν νυκτὶ οὐδὲ ἐν σκότει vermeidet. Die Konstruktion von εἶναι mit Genitiv wird wohl auch durch die Ausdrucksweise von V. 5a (υἱός mit Genitiv der Zugehörigkeit [8]) mitbedingt sein [9]. Trotzdem bleibt mit E. FUCHS zu erwägen, ob Paulus nicht bewußt „das ἐν in V. 4 überbieten" [10] und durch die Verwendung des Genitivs ein *temporales* Moment in den Zusammenhang einbringen wollte [11]. Der temporale Akzent, der in der Zwischenbemerkung V. 7 ausdrücklich geltend gemacht wird (vgl. den zweifachen Genitiv νυκτός [12]), könnte bereits in V. 5b mitschwingen (vgl. auch V. 8a). Vers 5b gäbe dann dem Sachverhalt Ausdruck, daß die Glaubenden infolge der Taufe nicht mehr der *Zeit* der Nacht bzw. der Finsternis angehören [13]. Die paulinische Intention zielte darauf ab, die neue Situation der Getauften nicht nur im Sinne der Tradition auf eine Veränderung des Ortes, sondern auch auf einen Wechsel der Zeit zurückzuführen.

(3) Daß Paulus den Zeitaspekt gegenüber einer stärker in Raumkategorien denkenden Tauftradition hervorheben will, zeigt schließlich die das υἱοὶ φωτός präzisierende Hinzufügung (καὶ) υἱοὶ ἡμέρας (V. 5a). Der Ausdruck ist im biblischen Griechisch nicht nachweisbar [14] und von Paulus vermutlich selbst im Anschluß an die vorhergehenden, thematisch auf die ἡμέρα κυρίου bezogenen Aussagen gebildet. Der auffällige Sachverhalt, daß das Wort ἡμέρα nun — anders als im Abschnitt V. 1–3(4) — mit φῶς kombiniert und dem seinerseits von σκότος begleiteten Terminus νύξ antithetisch gegenübergestellt wird [15], hat den Exegeten des Textes immer wieder zu denken gegeben. Die neueren Auslegungsversuche d. St. lassen sich weitgehend von der durch E. v.

---

[8] Vgl. Bl-Debr § 162,6.

[9] Prädikative Verwendung zum Ausdruck der Zugehörigkeit (Bl-Debr § 162,7; vgl. § 162,6).

[10] GA Bd. III, S. 341 Anm. 4.

[11] Vgl. ebd.

[12] Vgl. Bl-Debr § 186,2 (Gen. temporis).

[13] Vgl. E. FUCHS, GA Bd. III, S. 341.

[14] Vgl. B. RIGAUX, a.a.O., S. 562; E. LÖVESTAM, a.a.O., S. 52.

[15] Im Blick auf den verschiedenartigen Gebrauch von ἡμέρα in den V. 2 und 5 scheint die Aussage von V. 4 die Funktion eines ‚Gelenks' zu übernehmen, das die eine Redeweise mit der anderen ausgleicht; denn ἡμέρα begegnet in dem auf V. 2b zurückweisenden ἵνα-Satz (V. 4b) eben wie V. 2b als t. t., aber ohne den Genitiv κυρίου und bezeichnenderweise im Gegensatz zu ἐν σκότει (V. 4a), das eine neue Blickrichtung andeutet und seinerseits auf V. 5 vorausweist. Vgl. Ch. MASSON, a.a.O., S. 68: "Ici s'amorce un glissement dans la signification de ἡμέρα = jour qui sera réalisé dans les v. 5ss." Siehe auch E. LÖVESTAM, a.a.O., S. 51.

DOBSCHÜTZ vertretenen Ansicht leiten, nach der sich die gegenüber den V. 2(4) überraschende Verwendung von ἡμέρα in V. 5 (vgl. V. 8a) als ein Wortspiel erklärt, das zwischen *eschatologischer* Belehrung und *ethischer* Anweisung vermitteln und den Übergang vom einen zum anderen Abschnitt (vgl. V. 2–5 mit V. 6–8) erleichtern soll: „Ist Licht der unmittelbare Gegensatz zu Finsternis und das geläufige Bild für das Sittliche im Gegensatz zur Sünde, so fügt der Zusatz ‚und Tagesmenschen' den Gedanken dem eschatologischen Bilde ein, wieder mit den Bedeutungen von ἡμέρα spielend (ähnlicher Übergang vom eschatologischen zum ethischen Röm 13,12f.), und so die Brücke schlagend zum Gedanken des Wachens."[16] Zustimmend äußert sich B. RIGAUX: "Il est bien certain que cette expression (sc. καὶ υἱοὶ ἡμέρας) est venue à la pensée de Paul, parce qu'il s'agit, dans tout le passage, du jour du Seigneur. Mais sont-ils vraiment les fils du 'jour', de la parousie? Milligan et Frame le pensent. Von Dobschütz, plus prudent, estimerait que Paul joue sur le mot et que celui-ci fait le pont entre l'attente et la vigilance. Cela me semble plus correct."[17]

Diese Auslegung der Stelle vermag indessen darum nicht zu überzeugen, weil sie den Abschnitt V. 2–5 als eine in sich geschlossene Einheit versteht[18], also die Zäsur zwischen V. 3 und V. 4 übersieht und somit auch die zwischen den Aussagen der V. 2f. und 4f. waltende sachliche Differenz verkennt. Nimmt man hingegen die Wende wahr, die der Gedankengang durch den Übergang von V. 2f. zu V. 4f. erfährt, und beachtet man, daß V. 4f. im Gegenzug zu V. 2f. formuliert ist, so läßt sich die nach V. 2(4) befremdlich wirkende Verwendung von ἡμέρα in V. 5 nicht mehr als simples Wortspiel erklären, das die Brücke bildet ‚entre l'attente et la vigilance' (B. RIGAUX). Paulus macht vielmehr von der eigenartigen Ambivalenz des Wortes (1. negativ = Gerichtstag; 2. positiv = Licht, Heil) Gebrauch, um den Kontrast zwischen dem alten Wesen der Welt (vgl. V. 2f.) und dem neuen Sein der Getauften zur Sprache zu bringen: *Dieselbe eschatologische Zukunft (ἡμέρα), die der selbstsicheren Welt unheilvoll bevorsteht, erweist sich zugleich als der heilvolle Bestimmungsgrund*[19] *der Existenz der*

---

[16] E. v. DOBSCHÜTZ, a.a.O., S. 208; ebenso R.L. STACHOWIAK, Die Antithese Licht-Finsternis — ein Thema der paulinischen Paränese, ThQ 143/1963, 409; O. MERK, a.a.O., S. 55.

[17] A.a.O., S. 562f.

[18] So ausdrücklich E. v. DOBSCHÜTZ; vgl. seine Angaben zur Disposition des Textes: V. 1 Thema (a.a.O., S. 203); V. 2–5 Ausführung (a.a.O., S. 204); V. 6–8 Mahnung (a.a.O., S. 208).

[19] Vgl. R. BULTMANN, MeyerK 2. Abt./14. Aufl. 1956, S. 271 Anm. 6 (zu Joh 12,36): „Der Begriff des Sohnes (oder Kindes) mit dem Gen. der Sache bezeichnet nach semitischem Sprachgebrauch die Zugehörigkeit zu und *Bestimmtheit durch* die betr. Sache" (Hervorhebung von mir).

Getauften. Wie E. FUCHS zutreffend urteilt, verliert das Wort ‚Tag' in V. 5 also „keineswegs seinen eschatologischen, d.h. futurischen Akzent, der ja in V. 2 ausschlaggebend war"[20]. Nur wird an dieser Stelle im Unterschied zu den vorhergehenden Aussagen (V. 2f.) die mit dem Wort ἡμέρα bezeichnete und als Zeit des (gekreuzigten) Herrn qualifizierte eschatologische Zukunft positiv als Seinsgrund der christlichen Existenz in Anspruch genommen[21]. „Gemeint ist eine Paradoxie: daß die Zeit in der Zeit wechselte."[22] Denn die Getauften sind schon gegenwärtig als ‚eschatologische Personen' ansprechbar, deren Existenz in sich zukünftig ist[23]. Sie gehen der Zukunft als solche entgegen, die bereits aus der Zukunft ‚sind', sofern sie sich die eschatologische Zeit des Herrn als den Bestimmungsgrund ihrer Existenz ansagen lassen[24].

---

[20] GA Bd. III, S. 341; vgl. E. LÖVESTAM, a.a.O., S. 51ff. (s. auch W. MARXSEN, Einleitung in das Neue Testament, S. 43). Gegen G. DELLING, der (ThW Bd. II, 956; vgl. ebd. Anm. 50) bildlichen Sprachgebrauch voraussetzt, und K.-G. ECKART, der (ZThK 58/1961, 42) behauptet, daß Paulus in 1 Thess 5,5 „den traditionellen Text vom Herrentag seiner zeitlichen Bestimmung wieder entnimmt und ihn zuspitzt auf seine heilsgeschichtliche Wahrheit". — Eschatologischen Akzent trägt das Wort ἡμέρα wohl auch Röm 13,12f. (mit E. LÖVESTAM, a.a.O., S. 30; gegen G. DELLING, a.a.O., 956).

[21] Wie sehr dem Apostel an der Formulierung (υἱοὶ ἡμέρας) liegt, zeigt sich an der Wiederaufnahme des Wortes ἡμέρα in V. 8a.

[22] E. FUCHS, GA Bd. III, S. 341; vgl. DERS., Marburger Hermeneutik, S. 151, zu Joh 3,21: „Der Glaube geht also in seine eigene Zukunft. Sein Woher *ist* sein Wohin!" (s. auch o. S. 78 Anm. 5) E. LÖVESTAM scheint zwar den damit gekennzeichneten *paradoxen* Charakter der Aussage V. 5 zu verkennen, doch zeigen seine Ausführungen z. St. im Ansatz Berührungen mit der hier vertretenen Auffassung: "Corresponding to the view expressed in the last mentioned place (sc. Röm 13,12f.), the coordinated expressions υἱοὶ φωτός and υἱοὶ ἡμέρας are so to be understood that the readers already in the present age are 'light in the Lord' (Eph. 5:8) and that they as children of the light belong to the echatological day, which, however, will first come in the future" (Spiritual Wakefulness ..., S. 52). "Instead of 'the day' surprising the readers as a thief, these belong as sons of the light and of the day precisely to the eschatological day, that which comes with 'the day of the Lord'. The concept υἱοὶ ἡμέρας in V. 5 thus gives expression to the eschatological perspective. It indicates that the readers belong to, are inheritors of, and are destined for the eschatological day to come" (ebd., S. 53; ähnlich A. L. MOORE, 1 and 2 Thessalonians, S. 75). An anderer Stelle (Über die neutestamentliche Aufforderung zur Nüchternheit, StTh XII/1958, 90f.) insistiert LÖVESTAM ebenfalls auf den eschatologischen Charakter von ἡμέρα in 1 Thess 5,5. 8a und bemerkt, das Wort νήφειν (vgl. V. 8a) habe für Paulus „seinen Grund in der Voraussetzung", daß „der durch Christus erlöste Mensch seine *Verankerung* in einem zukünftigen Leben" hat, „das das Signum des Lichts und des Lebens trägt" (ebd., 91 — Hervorhebung von mir).

[23] Vgl. den auf Paulus gemünzten Satz R. BULTMANNS: „In der Erschlossenheit für die Zukunft und in der Bestimmtheit durch sie ist die ζωή Gegenwart" (Bultmann, NT, 5. Aufl. 1965, S. 349).

[24] Vgl. E. FUCHS, Hermeneutik, 4. Aufl. 1970, S. 251. 269.

Diese Erwägungen erlauben folgende *Schlußfolgerung*: Paulus teilt das Interesse der ihm vorgegebenen Taufüberlieferung an der Präsenz des Heils. Er ordnet die traditionelle Aussage allerdings dem vorliegenden Sachzusammenhang ein und modifiziert sie durch sekundäre Interpretamente derart, daß die Kehre, welche das eschatologische Sein der Getauften begründet, nicht nur als eine Veränderung des Ortes, sondern auch als Wechsel der Zeit in der Zeit ausgelegt wird[25]. Der Gedanke der Präsenz des Heils, dem die Taufüberlieferung Ausdruck gab, wird durch diese Akzentverschiebung jedoch keineswegs abgeschwächt, sondern eher radikalisiert. Freilich gilt zu beachten, daß Paulus den auf die Proklamation eines ‚Vorbei' abzielenden Indikativ nicht vorbehaltlos geltend macht. Die Aussage von V. 5 wird durch die folgenden Ausführungen (V. 6–8) in gewisser Weise eingeschränkt und korrigiert.

In diesem Zusammenhang ist darauf hinzuweisen, daß V. 5 — für sich genommen — „als präzise Darstellung der gnostischen Heilsgewißheit interpretiert werden" könnte[26]. Es läßt sich nicht bestreiten, daß Paulus einem Anliegen spezifisch gnostischer Denkweise entspricht, wenn er mit Hilfe der ihm vorgegebenen Tradition den Situationswechsel der Getauften als *schon vollzogen* pointiert[27] und auf die *Gegenwart des Heils* abhebt[28]. Wie wenig jedoch die Aussage von V. 5 ihrer Intention nach einem auf Sekurität (vgl. εἰρήνη καὶ ἀσφάλεια, V. 3) bedachten Vollendungsbewußtsein gnostischer Prägung das Wort reden will, zeigt sich, sobald man das Folgende (V. 6–8) in die Auslegung einbezieht. Beachtet man die Einheit von Indikativ (V. 4f.) und Imperativ (V. 6–8), so läßt sich das paulinische Sachanliegen mit

[25] Zu beachten gilt, daß auch in Röm 13,11ff. der „paulinische Zeitaspekt" (H. Conzelmann, ThW Bd. VII, 443) dominiert. Der Gegensatz νύξ–ἡμέρα (V. 12a) überlagert die traditionelle, am Gegensatz φῶς–σκότος orientierte Ausdrucksweise (V. 12b). Gleichwohl unterscheidet sich Röm 13,11ff. von 1Thess 5,4ff. dadurch, daß der Kohortativ (Röm 13,12b. 13) dort nicht durch den eschatologischen Indikativ (vgl. 1Thess 5,4f. mit 5,6–8), sondern durch die Ansage der Nähe der eschatologischen σωτηρία (vgl. Röm 13,11. 12a) begründet wird. Oder will Röm 13,11. 12a hintergründig ebenfalls dem *paradoxen* Sachverhalt Ausdruck geben, daß für das Selbstverständnis des Glaubenden die Zeit in der Zeit wechselte (vgl. E. Fuchs, Hermeneutik, 4. Aufl. 1970, S. 269)?

[26] W. Schmithals, Paulus und die Gnostiker, S. 149 (vgl. die o. S. 120 Anm. 18 genannte Stelle ThEv Spr. 50). Schmithals bezieht dieses Urteil allerdings nicht nur auf V. 5, sondern befremdlicherweise auch auf die V. 6–8. — Versteht man V. 5 als gnostischen Satz, wären die Genitive (φωτός, ἡμέρας) freilich als Gen. qualitatis (Bl-Debr § 165) und die Wendung υἱοὶ ἡμέρας im Sinne von 2Thess 2,2 fin. zu interpretieren.

[27] Vgl. nur das auf die gnostische Heilssicherheit anspielende ἤδη in 1Kor 4,8 (s. dazu W. Schmithals, Die Gnosis in Korinth, 3. Aufl. 1969, S. 170).

[28] Vgl. W. Schmithals, in: ZuG, S. 307; s. auch E. Käsemann, ExVuB Bd. I, S. 137.

einer Formulierung R. BULTMANNS folgendermaßen beschreiben: „Paulus nimmt das Interesse der Pneumatiker an der Präsenz des Heils (des Lebens) auf und schränkt es nicht nur durch das Festhalten an der futurischen Eschatologie ein, sondern vor allem dadurch, daß er den Glauben an die Präsenz des Heils aus der Sphäre der Spekulation und des Enthusiasmus in die Sphäre eigentlicher menschlicher Existenz erhebt."[29] Was diese These konkret besagt, soll durch die folgende, gerade den Aussagewillen von V. 4f. präzisierende Analyse von 1Thess 5,6–8 aufgewiesen werden.

bb) Eine kleine Taufparänese (V. 6–8)

(1) Im Unterschied zu den indikativisch geprägten Aussagen der V. 4f. dominiert in V. 6–8 der Kohortativ (vgl. V. 6. 8aβ). Der Abschnitt enthält eine Röm 6,12–14 vergleichbare, äußerst knapp gehaltene Paränese, die durch den Wechsel von der 2. zur 1. Person Pl. in V. 5b vorbereitet und mit typisch paulinischem ἄρα οὖν (V. 6) eingeleitet wird. Wie einerseits aus der Anordnung der Aussagen V. 4f. 6–8, andererseits aus der Verbindung ἡμεῖς ... ἡμέρας ὄντες νήφωμεν (V. 8a) ersichtlich, ist der Kohortativ sachlich durch den Indikativ begründet[1]. *Paulus behaftet die Getauften bei dem ihnen zeitlich eingeräumten Sein und fordert sie auf, diesem Sein nun auch existentiell zu entsprechen*[2].

Die Beobachtung, daß der in V. 4f. geltend gemachte Indikativ einer Präzisierung durch den Kohortativ (vgl. V. 6. 8aβ) bedarf, zeigt, daß jenes den Getauften zeitlich eingeräumte Sein nicht den Charakter eines unverlierbaren Habitus trägt (vgl. 1Kor 10,12)[3]. Es stellt keine substanzhafte Qualität dar, „die ihnen innerlich und wesentlich anhaftet, ganz gleich wie sie sich nun verhalten"[4], ist somit kein verfüg-

---

[29] Ist die Apokalyptik die Mutter der christlichen Theologie?, in: Exegetica, S. 480.

[1] Die Zwischenbemerkung V. 7 — „une sorte de glose" (B. RIGAUX, a.a.O., S. 565) — hat nicht die Funktion, die Doppelforderung von V. 6 zu motivieren (gegen E. v. DOBSCHÜTZ, a.a.O., S. 209). Diese ist vielmehr bereits durch den Indikativ (V. 4f.) motiviert. Der Satz V. 7 demonstriert vielmehr lediglich dadurch, daß er Schlaf und (etwas gezwungen) auch Trunkenheit als der Nachtzeit zugehörige Verhaltensweisen ausgibt, *die Notwendigkeit der Entsprechung* von γρηγορεῖν/νήφειν und υἱοὶ φωτός (ἡμέρας) εἶναι (bzw. ἡμέρας εἶναι). Ähnlich P. HOFFMANN, a.a.O., S. 230: Paulus fügt V. 7 ein, „um seine Konsequenzen aus 5,4.5 *verständlich* zu machen" (Hervorhebung von mir).

[2] Zur Sache vgl. E. JÜNGEL, Paulus und Jesus, S. 63ff.; E. GÜTTGEMANNS, a.a.O., S. 215. 225.

[3] Vgl. E. FUCHS, GA Bd. III, S. 121. 342. 344.

[4] So R. KABISCH, Die Eschatologie des Paulus, S. 249, z.St.

barer, „unveräußerlicher Besitz“[5], der sich weltvergessen genießen läßt. Die paränetischen Aussagen der V. 6–8 machen vielmehr deutlich, daß dieses Sein in der geschichtlichen Existenz der Getauften — zugespitzt formuliert: *als* diese Existenz — auf dem Spiel steht. Denselben Sachverhalt hat E. FUCHS im Auge, wenn er z. St. bemerkt: „Einerseits existiert der Glaubende in einem neuen Sein, so daß er eine ‚neue Kreatur‘, in Christus, genannt werden kann. Aber dieses neue Sein in Christus ist seinerseits an die Existenz gebunden und hängt so von der Entscheidung bzw. dem Glaubensgehorsam des Einzelnen ab— das ist der Sinn jenes Imperativs in 1. Thess 5, 6, dessen Gegenposition ja in V. 3 zum Ausdruck gebracht war. Das Sein gehört also in die Existenz. Man gewinnt oder verliert bzw. ‚verwirkt‘, wie Fr. Gogarten sagen würde, beides miteinander.“[6] Der Sachverhalt, *daß* Paulus den Kohortativ auf den Indikativ folgen läßt, signalisiert somit bereits einen Vorbehalt gegenüber jenem auf Sekurität insistierenden Denken gnostischer Eigenart, dem die Präsenz des Heils als fraglos gültige und dauerhafte Gegebenheit erscheint. Muß den Getauften gegenüber ein Kohortativ geltend gemacht werden, „so ist ihr Lebensverständnis . . . nicht selbstverständlich, sondern bleibt angefochten. Wäre der Lichtbereich etwas für sie Selbstverständliches, so bedürfte es der Aufforderung nicht mehr, wach zu sein.“[7]

(2) Was diese Feststellungen für die Erhellung der paulinischen Intention in 1 Thess 5, 6–8 austragen, wird freilich erst dann einsichtig, wenn die Zielrichtung der Kohortative selbst konkret bestimmt ist. Ausgehend von der Einsicht, daß die Verben γρηγορεῖν und νήφειν in den V. 6 bzw. 8aβ als Metaphern für *eine eschatologisch motivierte sittliche Verhaltensweise* Verwendung finden, interpretiert man den Abschnitt gemeinhin im Sinne einer *ethischen Anweisung*[8], die zur Wachsamkeit und Bereitschaft im Blick auf die nahe Parusie des Kyrios aufrufe. Nach E. v. DOBSCHÜTZ will die Paränese einer doppelten

---

[5] Ebd. Weil KABISCH die heuristische Funktion von V. 6–8 im Blick auf das in V. 4f. Gesagte verkennt, mißdeutet er das paulinische Sachanliegen und macht den Apostel faktisch zum Gnostiker. Seine Ausführungen zeigen allerdings ungewollt, wie wenig sich die Aussage von V. 4f. — für sich genommen — einer gnostischen Interpretation verschließt. Gerade darum beläßt es Paulus nicht bei dem Indikativ (V. 4f.), sondern präzisiert denselben durch den Imperativ (V. 6–8).

[6] GA Bd. III, S. 128; vgl. DERS., Marburger Hermeneutik, S. 184: „Jene neue Voraussetzung des Lebens tritt eben nur ein, *wenn* sie in Anspruch genommen wird!“

[7] E. FUCHS, GA Bd. III, S. 341.

[8] Vgl. u.a. E. v. DOBSCHÜTZ, a.a.O., S. 208f. 212; M. DIBELIUS, HNT 11 (3. Aufl. 1937), S. 29; L. NIEDER, Die Motive der religiös-sittlichen Paränese in den paulinischen Gemeindebriefen, S. 12; B. RIGAUX, a.a.O., S. 559. 563ff.; O. MERK, a.a.O., S. 55f.; vgl. auch P. HOFFMANN, a.a.O., S. 229 Anm. 118.

Gefahr wehren: „neben heidnischer Gleichgiltigkeit und sittlicher Trägheit der durch den Glaubenswechsel und die Parusiehoffnung so leicht hervorzurufenden Überspanntheit, die schließlich auch sittlich unfruchtbar ist"[9]. Gegenüber der zuletzt genannten Hypothese ist mit W. SCHMITHALS einzuwenden, daß die „Annahme einer doppelten, gegensätzlichen und ineinander verschlungenen Frontstellung innerhalb eines geschlossenen Gedankenganges ... äußerst unwahrscheinlich (ist)"[10]. Im übrigen unterliegt die gängige, den *ethischen* Skopus der paulinischen Ausführungen pointierende Interpretation prinzipiellen Bedenken. Sie nimmt nämlich einerseits unkritisch das in den V. 1–3 Gesagte als Motivbasis der Paränese in Anspruch, verkennt also — wie oben bereits angedeutet — die markante Zäsur zwischen V. 3 und V. 4[11]. Andererseits ist sie dadurch belastet, daß sie ein bestimmtes Vorverständnis vom Bedeutungsgehalt der Verben γρηγορεῖν und νήφειν über die Zielsetzung der Paränese entscheiden läßt, statt sich zunächst an der Frage zu orientieren, ob die genannten Verben nicht durch den engeren paulinischen Kontext (V. 6–8) selbst schon eine bestimmte Auslegung erfahren, welche ihrerseits das Sachanliegen der Paränese determiniert. Die Klärung dieser Frage erscheint vor allem insofern vorrangig, als es sich bei den Verben γρηγορεῖν und νήφειν offensichtlich nicht um spezifisch paulinische, sondern um bereits traditionelle, wohl der paränetischen Taufterminologie zugehörende Vokabeln handelt, wie ein Blick auf neutestamentliche Sachparallelen

---

[9] A.a.O., S. 209; vgl. ebd., S. 203: Paulus verbindet zwei Mahnungen, „die in entgegengesetzter Richtung wirken sollen: zur Wachsamkeit gegen gleichgiltiges Ungerüstetsein und zur Nüchternheit gegen überspannte Erwartung".

[10] Paulus und die Gnostiker, S. 120.

[11] Der eschatologische Imperativ ist eben nicht durch V. 2f., d.h. durch den „Blick auf das kommende Ende" (R. BULTMANN, Das Problem der Ethik bei Paulus, in: Exegetica, S. 37 Anm. 2; vgl. A.L. MOORE, The Parousia in the New Testament, S. 110), sondern durch den eschatologischen Indikativ (V. 4f.) motiviert (s. bereits o. S. 76 Anm. 83; S. 94 Anm. 73 — gegen A. GRABNER-HAIDERS Feststellung: „Auch die Mahnung zur Wachsamkeit war angesichts des nahe hereinstehenden Herrentages erfolgt." — a.a.O., S. 84). Dieser Sachverhalt wird auch von B. RIGAUX nicht genügend berücksichtigt. Seine einleitenden Ausführungen zu V. 4–8 (vgl. a.a.O., S. 559f.) sind jedenfalls durch den Versuch gekennzeichnet, die Darlegungen von V. 4ff. mit dem in V. 2f. Gesagten zu vermitteln. So wird die Wachsamkeitsforderung (V. 6), wenn auch nicht uneingeschränkt (vgl. ebd., S. 560), mit der Aussage von V. 2b in Verbindung gebracht: "Puisque le Seigneur viendra aussi soudainement qu'un voleur qui, la nuit, attaque une maison ou une personne, il faut veiller" (ebd., S. 559). In diesem Zusammenhang ist darauf aufmerksam zu machen, daß in den V. 6–8 nur γρηγορεῖν/καθεύδειν, nicht jedoch νήφειν/μεθύσκεσθαι dem in V. 2f. Gesagten *terminologisch* korrespondiert. Durch die Einführung von φῶς und (dem besonders betonten!) νήφειν wird in V. 4ff. ein neuer Ton angeschlagen, der sich mit dem von V. 2f. überschneidet.

lehrt (vgl. insonderheit 1Petr 5,8)[12]. Zu Recht urteilt darum E. Fuchs[13], daß „die bildlichen Begriffe“ an sich den Aussagewillen des Textes noch nicht zureichend zu erschließen vermögen: „Aus der Kombination der apokalyptischen Sprache (‚Wachsam sein!‘) mit der Mysteriensprache (‚Nüchtern sein!‘) erfahren wir nur, daß es in dem neuen Stand oder Leben auf uns ankommt.“

Anhaltspunkte für die Lösung des damit angezeigten Auslegungsproblems dürften sich am ehesten aus V. 8 gewinnen lassen. Dabei kann die Frage, warum Paulus dort lediglich die Mahnung zur Nüchternheit aus V. 6 aufgreift, vorläufig außer Betracht bleiben. Beachtung verdient hingegen der Sachverhalt, daß der Kohortativ (νήφωμεν) durch den Zusatz ἐνδυσάμενοι θώρακα πίστεως καὶ ἀγάπης καὶ περικεφαλαίαν ἐλπίδα σωτηρίας präzisiert wird. Bei der Aussage V. 8b handelt es sich wohl um eine Anspielung auf Jes 59,17[14]. Paulus wandelt den Text der Prophetenstelle freilich dadurch ab, daß er die Aussage auf die Getauften (statt auf Gott) bezieht (ἐνδυσάμενοι κτλ. statt ἐνεδύσατο κτλ.)[15], die bei Jesaja als θώραξ vorgestellte δικαιοσύνη *Gottes* durch πίστις und ἀγάπη interpretiert[16] (vgl. dagegen Eph 6,14) sowie zwischen περικεφαλαίαν und σωτηρίας (Jes 59,17: σωτηρίου) den Akk. ἐλπίδα einschiebt[17]. Um das hinter dem Zusatz V. 8b stehende paulinische Sachanliegen zu ermitteln, haben wir zunächst die Frage zu erörtern, welcher syntaktische Rang dem Part. Aor. ἐνδυσάμενοι innerhalb des Satzgefüges zukommt. Wie ist die Verbindung von Kohortativ (νήφωμεν — verb. finit. im Konj. Präs.) und Part. Aor. (ἐνδυσάμενοι) syntaktisch und sachlich zu beurteilen?

Häufig findet man in dem Part. Aor. das Moment der relativen Vergangenheit ausgedrückt und deutet das durch ἐνδυσάμενοι κτλ. be-

[12] Siehe o. S. 122 Anm. 25.

[13] GA Bd. III, S. 122f.

[14] Vgl. A. Oepke, ThW Bd. V, 309f.; B. Rigaux, a.a.O., S. 567ff. E. v. Dobschütz läßt die Annahme der genannten Beziehung zwischen der Formulierung von 1Thess 5,8 und Jes 59,17 (zu vergleichen ist auch Weish 5,17ff.) nur in einem sehr eingeschränkten Sinn gelten (vgl. a.a.O., S. 211; dagegen mit Recht A. Oepke, ebd., 309 Anm. 9). Zur Anspielung auf Jes 59,17 (vgl. Weish 5, 17ff.) in Eph 6,13ff. und zur Differenz in der Anknüpfung an das alttestamentliche Wort in 1Thess 5,8b und Eph 6,13ff. vgl. A. Oepke, ebd., 309f.; B. Rigaux, a.a.O., S. 567ff. (vgl. die Tabelle S. 568).

[15] Vgl. E. Fuchs, GA Bd. III, S. 342.

[16] Vgl. E. Jüngel, Paulus und Jesus, S. 67. „Eine innere Verknüpfung zwischen dem Bilde vom Panzer und dem Abgebildeten besteht ... nicht“ (A. Oepke, ThW Bd. V, 310; vgl. ebd., 309: „Der Panzer kommt vielmehr einfach in Betracht als Bestandteil der Rüstung, deren Anlegen die Initiative zum Kampf bezeichnet.“)

[17] „Den drei Begriffen Glaube, Liebe, Hoffnung entsprechen nur zwei Waffen. Das zeigt, daß die Trias bereits fest ist“ (H. Conzelmann, MeyerK 5. Abt./ 11. Aufl. 1969, S. 271 Anm. 116; vgl. A. Oepke, ThW Bd. V, 310 Anm. 12).

zeichnete Geschehen als einen dem νήφειν selbst vorausliegenden, die Erfüllung des Kohortativs allererst garantierenden Akt der Vorbereitung: „Zu jener Selbstaufforderung, nüchtern zu sein, tritt nun als Voraussetzung für deren Erfüllung der Zusatz: *‚angetan mit‘* ... Gewiß liegt, indem dieser Zusatz sich an jenen Conjunct. hortat. anschließt, im Partic. auch der Gedanke, daß das Anziehen stattfinden oder stattgefunden haben *müsse*; aber betont ist vielmehr, daß diese Selbstbekleidung ein für alle Mal schon stattgefunden habe: ein neuer Grund für das Wachen und Nüchternsein, welches den Christen geziemt, hinzukommend zu dem andern, daß sie Kinder des Tages sind ...“[18]. Gegenüber dieser Auffassung der Stelle hat bereits E. v. DOBSCHÜTZ geltend gemacht, das Part. Aor. besage nicht notwendig, „daß die Anlegung (sc. der Rüstung) als Vorbereitung der Wachsamkeit und Nüchternheit vorangehen müsse“[19]. Nicht „wie die Christen gerüstet sind (das müßte part. perf. sein), sondern wie sie gerüstet sein sollen“[20], sei als die Pointe der Aussage anzusehen. Ähnlich argumentiert B. RIGAUX: “Il ne faut pas oublier que νήφωμεν est un souhait, un conseil et que ce conseil continue, le participe aoriste épousant la valeur temporelle du verbe principale.”[21] Wenn aber gilt, daß die Selbstaufforderung (νήφωμεν) durch das folgende Part. Aor. (ἐνδυσάμενοι) fortgesetzt wird, hat der Zusatz V. 8b den Charakter einer *Explikation,* welche das mit dem Kohortativ (νήφωμεν) Gemeinte präzisiert und konkretisiert[22]. Auf die *explikative Funktion* von V. 8b macht RIGAUX in den einleitenden Erwägungen zur Interpretation von V. 8 ausdrücklich aufmerksam. Im Rückgriff auf die zuvor getroffene Feststellung, die Mahnung zur Nüchternheit ziele auf ein waches Bewußtsein ab (“une vigilance en pleine conscience, sûre d’elle-même, excluant

[18] G. WOHLENBERG, a.a.O., S. 111; vgl. G. LÜNEMANN, a.a.O., S. 140f., sowie die Übersetzung von V. 8 bei E. FUCHS, GA Bd. III, S. 342; s. auch C. SPICQ, Agapè dans le Nouveau Testament, Bd. II, S. 22.

[19] A.a.O., S. 211; vgl. Bl-Debr §§ 339; 420; 468; J.H. MOULTON, A Grammar of New Testament Greek, Bd. III, S. 79ff.

[20] E. v. DOBSCHÜTZ, ebd.

[21] A.a.O., S. 567 (vgl. Bl-Debr § 468); vgl. A.L. MOORES Übersetzung der Stelle (1 and 2 Thessalonians, S. 76); ferner L. NIEDER, a.a.O., S. 12 Anm. 25: Das Part. Aor. ἐνδυσάμενοι setzt „die vorhergehende Selbstaufforderung“ fort und betont „als Aorist deren ultimativen Charakter“ (vgl. L. MORRIS, The First and Second Epistles to the Thessalonians, S. 159 und ebd. Anm. 28). Zu beachten gilt, daß ἐνδύσασθαι in der Sachparallele Röm 13,12b.14 als Kohortativ bzw. Imperativ begegnet.

[22] Vgl. P. HOFFMANN, a.a.O., S. 230: Paulus greift „den letzten Begriff νήφωμεν auf und interpretiert ihn durch das alte Bild des Tragens der Waffenrüstung (5,8)“. Zutreffend formuliert auch K. WENGST, a.a.O., S. 76: Paulus mahnt „zur Wachsamkeit und Nüchternheit ..., die er v 8 in die Trias Glaube, Liebe und Hoffnung auf Rettung aufgliedert, welche als Panzer und Helm *anzuziehen sind*“ (Hervorhebung von mir).

tout sommeil et l'état d'ébriété"[23]), bemerkt er zu V. 8b: "*Paul explique par un participe en quoi cette conscience doit s'exercer: c'est dans l'exercice même de la vie chretienne*, qui est d'abord *foi et amour*, et ces deux vertus, qualités, attributs, fonctions de l'homme régénéré, apparaissent à l'apôtre comme la cuirasse du soldat du Christ, à laquelle, pour que la panoplie soit complète, il faut ajouter *l'espérance*, ici comme I Thess., I, 3, placée en queue de la triade, parce que l'objectif est eschatologique: le salut."[24] Sieht man einmal von der etwas fragwürdigen Begrifflichkeit ab, die RIGAUX verwendet, um Glaube und Liebe als Merkmale der Existenz des ‚Wiedergeborenen' zu kennzeichnen, ist seine Formulierung insofern richtungweisend, als sie den explikativen Charakter des Part. ἐνδυσάμενοι und damit des Zusatzes V. 8b insgesamt hervorhebt. Bei dem angeführten Zitat handelt es sich keineswegs um eine innerhalb des Kommentars isolierte und darum sachlich möglicherweise unerhebliche Bemerkung. Der genannte Gesichtspunkt wird von RIGAUX vielmehr wiederholt geltend gemacht: Das Partizip expliziert (expliquant), „en quoi consiste cette conscience totale"[25]. An anderer Stelle heißt es, daß „vigilance et l'état d'alerte", auf die der Kohortativ νήφωμεν abzielt, „doivent se traduire par une foi, une charité, une espérance très vives et très fortes, jusqu'à faire du chrétien un soldat ..."[26].

(3) Unter der Voraussetzung, daß damit der syntaktische Rang des Part. Aor. sowie die sachliche Funktion von V. 8b insgesamt zutreffend bestimmt sind, erscheint nun allerdings der Aussagewille von V. 6–8 in einem neuen Licht. Hält man nämlich den Interpretationsansatz von RIGAUX fest, läßt sich die Paränese nicht mehr als eine „zu neuem Tun"[27] ermahnende, das „sittliche Verhalten"[28] betreffende ethische Anweisung charakterisieren (eine Einsicht, die RIGAUX selbst freilich verschlossen bleibt). Denn wenn die Selbstaufforderung (νήφωμεν) in V. 8b fortgesetzt wird, wenn also der Kohortativ gerade durch den Zusatz von V. 8b seine konkrete Auslegung erfährt, bezieht sich die Anforderung der Getauften auf einen das Gebiet der Ethik transzendierenden, mit ethischen Kategorien gar nicht faßbaren Sachverhalt. Erweisen sich nämlich πίστις, ἀγάπη und ἐλπίς (σωτηρίας) als die eigentlichen Vollzugsmöglichkeiten des νήφειν, so zielt die paulinische Paränese nicht auf den Entwurf eines *Handlungs*modells ab. Sie expliziert

[23] A.a.O., S. 565.
[24] Ebd., S. 566 (Hervorhebung von mir).
[25] A.a.O., S. 567.
[26] Ebd., S. 570; vgl. auch L. MATTERN, a.a.O., S. 78: „V. 8 fordert Paulus die Christen zum christlichen Leben in Glaube, Liebe und Hoffnung auf" (vgl. ebd., S. 82).
[27] O. MERK, a.a.O., S. 55.
[28] Ebd., S. 56.

nicht ein Was des Handelns, sondern *das Wie*[29] *der eschatologischen Existenz selbst.*

Freilich gilt zu bedenken, daß dieses Wie nach paulinischer Auffassung dem Einsatz des Menschen nicht erschwinglich ist. Die genannten Existenzmodi des Glaubens, der Liebe und der Hoffnung bleiben menschlicher Verfügung gerade entzogen. Begegnen sie an dieser Stelle gleichwohl als Inhalt einer Forderung, so nur darum, weil die Bedingung für die Erfüllung dieser Forderung durch den zuvor geltend gemachten Indikativ mitgesetzt ist[30]. Wie gezeigt, räumt der eschatologische Indikativ (V. 4f. 8aα) den Getauften, sofern er sie als Söhne des Lichtes und des Tages anspricht, ein neues Sein ein, indem er sie nicht nur an einen neuen Ort versetzt, sondern sie auch in eine neue Zeit beruft. Der eschatologische Imperativ (V. 6. 8aβ.b) hingegen weist auf den Indikativ zurück und fordert die Getauften dazu auf, die ihnen bereits eröffneten, durch den Situationswechsel erschlossenen Existenzmöglichkeiten in Anspruch zu nehmen. Er bringt somit dem

[29] Dies gilt nicht nur für πίστις und ἐλπίς, sondern gerade auch für ἀγάπη; vgl. Ph. VIELHAUER, Oikodome, S. 97 (im Blick auf die Konkretionen von οἰκοδομεῖν in 1Kor 8–10): „Freilich sind weder mit den negativen noch mit den positiven Bestimmungen konkrete Handlungen genannt, die im Verkehr mit dem Nächsten die Kirche bauen; οἰκοδομεῖν beschreibt — wie Agape — nicht das Was, sondern das Wie eines Tuns."

[30] Vgl. K. BARTH, Das christliche Verständnis der Offenbarung, ThEx N.F. 12/1948, 34: Machen „wir uns klar: Es geht dabei wirklich um etwas, was der Mensch sich nicht selber verschaffen kann und was er von sich aus nicht hat. Glaube, Liebe und Hoffnung, diese große Bestimmung des Menschen von Gottes Offenbarung her, sind nicht Elemente der menschlichen Existenz, über die der Mensch verfügen könnte. Irgendeine Weltanschauung vermag das nicht zu fassen. Daß wir glauben ‚können', daß wir lieben ‚können' und erst recht, daß wir hoffen ‚können' — das ist eine Sache, die vom Bestand der menschlichen Natur aus schlechterdings unsichtbar ist. Das Alles ‚kann' man nicht. Aber als Bestimmung des Menschen von Gottes Offenbarung her gilt es: der Mensch kann glauben, lieben, hoffen. In Christus ist es wahr und gilt es für jeden Menschen. Durch Gottes Gnade wird das wirklich, durch Gottes Gnade wird geglaubt, geliebt und gehofft. Das ist die Freiheit unserer Bestimmung." Die Existenzmodi πίστις, ἀγάπη und ἐλπίς sind also in der eschatologischen Zeit fundiert und tragen darum selbst eschatologischen Charakter; vgl. Bultmann, NT (5. Aufl. 1965), S. 330f. (‚Die πίστις als eschatologisches Geschehen'); DERS., ThW Bd. II, 528: „Die christliche ἐλπίς beruht also auf Gottes in Christus gewirkter Heilstat, und da diese die eschatologische Heilstat ist, so erscheint die ἐλπίς selbst als eschatologisches Heilsgut, dh *jetzt ist die Zeit da*, da man getroste Zuversicht haben darf" (Hervorhebung von mir). Ebenso ist die ἀγάπη nach paulinischem Verständnis ein eschatologisches Phänomen, insofern sie nämlich von der im Gekreuzigten offenbar gewordenen *Zeit der Liebe* abhängt (vgl. dazu E. FUCHS, GA Bd. III, S. 349ff.). Vgl. in diesem Zusammenhang auch die Ausführungen von E. FUCHS zum Liebesgebot Jesu (Glaube und Geschichte im Blick auf die Frage nach dem historischen Jesus, in: GA Bd. II, S. 204ff.); ferner K.E. LØGSTRUP, Die ethische Forderung, S. 165ff.

Indikativ gegenüber sachlich nichts Neues und Anderes ins Spiel, sondern lädt dazu ein, das mit dem Indikativ schon Gegebene festzuhalten[31]. Was E. GÜTTGEMANNS im Blick auf die paränetischen Aussagen in Röm 6 feststellt (vgl. Röm 6,11.12–14), gilt auch für 1Thess 5,6–8: „Paulus kommt es darauf an, daß der Christ den ihm eröffneten Raum festhält und die ihm freigegebene Zeit an seiner Existenz präsent sein läßt. Weil das gerade wegen der ontologischen Struktur des Christseins trotz des grundsätzlichen Sieges Christi immer noch auf dem Spiele steht, ist der paränetische Imperativ notwendig, der den Menschen im ‚Ort' und in der ‚Zeit' Jesu Christi behaftet."[32]

(4) Mit diesen Erwägungen ist bereits die Antwort auf die Frage vorgezeichnet, inwiefern Paulus durch das in 1Thess 5,6–8 Gesagte ‚den Glauben an die Präsenz des Heils aus der Sphäre der Spekulation und des Enthusiasmus in die Sphäre eigentlicher menschlicher Existenz erhebt' (R. BULTMANN). Wie eingangs hervorgehoben, bringt der Kohortativ (V. 6. 8aβ) als solcher bereits einen Vorbehalt gegenüber der pneumatischen Selbstgewißheit gnostischer Prägung zum Ausdruck. Diese Feststellung läßt sich nun im Blick auf V. 8b inhaltlich profilieren und erhärten. Nicht von ungefähr rekurriert Paulus an dieser Stelle auf πίστις, ἀγάπη und ἐλπίς als die wesentlichen, das Wie der eschatologischen Existenz kennzeichnenden Charaktere, wohnt denselben doch zugleich ein ausgesprochen kritischer, das gnostische Selbstverständnis zutiefst in Frage stellender Sinn inne. Während der Gnostiker das Telos mit dem Rückzug auf sein akosmisches Selbst schon erreicht zu haben meint, sich somit aus den Bindungen geschichtlicher Existenz entlassen und gegen die daraus erwachsenden Anfechtungen ein für allemal gefeit weiß, erblickt Paulus gerade in diesem ‚Vollendungsanspruch' — wie H. JONAS bemerkt[33] — „ein unrechtmäßiges Überspringen der Faktizität, ein sich täuschendes der Vorläufigkeit Entlaufen-Wollen . . .; jener Faktizität, welcher der in den Kosmos geworfene Mensch während seines Hierseins überantwortet ist; jener Vorläufigkeit, in der der Christ zu seufzen und aus der er sich nach dem ἔσχατον zu sehnen hat, die er aber gerade als dessen wesentliches Noch-nicht und *als* Vorläufigkeit in eigentümlichen Seinsmodi durchzuvollziehen hat. Solche Seinsmodi der durch den Hinblick

[31] Dieser Sachverhalt wird verzeichnet, wenn man ihn — wie mit Vorliebe R. BULTMANN (u.a.) — in den Kategorien der ‚Verwirklichung', ‚Realisierung' oder ‚Aneignung' begrifflich zu fassen sucht: „Was grundsätzlich geschehen ist, gilt es praktisch zu realisieren" (Bultmann, NT, 5.Aufl. 1965, S. 103; vgl. ebd., S. 103f.). „Der Glaubende ist nicht aus dem geschichtlichen Sein entlassen; und gerade darin besteht die gläubige Existenz: sich zu eigen zu machen, was schon geschehen ist" (DERS., MeyerK 12.Abt./14.Aufl. 1956, S. 483).

[32] A.a.O., S. 215.

[33] Gnosis und spätantiker Geist, Teil II/1, S. 47.

auf das ἔσχατον bestimmten Vorläufigkeit sind πίστις, ἐλπίς, ἀγάπη. Sie unterscheiden sich *nicht* dadurch von der zum καταργηθῆναι verurteilten γνῶσις, daß in *ihnen* das ‚ἐκ μέρους'-Moment als Strukturmoment der Zeitlichkeit überhaupt überwunden wäre, — sondern dadurch, daß sie dies Moment gerade radikal in ihren *Sinn* einbeziehen und so durch das dereinstige, die Zeitlichkeit aufhebende τέλος nicht widerlegt, sondern bestätigt werden" (vgl. 1Kor 13,8ff.). „Was also für die γνῶσις, da sie auf Endgültigkeit geht, ihrem Sinne nach eine Widerlegung ist, ist für πίστις, ἐλπίς, ἀγάπη ihrem Sinne genuin zugehörig: die absolute Zukünftigkeit und Jenseitigkeit des τέλος, das absolut vorläufige vor die Transzendenz Gestelltsein, — das eigene ‚ἐκ μέρους'-Sein."[34] Während der Gnostiker vorgibt, das Eschaton schon erreicht zu haben, und sich aus diesem Grund „der weltgebundenen Seinsweisen menschlicher Vorläufigkeit entschlagen zu können" meint[35], bleibt der Christ für Paulus auf den Vollzug eben jener ‚Seinsweisen' angewiesen. Er hat in einem durch das Evangelium erschlossenen „eschatologisch bestimmten Wie des Seins"[36] zu existieren, d.h. er soll die durch Christus „geschaffene(!) Möglichkeit menschlichen Vorläufigseins in den Modi des Glaubens, der Hoffnung und der Liebe jeweilig leben und gerade darauf verzichten, schon hier das ἔσχατον zu hypostasieren, sein Menschsein also zu überspringen"[37].

Der damit entfaltete, von H. JONAS allerdings nur für 1Kor 13,8ff. behauptete (zumindest implizit) *kritische* Sinn der Trias im paulinischen Denken[38] dürfte auch in 1Thess 5,8b vorauszusetzen sein. Wenn

---

[34] Ebd., S. 48.

[35] Ebd., S. 47.

[36] Ebd., S. 48.

[37] Ebd., S. 48f. Nicht schon die unter einem ausdrücklich kritischen Vorzeichen stehenden Aussagen von V. 1–3, sondern erst die Ausführungen von V. 4–8 (9f.) stellen also die paulinische Explikation der ‚faktischen Lebenserfahrung' dar, wie sie sich nach M. HEIDEGGER im urchristlichen Glauben bekundet (s.o. S. 57f.).

[38] Zu vergleichen sind außer 1Kor 13,8ff. noch die Stellen 1Thess 1,3 (E. FUCHS charakterisiert die dortige Verwendung der Trias mit einleuchtender Begründung als unpaulinisch — vgl. GPM 18/1963–64, 300f.) sowie Röm 5,1ff., wo die Trias „unter der paulinischen Interpretation fast verschwindet" (H. CONZELMANN, MeyerK 5. Abt./11. Aufl. 1969, S. 271). Daß die Trias bei Paulus implizit kritisch akzentuiert ist, gilt unabhängig von der These R. REITZENSTEINS (vgl. Die hellenistischen Mysterienreligionen, 3. Aufl. 1927/1956, 383ff.), nach der die paulinische Triade eine von den Opponenten anerkannte Tetrade πίστις, ἐλπίς, ἀγάπη mit Einschluß von ἀλήθεια oder γνῶσις (vgl. Porph Ad Marc 24) voraussetzt, welche schon „eine so feste Zusammenstellung gewesen sei, daß die *Weglassung* der γνῶσις einen ganz zugespitzt polemischen Sinn erhielt" (H. JONAS, Gnosis und spätantiker Geist, Teil II/1, S. 45 Anm. 1; vgl. ebd. — zustimmend R. BULTMANN, ThW Bd. I, 710 Anm. 78; Bd. II, 529). Als Argument gegen diese Vermutung läßt sich nach unseren Erwägungen zum Ver-

unsere Sicht des Verhältnisses von Situation und Text in 1Thess 4,13–5,11 zutrifft, setzt sich Paulus im Zusammenhang dieses Abschnitts ähnlich wie in 1Kor mit den innergemeindlichen Auswirkungen einer enthusiastischen Strömung gnostischer Prägung auseinander. Er teilt zwar, wie der Indikativ 1Thess 5,4f. zeigt, das gnostische Interesse an der Gegenwart des Heils. Doch korrigiert und präzisiert er die Aussage von der Präsenz des Heils (V. 4f.) sogleich dadurch, daß er dieses Heil — antignostisch — als ein (Wort-)Geschehen interpretiert, welches in der geschichtlichen Existenz auf dem Spiel steht und mit dieser Existenz beantwortet sein will (V. 6–8)[39]. Freilich bedient er sich innerhalb des paränetischen Abschnitts zunächst selber einer zugleich gnostisch geprägten, gnostischer Selbstauslegung durchaus entsprechenden Terminologie, wenn er *Schlaf* und *Trunkenheit* als der Nachtzeit zugehörige Verhaltensweisen nennt und die Getauften als *Söhne des Lichtes* zur *Wachsamkeit* und *Nüchternheit* aufruft[40]. Doch gewinnen die Vokabeln γρηγορεῖν und νήφειν innerhalb des paulinischen Zusammenhangs einen anderen, gnostischer Auslegung widersprechenden Sinn[41]. Indem Paulus nämlich den Kohortativ νήφωμεν durch den Zu-

---

hältnis von Text und Situation in 1Thess 5,1ff. nicht geltend machen, daß Paulus die Formel vor 1Kor 13,13 bereits 1Thess 5,8 benutzt, „als er noch nicht mit der Gnosis zusammengestoßen war und er zur Streichung von γνῶσις noch keinen Anlaß hatte“ (W. Schmithals, Die Gnosis in Korinth, 3. Aufl. 1969, S. 136; vgl. aber den Selbsteinwand ebd. Anm. 3!). Indessen wird man mit Schmithals (a.a.O., S. 136 und ebd. Anm. 4) in Rechnung zu stellen haben, daß die Begriffe πίστις, ἀγάπη und ἐλπίς für gnostische Ausdrucksweise nicht typisch sind, jedenfalls nicht als Wesensmerkmale gnostischen Selbstverständnisses in Anspruch genommen werden können. Im übrigen sind die von Reitzenstein angeführten Quellen „sehr jung, wenn auch zweifellos von Pls nicht direkt abhängig“ (Schmithals, a.a.O., S. 136), und die neu hinzugekommenen gnostischen Belege (vgl. bes. EvangPhil 115) ebenfalls „spät und z.T. eindeutig sekundär“ (H. Conzelmann, a.a.O., S. 271; vgl. ebd. Anm. 111. 112; zur Sache vgl. Ders., Grundriß der Theologie des Neuen Testaments, 2. Aufl. 1968, S. 207f.; C. Spicq, Agapè dans le Nouveau Testament, Bd. II, S. 365ff.).

[39] Der Glaube *hat* alles, aber eben: nur und allein *der Glaube*. So sichert der Imperativ die Eindeutigkeit des Indikativs, indem er den Glauben als die adäquate Existenzentsprechung zum Wort des Evangeliums präzisiert.

[40] Vgl. bereits J. Kroll, Die Lehren des Hermes Trismegistos, S. 375ff.; ferner H. Jonas, Gnosis und spätantiker Geist, Teil I, S. 113ff. 126ff.; E. Lövestam, Spiritual Wakefulness ..., S. 25f.; Ders., StTh XII/1958, 84ff.

[41] Daß Paulus auch sonst bestimmte Vokabeln seinen gnostischen Opponenten entwindet und sie gegen deren Selbstauslegung ins Feld führt, läßt sich mannigfach belegen. Als Beispiel, das für 1Thess 5,6ff. und die dort verwendete Terminologie besonders aufschlußreich ist, sei 1Kor 15,34 angeführt. E. Lövestam hat darauf hingewiesen, daß die Annahme einer gnostischen Front in 1Kor 15 auch durch die Terminologie dieser Stelle gestützt wird. Die Ausdrucksweise von 1Kor 15,34 läßt vermuten, daß „es gnostische Gegner sind, an die Paulus denkt, wenn er da die Briefempfänger ermahnt, nüchtern zu werden und nicht

satz V. 8b expliziert, macht er unzweideutig klar, daß sich die ‚Nüchternheit' nicht in einem Akt der γνῶσις vollendet, die den Menschen der ‚Trunkenheit der Welt', d.h. seiner Selbstvergessenheit, entreißt und ihn der pneumatischen Qualität seines Selbst vergewissert. Sie ereignet sich vielmehr konkret durch den existentiellen Vollzug der Modi des Glaubens[42], der Liebe und der Hoffnung, d.h. in den durch den Indikativ erschlossenen Gaben, die — wie H. CONZELMANN zutreffend urteilt — „nicht in eine pneumatische Emanzipation und Selbsterbauung führen können. Denn Glaube und Liebe sind auf ihren Gegenstand bezogen und nur in dieser Beziehung bzw. *als* diese Beziehung existent. Der Glaube ist Glaube an . . ., die Liebe sucht nicht das Ihre, und die Hoffnung erhebt gegen die Schwärmerei den eschatologischen Vorbehalt."[43]

Wenn Paulus aber die recht verstandene *Nüchternheit* gerade auf den Vollzug dieser Existenzmodi festgelegt sieht, könnte die betonte Hervorhebung von νήφειν in V. 8aβ darauf beruhen, daß ihm als Gegenmodell *die Exaltiertheit des Pneumatikers*[44] vorschwebt, der eben „die

zu sündigen. Es liegt nämlich nahe bei der Hand, in dem Wort ἀγνωσία im Vers 34b eine Anspielung auf und eine Anknüpfung an die eigene Terminologie der Gnostiker zu sehen: die Gnostiker rühmen sich Gnosis zu haben, aber hier stellt Paulus von den(en), die von ihren Lehren beeinflußt worden sind, fest: sie leben in Unwissenheit Gottes! Nun(,) das Nüchternheitsmotiv kommt in übertragener Anwendung auch in gnostischem Zusammenhang vor. Der wahre Gnostiker wird als ‚nüchtern' bezeichnet. Sind es gnostische Gegner, die Paulus im 1Kor. 15 : 34 vor Augen hat, so kann also gesagt werden, daß es in gnostischem Sinne ‚nüchterne' oder wenigstens von gnostischer Nüchternheit beeinflußte sind, die von Paulus ermahnt werden: ‚Werdet doch einmal recht nüchtern!' Es ist dann offenbar, daß ‚nüchtern' in gnostischem Sinne und ‚nüchtern' in paulinischem keineswegs dasselbe ist" (StTh XII/1958, 83f.; vgl. W. SCHMITHALS, Die Gnosis in Korinth, 3. Aufl. 1969, S. 137). — Zur Sache s. auch unten S. 155f.

[42] Vgl. R. BULTMANN, ThW Bd. VI, 222: „Als eschatologische Haltung ist die πίστις nicht dahin mißzuverstehen, daß sie selbst schon eschatologische Erfüllung wäre . . . In der πίστις verwirklicht sich nicht wie in der gnostisch verstandenen γνῶσις die Endgültigkeit eines eschatologischen Seins; die πίστις entläuft nicht der Vorläufigkeit des geschichtlichen Seins, sondern verwirklicht das eschatologische Sein in der Zeitlichkeit."

[43] MeyerK 5.Abt./11. Aufl. 1969, S. 273 (zu 1Kor 13,13).

[44] Wir nehmen also den Begriff der ‚Exaltiertheit' von E. v. DOBSCHÜTZ (vgl. a.a.O., S. 209f.) auf, beziehen ihn aber nicht wie dieser auf ‚überspannte Naherwartung' (ähnlich Ch. MASSON, a.a.O., S. 68), sondern auf den Vollkommenheitsanspruch des (gnostischen) Pneumatikers; vgl. G. BORNKAMM, Glaube und Vernunft bei Paulus, in: GA Bd. II, S. 136: „Der Pneumatiker, der sich seiner Freiheit rühmt, ist ja freilich nicht nur blind für den Bruder, sondern er täuscht sich auch über sich selbst. Denn im Hochgefühl seines Enthusiasmus meint er schon bei Gott zu sein, die Grenze der Zeitlichkeit hinter sich zu haben und der Auferstehung der Toten bereits teilhaftig geworden zu sein (1.Kor 4,8f.). Darum leugnet man in Korinth die zukünftige Auferstehung der Toten (1.Kor 15; vgl. 2.Tim 2,18). *Aus dieser pneumatischen Schwärmerei*

Erkenntnis an die Stelle des Glaubens, die ἐξουσία bzw. ἐλευθερία an die Stelle der Hoffnung setzt"[45] und sich kraft des eigenen, ekstatisch-solipsistisch erfahrenen Vollendungsbewußtseins über den anderen erhebt, somit also auch die ἀγάπη mißachtet[46]. Denn durch die ἀγάπη würde ja „dem Pneumatischen ein ihm sinnfremder Gesichtspunkt der Selbsteinschränkung auferlegt"[47] (vgl. 1Kor 4,6ff.; 8,1; 10,23f.; 12–14[48]). Das Desinteresse des Gnostikers an der Zukunft, das die souveräne „Ablehnung aller irdischen Erwartung, nenne man sie nun Parusie, Auferstehung oder Gericht"[49], impliziert, hat diese pneumatisch motivierte Vollendungsgewißheit zur Voraussetzung und wurzelt in ihr. Wohl aus diesem Grund pointiert Paulus die Mahnung zur Wachsamkeit, die möglicherweise speziell dieser Gleichgültigkeit gegenüber der Zukunft wehren will, weniger als die Mahnung zur Nüchternheit[50], die sich — wie aus der Explikation des Kohortativs in V. 8b zu erschließen ist — kritisch gegen den gnostischen Vollkommenheitsanspruch selbst und damit gegen die eigentliche Basis jenes Desinteresses richtet.

cc) Die christologische Begründung (V. 9f.)

(1) Die beiden Verse 1Thess 5,9f. bilden zweifellos den „Höhepunkt des Abschnitts"[1]. Ihre sachliche Bedeutung entspricht somit derjenigen von 1Thess 4,14 im Rahmen des Aussagezusammenhangs 4, 13–17(18). Wie bereits erwähnt, liegt dem Text 1Thess 5,9f. vermutlich ein älteres Taufbekenntnis zugrunde, das Paulus allem Anschein nach durch die Einführung der Antithese in V. 9 theologisch präzisiert und mit Hilfe des Zusatzes εἴτε γρηγορῶμεν εἴτε καθεύδωμεν (einschließlich des folgenden ἅμα vor σύν) in V. 10b aktualisiert, nämlich auf das Anliegen von 1Thess 4,13ff. bezogen hat. Es wird Aufgabe der Interpretation sein, das hinter der paulinischen Redaktion stehende theologische Interesse aufzuspüren und genau zu erfassen. Doch zu-

---

ruft Paulus die Gemeinde zurück zur Nüchternheit und zur wahren Erkenntnis Gottes (1.Kor 15,34; vgl. 1. Thess 5,6.8)" (Hervorhebung von mir). BORNKAMMS Verweis auf 1Thess 5,6.8 in diesem Zusammenhang ist immerhin bemerkenswert.

[45] W. SCHMITHALS, Die Gnosis in Korinth, 3. Aufl. 1969, S. 136 Anm. 4.

[46] Vgl. H. JONAS, Gnosis und spätantiker Geist, Teil II/1, S. 45f.; E. GÜTTGEMANNS, a.a.O., S. 311; H. LÖWE, a.a.O., S. 123. 127.

[47] H. JONAS, Gnosis und spätantiker Geist, Teil II/1, S. 45.

[48] Siehe dazu auch u. S. 155ff.

[49] W. SCHMITHALS, Paulus und die Gnostiker, S. 120.

[50] "Quoi qu'il en soit, Paul doit avoir jugé cet appel à *garder son sangfroid* plus nécessaire encore que l'appel à *veiller*, car il le développe seul dans les versets suivants" (Ch. MASSON, a.a.O., S. 68f.).

[1] E. FUCHS, GA Bd. III, S. 343.

nächst soll die Frage nach der Beziehung der Verse zum rückwärtigen Kontext erörtert werden. In der älteren wie auch in der neueren Exegese d.St. ist strittig, ob das einleitende (im Credo wahrscheinlich als ‚recitativum' verwendete, nun aber eindeutig) kausal gemeinte ὅτι lediglich auf V. 8fin. (ἐλπίδα σωτηρίας)[2], auf den (die) vorausgehende(n) Kohortativ(e)[3] oder aber auf den Indikativ (V. 4f.)[4] zu beziehen ist. Es fällt schwer, die Streitfrage im einen oder anderen Sinn zu entscheiden, ja es fragt sich überhaupt, ob alle der genannten Möglichkeiten einander sachlich unbedingt ausschließen müssen. Einerseits wird man der Argumentation von L. MATTERN folgen und feststellen dürfen: „V. 8 fordert Paulus die Christen zum christlichen Leben in Glaube, Liebe und Hoffnung auf. V. 9 schließt deutlich an das letzte Glied der Trias an, nur dieses Glied wird in V. 9 aufgenommen."[5] Daraus ergibt sich als Schlußfolgerung: „V. 9 begründet die Hoffnung auf σωτηρία in der Bestimmung der Christen zur σωτηρία."[6] Andererseits läßt sich nicht verkennen, daß die christologisch pointierte Aussage V. 9f. den zuvor geltend gemachten eschatologischen Indikativ (V. 4f. 8aα) präzisiert. Sie macht nämlich deutlich, *inwiefern* die Getauften den Namen eines υἱὸς φωτός und υἱὸς ἡμέρας tragen, die eschatologische ἡμέρα somit positiv als den heilvollen Bestimmungsgrund ihrer Existenz in Anspruch nehmen können. Die V. 9f. gelten daher zwar in *direkter* Weise der Begründung von V. 8 fin. *Sachlich gesehen* stellen sie indessen auch eine Explikation des Indikativs (V. 4f. 8aα) dar und begründen *indirekt* den dort zum Ausdruck gebrachten Situationswechsel.

(2) In der Absicht, den Aussagewillen des vorliegenden Textes möglichst präzise zu erfassen, orientieren wir uns zunächst an der Frage nach der Pointe der *Antithese* in V. 9. Wenn unsere Vermutung zutrifft, daß der Satzteil οὐκ ... εἰς ὀργὴν ἀλλὰ εἰς (περιποίησιν) σωτηρίας als paulinisches Interpretament zu beurteilen ist, bleibt zu klären,

---

[2] So G. LÜNEMANN, a.a.O., S. 141; W. BORNEMANN, a.a.O., S. 224f.; E. v. DOBSCHÜTZ, a.a.O., S. 212; M. DIBELIUS, HNT 11/3. Aufl. 1937, S. 30; P. HOFFMANN, a.a.O., S. 230; L. MATTERN, a.a.O., S. 78; vgl. K. KERTELGE, „Rechtfertigung" bei Paulus, S. 149.

[3] So G. WOHLENBERG, a.a.O., S. 112f.; P.W. SCHMIEDEL, Die Briefe an die Thessalonicher und an die Korinther, S. 23f.; vgl. W. MOELLER bei W.M.L. de WETTE, Kurze Erklärung des Briefes an die Galater und der Briefe an die Thessalonicher, 3. Aufl. 1864, S. 167.

[4] Vgl. J. BECKER, a.a.O., S. 241; O. MERK, a.a.O., S. 56. Um einen Ausgleich bemüht sich E. JÜNGEL, Paulus und Jesus, S. 67: Der Satz 1Thess 5,9f. „blickt auf die Rechtfertigung zurück. Er ist im Zusammenhang von 1. Thess 5,1ff. aber zugleich die Begründung für die Aufforderung zum Wachen und Fasten (c. 5,6–8), der wiederum der Indikativ ... (c. 5,4f. ...) voraufgeht."

[5] A.a.O., S. 78.

[6] L. MATTERN, ebd.; vgl. auch K. WENGST, a.a.O., S. 76.

welche sachlichen Motive den Apostel zur Einführung dieser in die Form einer ‚correctio' gekleideten Antithese nötigten. Geht man von der oben erwogenen Hypothese aus[7], daß das überlieferte Taufbekenntnis ursprünglich nur die auf die περιποίησις δόξης bezogene *Position* enthielt und der Ansicht Ausdruck gab, das Bestimmtsein zum Besitz der δόξα sei bereits im Akt der Taufe als erfüllt anzusehen und der Getaufte schon jetzt als δοξασθείς anzusprechen (vgl. Röm 8, 30 fin.), ist mit der Möglichkeit zu rechnen, daß sich die paulinische Umprägung der Tradition einem antienthusiastischen Interesse verdankt. Paulus hätte sich um den Ertrag seiner Denkbemühung gebracht, wenn er nach den Ausführungen der V. 4–8 kommentarlos eine Tradition zitiert hätte, die in Verkennung der bleibenden Spannung zwischen Gegenwart und Zukunft einseitig die Präsenz des Eschaton betonte und somit dem von gnostischer Seite behaupteten Vollkommenheitsanspruch Vorschub leistete[8].

Ob die hier versuchte Rekonstruktion der vorpaulinischen Bekenntnisformel tatsächlich zutrifft, muß freilich offenbleiben. Die Möglichkeit, daß der Genitiv σωτηρίας bereits zum ursprünglichen Bestand der Tradition gehörte, läßt sich nicht ausschließen[9]. Doch selbst wenn man von dieser Voraussetzung auszugehen hätte, bleibt nun weiterhin zu klären, warum Paulus dann die Formel durch die Negation οὐκ ... εἰς ὀργὴν ἀλλά erweiterte. Denn daß die im Bereich der *Argumentation* angesiedelte und dem Bekenntnisstil *nicht* angemessene *antithetische* Redeweise paulinischer Redaktion entstammt, kann als gesichert gelten[10]. Warum aber begnügt sich Paulus nicht einfach mit der Nennung der Position (εἰς περιποίησιν σωτηρίας)? Welche Funktion kommt der Negation (οὐκ ... εἰς ὀργήν) innerhalb der Antithese zu? N. Schneider hat in seiner Abhandlung über ‚Die rhetorische Eigenart der paulinischen Antithese' dargelegt, daß die Position der Antithese noch nicht richtig beurteilt, ja verkannt ist, wenn man die Negation „ihres Eigenwerts beraubt", sie also „einzig als ein Mittel versteht, das die Position heller macht"[11]. Was besagt diese Feststellung für die Auslegung von 1Thess 5,9?

---

[7] Siehe o. S. 122ff.

[8] Vgl. in diesem Zusammenhang auch Phil 3,19 sowie H. Koesters Ausführungen z.St. (NTS VIII/1961–62, 327).

[9] Allerdings ist diese Möglichkeit angesichts der Tatsache, daß σωτηρία bereits in V. 8b (Anspielung auf den Text der Prophetenstelle Jes 59,17) begegnet, wenig wahrscheinlich. Die Vermutung, daß Paulus selbst den Begriff im Anschluß an V. 8b der Tradition in V. 9 aufprägte, erscheint einleuchtender.

[10] Vgl. auch P. Hoffmann, a.a.O., S. 230 Anm. 120: „Bezeichnend für sein (sc. des Paulus) antithetisches Denken ist hier die Gegenüberstellung ὀργή–σωτηρία." Vgl. aber u. Anm. 19.

[11] A.a.O., S. 123.

Ein Anhaltspunkt für die Erhellung des damit angezeigten Problems ergibt sich aus der Beobachtung, daß die Begriffe ὀργή und σωτηρία bei Paulus im Zusammenhang der Rechtfertigungslehre thematisiert werden. Denselben Sachverhalt hat auch E. JÜNGEL im Auge, wenn er z.St. bemerkt: „Dieser an die Terminologie von Rm 1,16ff. und 1.Kor 1,18ff. erinnernde Satz blickt auf die Rechtfertigung zurück.“[12] Indirekt stellt im übrigen schon die Berufung auf Jes 59,17 in V. 8b eine Anzeige der Rechtfertigungsthematik dar, handelt doch der prophetische Text selbst ausdrücklich von der δικαιοσύνη als dem θώραξ-Gewand Gottes[13]. Berücksichtigt man diesen theologischen Sachzusammenhang mit der paulinischen Rechtfertigungslehre, verbietet sich eine Interpretation der Stelle, welche die Negation innerhalb der Antithese lediglich als die im Grunde überflüssige, nur ornamental bedeutsame Folie der Position zu werten vermag. Paulus führt die Negation nämlich keineswegs darum an, um einfach das heilvolle Geschick der *Christen* im Kontrast zum unheilvollen der *Nichtchristen* vor Augen zu führen[14]. Beide Glieder der Antithese beziehen sich vielmehr auf ein und dieselbe Größe, nämlich ἡμᾶς[15]. Von den getauften *Christen* gilt *beides zugleich*: οὐκ ... εἰς ὀργήν und εἰς περιποίησιν σωτηρίας. Die Pointe der Antithese wird daher verkannt, wenn man den in der Negation genannten Sachverhalt (ὀργή) als für die Christen selbst irrelevant erklärt und wie E. v. DOBSCHÜTZ unbefangen feststellt: „Die nichtchristliche Welt verfällt dem Zorngericht ..., die Christen (ἡμᾶς ...) aber sind gewiß, daß sie bestimmt sind, das Heil zu erlangen.“[16] Demgegenüber ist hervorzuheben, daß es sich bei der in der Negation genannten ὀργή um eine die Christen selbst betreffende, ihnen sub specie evangelii offenbar gewordene Wirklichkeit handelt — allerdings um eine für sie nun durch das Evangelium *überholte, ausgeschlossene* Wirklichkeit (οὐκ ... εἰς ὀργήν)[17]. Wie die Sünde so gehört auch das eschatologische Strafurteil Gottes (ὀργή)[18]

---

[12] Paulus und Jesus, S. 67.

[13] Vgl. E. Fuchs, GA Bd. III, S. 123. 342; E. JÜNGEL, ebd., S. 67f. Befremdlich ist, daß P. STUHLMACHER in seiner dem paulinischen δικαιοσύνη-Verständnis nachgehenden Untersuchung (Gerechtigkeit Gottes bei Paulus) die Stelle 1 Thess 5,8b (9), an der Paulus eine Interpretation von ‚Gerechtigkeit‘ vorlegt, nicht ausdrücklich thematisiert (sie wird nur einmal ad vocem ‚militia dei/Christi‘ am Rande erwähnt; vgl. a.a.O., S. 205).

[14] Die auf *diesen* Gegensatz abhebenden Ausführungen von E. v. DOBSCHÜTZ z.St. (vgl. a.a.O., S. 212) entsprechen dem gängigen Auslegungstrend.

[15] Dieser Sachverhalt wird von L. MORRIS, The First and the Second Epistles to the Thessalonians, S. 160, berücksichtigt.

[16] A.a.O., S. 212.

[17] Zur Sache und zum Folgenden vgl. E. JÜNGEL, Das Gesetz zwischen Adam und Christus, ZThK 60/1963, 44ff.

[18] Vgl. Bultmann, NT, 5. Aufl. 1965, S. 288.

als deren unabdingbare negative Konsequenz infolge des Evangeliums zur *vergangenen* Wirklichkeit des Glaubenden. Aber beide — ἁμαρτία und das ihr entsprechende eschatologische Verhängnis der ὀργή — *bleiben* für ihn *als überholte* Wirklichkeit *präsent*. Diesem Sachverhalt trägt Paulus Rechnung, indem er der Position die Negation voranstellt. Die Negation hält den Bezug zur vergangenen und überholten Wirklichkeit des Christen fest und macht dadurch zugleich die dem Christen bestimmte σωτηρία als ein sich *sola gratia* ereignendes Geschehen verständlich, verhilft der Position (εἰς περιποίησιν σωτηρίας) also zur Eindeutigkeit. Hätte Paulus nämlich auf die Negation verzichtet, wäre nicht deutlich geworden, daß die Prädestination der Glaubenden zur περιποίησις σωτηρίας[19] auf einem Akt göttlicher χάρις beruht, d.h. „das gnädige Handeln des Richters“[20] an der ὀργή verdienenden Menschheit darstellt. Weil die gegenwärtige eschatologische Existenz des Glaubenden „ihren Sinn gerade in ihrem Bezug auf die vergangene“ hat und weil sie ohne diesen Bezug „ihren eigentümlichen Charakter verlieren“ würde, „— nämlich ihren Charakter als des Geschenkes der vergebenden Gnade“[21], präzisiert Paulus in 1Thess 5,9 die ihm vorgegebene Tauftradition durch die Einführung einer Antithese, welche das iustus esse und das peccator esse des Glaubenden in einem simul sprachlich zusammenhält[22]. Daß damit zugleich eine Differenz zur gnostischen Heilsauffassung markiert ist, bedarf keiner ausführlichen Begründung. Während sich der Mensch nach gno-

[19] Unter der Voraussetzung, daß Paulus die Antithese (unter Beibehaltung von περιποίησιν) in die ihm vorgegebene Bekenntnistradition einführt, erklärt sich nicht nur die Unebenheit der ‚correctio‘ (es heißt nicht — was immer wieder übersehen wird —: οὐκ . . . εἰς ὀργὴν ἀλλὰ εἰς σωτηρίαν, sondern: . . . ἀλλὰ εἰς περιποίησιν σωτηρίας; vgl. N. SCHNEIDER, a.a.O., S. 92 Anm. 14), sondern auch das Schillernde der Bedeutung von περιποίησις im vorliegenden Zusammenhang. Περιποίησις in der Bedeutung von ‚Besitz‘ (so B. RIGAUX, a.a.O., S. 571; K.-G. ECKART, ZThK 58/1961, 42 Anm. 3) ist in der Verbindung mit σωτηρίας zwar als eine paulinischem Denken nicht inadäquate Wendung verständlich zu machen, paßt aber eher zu dem o. mit Vorbehalt für die vorpaulinische Tradition reklamierten Genitiv δόξης.

[20] Bultmann, NT, 5. Aufl. 1965, S. 289.

[21] R. BULTMANN, Christus des Gesetzes Ende, in: GuV Bd. II, S. 56.

[22] Infolge der Einführung der Antithese verwandelt sich die Tradition in eine der paulinischen Rechtfertigungslehre adäquate Aussage, die sich von der nicht-antithetisch gefaßten Tradition von 1Thess 1,10 in charakteristischer Weise abhebt. Denn dort kommt die Christologie anders als in der genuin paulinischen Rechtfertigungslehre lediglich „als futurische Soteriologie ins Blickfeld und das Gericht (sc. einseitig) nur unter der Heilsbedeutung für die Gemeinde“ (J. BECKER, Erwägungen zur apokalyptischen Tradition in der paulinischen Theologie, EvTh 30/1970, 599 — BECKERs Formulierung scheint im Zusammenhang seiner Ausführungen allerdings weniger kritisch gemeint; zur Sache vgl. auch G. FRIEDRICH, Ein Tauflied hellenistischer Judenchristen, ThZ 21/1965, 507).

stischer Anschauung des Heils durch die Erkenntnis der pneumatischen Qualität seines Selbst zu vergewissern vermag, *wird* er nach paulinischer Auffassung des Heils *durch das Evangelium vergewissert*, das dem Glaubenden, und zwar ihm allein, sola gratia die Gabe der δικαιοσύνη θεοῦ zuwendet und die künftige περιποίησις σωτηρίας verbürgt (vgl. Röm 5,8f.)[23].

(3) Daß sich die göttliche Prädestination der Glaubenden εἰς περιποίησιν σωτηρίας nicht vor oder hinter dem Christusgeschehen, also unabhängig von ihm, vollzieht, sondern als Akt der Gnade gerade auf dieses Ereignis bezieht, zeigt der folgende präpositionale Ausdruck διὰ τοῦ κυρίου ἡμῶν Ἰησοῦ Χριστοῦ, der seinerseits durch die partizipiale Wendung τοῦ ἀποθανόντος περὶ ἡμῶν präzisiert wird[24]. In der Regel wird das διὰ τοῦ κυρίου ἡμῶν κτλ. nicht als zum Verb (ἔθετο), sondern als zu εἰς περιποίησιν σωτηρίας gehörig betrachtet[25]. Für diese Auffassung macht man geltend, mit der durch διά angeschlossenen Wendung sei nicht „die Verbürgtheit des Heils“ ausgedrückt, sondern die „Vermittlung der Erwerbung“[26]. Allein, geht man von der oben begründeten Einsicht aus, daß die Antithese als eine ‚spannungsvolle *Einheit*‘ (N. SCHNEIDER) zu verstehen ist[27], wird man den präpositionalen Ausdruck nicht nur der Position zuweisen dürfen[28]. Denn damit würde ja die Einheit der Antithese wieder zerbrechen. Die Position erführe eine einseitige Betonung, die ihr innerhalb der Antithese gerade nicht zukommt, und die Negation wäre verharmlost. Man wird somit das

---

[23] Vgl. R. BULTMANN, ThW Bd. VI, 223: Die „χάρις ist nicht eine göttliche δύναμις im gnostischen Sinne, die dem Menschen eingeflößt würde und ihn in seiner Substanz verwandelte, sein geschichtliches Sein zerstörend. Sie ist vielmehr streng als die Gnade des Gottes verstanden, der der Richter ist. Sie begegnet dem Menschen also immer als die Gnade der Vergebung, in welcher die Verurteilung der Sünde und die Behaftung des Menschen unter den fordernden Willen Gottes, der das Tun des Guten will, einbegriffen ist. Sie läßt also den Menschen der konkreten Situation seines geschichtlichen Lebens nie entfliehen.“ Zur Sache vgl. auch W. SCHMITHALS, Die Gnosis in Korinth, 3. Aufl. 1969, S. 170f.; E. KÄSEMANN, Der Ruf der Freiheit, S. 103.

[24] Beides ist nicht auseinanderzureißen (gegen W. MARXSENS Feststellung, der Heilsgrund werde „zweimal angegeben“, ZThK 66/1969, 37).

[25] Vgl. G. LÜNEMANN, a.a.O., S. 142; E. v. DOBSCHÜTZ, a.a.O., S. 212.

[26] So W. MOELLER, bei W.M.L. de WETTE, Kurze Erklärung des Briefes an die Galater und der Briefe an die Thessalonicher, 3. Aufl. 1864, S. 167; vgl. auch W. THÜSING, a.a.O., S. 204: „Der Erwerb, die Erlangung des Heiles vollzieht sich . . . durch Christus; und da diese Erlangung bei der Parusie Christi geschieht, muß demnach auch das Wirken Christi, durch das sie geschieht, das Wirken des erhöhten Christus bei der Parusie sein.“

[27] Vgl. N. SCHNEIDER, a.a.O., S. 120.

[28] Auch in der nicht-antithetisch formulierten Aussage der vorausgesetzten vorpaulinischen Bekenntnistradition kann sich die christologische Wendung sowohl auf die Position als auch auf das Verb beziehen.

διὰ τοῦ κυρίου ἡμῶν κτλ. analog zu 1Thess 4,14b auf den ganzen vorhergehenden Satz zu beziehen haben[29]. Der präpositionale Ausdruck kennzeichnet „die Person Jesu Christi“[30] als *die entscheidende Zwischenbestimmung der Absicht Gottes,* allen Glaubenden durch die Befreiung von der ihnen rechtmäßig zustehenden ὀργή zur Rechtfertigung und eben damit zur περιποίησις σωτηρίας[31] zu verhelfen[32]. Und zwar ist Christus insofern *die Zwischenbestimmung dieser Absicht Gottes,* als er dazu ausersehen ist (vgl. das προέθετο, Röm 3,25), sich stellvertretend an den Ort der Sünde zu begeben und durch seine Hingabe in den Tod die richterliche Gerechtigkeit Gottes, die das Verhängnis der ὀργή vollzieht[33], an seiner Person περὶ ἡμῶν auswirken zu lassen (vgl. Röm 3, 21–26, bes. 3,25f.; 2Kor 5,21; 8,9; Gal 3,13f.; 4,4f.; Röm 8,3f.)[34].

---

[29] Ähnlich K. WENGST, a.a.O., S. 76; er kennzeichnet (ebd.) die appositionelle Wendung διὰ τοῦ κυρίου ἡμῶν Ἰησοῦ Χριστοῦ als „das Mittel dieser Bestimmung Gottes“.

[30] W. BORNEMANN, a.a.O., S. 225.

[31] Diesem Zusammenhang entspricht sachlich die Formulierung von Gal 5,5, sofern in der dort begegnenden Verbindung ἐλπὶς δικαιοσύνης der Genitiv — wie G. KLEIN vermutet (Gottes Gerechtigkeit als Thema der neuesten Paulus-Forschung, VuF 12/1967, 4) — „nicht den Inhalt der Hoffnung“, sondern vielmehr deren „Grundlage“ bezeichnen könnte (gegen K. KERTELGE, a.a.O., S. 147 und ebd. Anm. 167). Vgl. auch J. BECKER, EvTh 30/1970, 608: Paulus „ist der Theologe der präsentischen Rechtfertigung, aus der er die Zukunft erschließt. Sie ist Zukunft Christi für die Gemeinde der Gerechtfertigten.“

[32] Vgl. K. WENGST, a.a.O., S. 77: „Indem Gott uns durch den Tod Christi rechtfertigte, bestimmte er uns damit zugleich für den Erwerb der Rettung bei der Parusie.“

[33] H. CONZELMANN behauptet, der Begriff ‚Zorn Gottes‘ sei bei Paulus in der Rechtfertigungslehre verankert, fehle „dagegen in der Christologie; Christus wird nicht als Objekt des Z.(orn)es G.(ottes) dargestellt. Vielmehr spricht Paulus im Stil seiner Gesetzes- und Rechtfertigungsauffassung von Fluch und Sünde (Gal 3,13; 2Kor 5,21)“ (RGG³ VI, 1932). Doch ist dies m.E. gerade im Blick auf 1Thess 5,9f. (vgl. die obige Analyse) sowie Röm 3,25f. vorschnell geurteilt. Wenn es sich in Röm 3,25 bei der dort genannten δικαιοσύνη (vgl. εἰς ἔνδειξιν τῆς δικαιοσύνης αὐτοῦ) um die sich an Christus als dem ‚Sühnemittel‘ auswirkende „richterliche(n) Gerechtigkeit“ (R. BULTMANN, ΔΙΚΑΙΟΣΥΝΗ ΘΕΟΥ, in: Exegetica, S. 471) handelt (vgl. das δίκαιον, V. 26b), so ist darin der Gedanke an das Verhängnis der ὀργή einbegriffen.

[34] An dieser Interpretation von 1Thess 5,9f. bewährt sich die exegetische Feststellung von R. SCHUSTER, daß das ἀποθανεῖν Christi „nur als ἀποθανεῖν ὑπέρ“ (περί) zu verstehen ist (vgl. Röm 14,15; 1Kor 15,3; 2Kor 5,14f.) und das ὑπέρ „auf keinen Fall nur als Deutung des Sterbens Christi verstanden werden (kann). Das Sterben Christi kommt nach Röm 8,32 aus dem ὑπὲρ ἡμῶν Gottes selbst“ (a.a.O., S. 225). Das am Schluß des Abschnitts 1Thess 5,4–10 in V. 10 laut werdende, sachlich ein ὑπὲρ πάντων (vgl. πάντες ... ὑμεῖς, V. 5) meinende περὶ (ὑπὲρ) ἡμῶν kennzeichnet *das paulinische Evangelium* nachträglich als das eigentliche Thema des in V. 4–8 Gesagten. Denn dieses περί (ὑπέρ) „scheint das Hauptwort des Wortlauts zu sein, den die δόξα des κύριος im Evangelium des Paulus hat“ (R. SCHUSTER, ebd.). SCHUSTER verweist im selben Zusammenhang

Bemerkenswert ist, daß die mit διά eingeleitete volle christologische Formel auf das διὰ τοῦ Ἰησοῦ von 1 Thess 4, 14b zurückweist[35] und wie jene Wendung dem antignostischen Interesse des Apostels entspricht, die bleibende Distanz zwischen Christus und den Christen festzuhalten.

(4) Durch die Aussage von V. 10b, die den Zweck des Todes Jesu darin erblickt, ἵνα[36] εἴτε γρηγορῶμεν εἴτε καθεύδωμεν ἅμα σὺν αὐτῷ ζήσωμεν, wird das in V. 9 bereits genannte Ziel der Absicht Gottes — die περιποίησις σωτηρίας — präzisiert. Der ἵνα-Satz schlägt offensichtlich den Bogen zu 1 Thess 4, 13ff. zurück[37] und bindet die Ausführungen von 4, 13ff. mit dem in 5, 4ff. Gesagten zusammen. Daß V. 10b die Thematik von 4, 13ff. aufgreift, ergibt sich aus folgender Beobachtung: „Ohne inneren Zusammenhang mit dem Kontext — nur äußerlich ist er durch dieselbe Wortwahl gegeben — werden hier die zwei Gruppen der γρηγοροῦντες und καθεύδοντες (Lebende und Tote) parallel den ζῶντες περιλειπόμενοι und κοιμηθέντες (4, 15. 17) unterschieden und beiden das Leben in Gemeinschaft mit dem Herrn (ἅμα σὺν αὐτῷ) versichert."[38] Allerdings will beachtet sein, daß das auf 1 Thess 4, 15ff. zurücklenkende paulinische Interpretament εἴτε γρηγορῶμεν εἴτε καθεύδωμεν nicht ausdrücklich auf den Zeitpunkt der Parusie abhebt. Es ist nicht von den *bis zur Parusie übrigbleibenden* Lebenden im Unterschied zu den *dann* bereits Verstorbenen die Rede, sondern Paulus faßt (anders als 1 Thess 4, 15ff.) *generell* die Differenz zwischen den lebenden und toten Christen ins Auge und relativiert diese Differenz durch die für ihn auch sonst charakteristische Konstruktion mit εἴτε ... εἴτε ... (vgl. 2 Kor 5, 9; Phil 1, 20)[39]. Die Aussage macht prinzipiell geltend, daß die „anthropologische Befindlichkeit hinsichtlich des Heils irrelevant ist"[40] (vgl. Röm 14, 7–9![41]).

Was aus dem Zusammenhang von 1 Thess 4, 15ff. zu erschließen war, wird durch 5, 10b, wo Paulus selbständig formuliert, nachträglich

---

auf 2 Kor 5, 14f. und präzisiert das εἷς ὑπὲρ πάντων (2 Kor 5, 14; vgl. das πάντες von 1 Thess 5, 5 mit dem περὶ ἡμῶν von 5, 10) als dasjenige Wort, um dessentwillen „Evangelium bei Paulus als εὐαγγέλιον τοῦ Χριστοῦ zu sagen ist": „Aus ihm sind alle Sätze zu verstehen, die im Wortlaut des Evangelium bei Paulus gesprochen werden" (a. a. O., S. 226). „Um der Liebe Christi willen muß gesagt werden: εἷς ὑπὲρ πάντων ἀπέθανεν. Das heißt, es besteht kein anderer Grund, das zu sagen, als dieses εἷς ὑπὲρ πάντων selbst. Die δόξα, die der Anlaß zur Verkündigung Christi ist, hat ihren Wortlaut im εἷς ὑπὲρ πάντων, sie ist identisch mit seiner ἀγάπη" (ebd.; vgl. S. 230).

[35] Vgl. W. Marxsen, ZThK 66/1969, 37; H. Löwe, a. a. O., S. 99.

[36] Vgl. E. Stauffer, ThW Bd. III, 328ff.

[37] Vgl. P. Hoffmann, a. a. O., S. 231.

[38] P. Hoffmann, a. a. O., S. 229.

[39] Vgl. H. Conzelmann, Grundriß der Theologie des Neuen Testaments, 2. Aufl. 1968, S. 186. 209. 213; ferner G. Bornkamm, GA Bd. III/1, S. 49.

[40] H. Conzelmann, a. a. O., S. 213.

[41] Vgl. dazu G. Schunack, a. a. O., S. 9; R. Schuster, a. a. O., S. 225f.

bestätigt: Der Apostel setzt sich kritisch mit einer Front auseinander, welcher die ,anthropologische Befindlichkeit' gerade als Kriterium für den Gewinn des Heils gilt. Wie gezeigt[42], ist es für den Gnostiker alles andere als irrelevant, ob er zu den Lebenden oder zu den Toten gehört. Denn der Kreis der Heilsträger erstreckt sich nach seinem Dafürhalten nur auf die lebenden Pneumatiker, die für sich in Anspruch nehmen können: ἀνάστασιν ἤδη γεγονέναι (2 Tim 2, 18). Die Toten hingegen bleiben, weil sie als Tote der Sphäre der Sarx angehören, von der Anastasis und damit vom Heil ausgeschlossen (ἀνάστασις νεκρῶν οὐκ ἔστιν, 1 Kor 15, 12). Paulus spielt in 1 Thess 5, 10b auf diese von gnostischer Seite behauptete radikale Differenz zwischen den Lebenden und den Toten an und *über*spielt sie durch das den Gegensatz von γρηγορεῖν und καθεύδειν relativierende εἴτε ... εἴτε ...: Das den Christen durch den Tod Jesu gewährte eschatologische Heil kommt allen zugute, ob sie nun leben oder schon (als Tote) schlafen. Anders als in 1 Thess 4, 15ff., wo die Negation den Ton angab (die Lebenden sind gegenüber den Toten *nicht* bevorzugt), dominiert in 1 Thess 5, 10b eindeutig der positive Gesichtspunkt, daß alle (vgl. πάντες, V. 5) — Lebende und Tote — in der eschatologischen Zukunft ,zugleich'[43] mit dem Herrn (ἅμα σὺν αὐτῷ) an der (dessen?) ζωή partizipieren werden.

Sprachlich gesehen ist der Übergang von V. 6, wo ,Schlafen' und ,Wachen' ,,in schroffem Gegensatz erscheint"[44], zu V. 10b, wo beide Verben — wie L. MATTERN[45] zutreffend bemerkt — ,parallelisiert' und ,egalisiert' werden, sehr hart. Doch Paulus sieht sich in V. 10b offenbar zu dieser Ausdrucksweise (εἴτε γρηγορῶμεν εἴτε καθεύδωμεν) gezwungen, weil er einerseits die Verbindung zur Thematik von 4, 13ff. (das problematische Verhältnis der Lebenden zu den Toten im Blick auf das Heil) herstellen, andererseits aber im Gegensatz zum Gnostiker, der die lebenden Pneumatiker mit den ζῶντες identifiziert, das Verbum ζῆν ausschließlich für die Kennzeichnung des künftigen eschatologischen ,Lebens' σὺν κυρίῳ reservieren will[46]. Gelegentlich wird der futurische Sinn des von ἵνα abhängigen Konj. Aor. ζήσωμεν bestritten und die in V. 10b geltend gemachte ,,Zweckbestimmung auf das schon in der Gegenwart in dem getauften Christen beginnende neue religiös-

---

[42] Siehe o. S. 27ff.

[43] Ἅμα behält auch in der Verbindung mit σύν temporalen Akzent (vgl. Bauer, WB, 5. Aufl. 1963, 83 s.v.; B. RIGAUX, a.a.O., S. 545), darf also nicht mit ,zusammen' wiedergegeben werden (so H.-A. WILCKE, a.a.O., S. 141. 146 — anders S. 147).

[44] L. MATTERN, a.a.O., S. 79.

[45] Vgl. ebd.

[46] Dem entspricht in 1 Thess 4, 15ff. die sprachliche Differenz zwischen οἱ ζῶντες οἱ περιλειπόμενοι (V. 17a) und σὺν κυρίῳ εἶναι (V. 17 fin.).

sittliche Leben"[47] bezogen[48]. Doch ist diese Auffassung im Blick auf 1Thess 4,17 fin. (vgl. 4,14b) und andere paulinische Sachparallelen als abwegig zu verwerfen[49] (vgl. Röm 6,5b.8b, wo die Futura keineswegs nur logisch, „sondern streng zeitlich gemeint" sind[50]; ferner Röm 8,17.32; 2Kor 4,14; 13,4)[51]. Nicht anders als an den genannten Stellen, für die jeweils eine Verbindung mit σύν charakteristisch ist, behält Paulus auch in 1Thess 5,10 die den Glaubenden durch den Tod Christi gewährte ζωή (σὺν κυρίῳ) der eschatologischen Zukunft vor und richtet damit „eine unbedingte zeitliche Differenz auf zwischen dem, was an Christus geschah(,) und dem, was an den Christen geschehen ist und geschehen wird"[52] (vgl. auch Phil 3,11.20f.[53]). Im Unterschied zu den Pneumatikern, „für die Teilhabe an Christus wesentlich Identifikation mit dem Erhöhten war (vgl. besonders 1Kor 4,8ff)"[54] und die aus diesem Grund alle vom Geist Erfüllten der bereits vollzogenen Anastasis versichert meinten, behauptet Paulus, „daß nur Christus der Gekreuzigte *und* Auferstandene ist"[55] (vgl. 1Thess 4,14). Die Christen hingegen werden an der ζωή, die sie nach der Absicht Gottes empfangen sollen, die aber zunächst allein Christus zukommt, erst in der eschatologischen Zukunft partizipieren.

Auffällig ist freilich, daß von der Auferweckung Jesu in 1Thess 5,10 expressis verbis nicht die Rede ist. Man hat diesen Sachverhalt damit erklären wollen, für Paulus sei „sie (sc. die Auferweckung Jesu) offenbar in dem formelhaft abkürzenden τοῦ ἀποθανόντος περὶ ἡμῶν mit angezeigt" und solle „ganz selbstverständlich mitgehört werden"[56]. Doch näherliegend dürfte wohl die u.a. durch E. v. DOBSCHÜTZ vorgebrachte Erwägung sein, daß der Gesichtspunkt der Auferweckung Jesu „sowohl in dem Titel κύριος ausgesprochen als in dem folgenden

---

[47] G. WOHLENBERG, a.a.O., S. 113.

[48] Vgl. E. SCHWEIZER, in: Beiträge zur Theologie des Neuen Testaments, S. 190f. (die Möglichkeit präsentischer Auslegung des ζήσωμεν wird dort allerdings auf der Basis einer sehr fragwürdigen Analyse der Disposition von 1Thess 4,13–5,11 in Erwägung gezogen); vgl. auch E. FUCHS, GA Bd. III, S. 343. Zum wohl eindeutig präsentischen Sinn der Wendung in der vorpaulinischen Bekenntnistradition s.o. S. 124 Anm. 37.

[49] Mit P.W. SCHMIEDEL, a.a.O., S. 24; E. v. DOBSCHÜTZ, a.a.O., S. 213; L. MATTERN, a.a.O., S. 80; H. LÖWE, a.a.O., S. 99; P. HOFFMANN, a.a.O., S. 230 (vgl. die ebd. Anm. 124 Genannten).

[50] H. LÖWE, a.a.O., S. 77 (vgl. ebd. Anm.-Teil, S. 33 Anm. 224).

[51] Vgl. J.M. ROBINSON, ZThK 62/1965, 303f.

[52] H. LÖWE, a.a.O., S. 77.

[53] Siehe dazu H. KOESTER, NTS VIII/1961–62, 323 (und ebd. Anm. 4). 329f.

[54] H. LÖWE, ebd.

[55] H. LÖWE, ebd.

[56] H. LÖWE, a.a.O., S. 99.

Absichtssatz" mitgedacht ist[57]. „Man kann nicht sagen, daß der Blick auf den Auferstandenen fehle. Vielmehr lebt dieser als ‚unser Herr' ‚zugleich' in der Gemeinschaft, die er durch seinen Tod gewährt. Christus lebt also nicht isoliert von den Getauften, sondern zugleich mit ihnen als ihre ἀπαρχή (1. Kor 15, 20f.)"[58], d. h. als der Erstgeborene einer Vielzahl kommender Brüder (Röm 8, 29), welche an derselben Zukunft, „die Christus schon lebt"[59], teilhaben sollen und teilhaben werden.

3. *Die Schlußmahnung (V. 11)*

Mit einer durch διό[1] eingeleiteten, sehr knapp gehaltenen Mahnung beschließt Paulus den Abschnitt: Διὸ παρακαλεῖτε ἀλλήλους καὶ οἰκοδομεῖτε εἷς τὸν ἕνα, καθὼς καὶ ποιεῖτε. Der Satz dürfte sich nicht allein auf das in 1 Thess 5, 1–10 Gesagte, sondern auf den Gesamtkomplex 4, 13–5, 10 zurückbeziehen. So urteilt auch B. Rigaux: "Cette conclusion ne se rapporte pas seulement à V, 1–10, mais reprend également la péricope précédente, IV, 13–18, à laquelle il vient manifestement d'être fait allusion."[2] Diese Feststellung gibt Anlaß zu der Frage, worauf die Mahnung abzielt, wenn sie mit den Ausführungen von 4, 13–5, 10 zusammenzuhalten ist. Worin ist der Sachbezug von 5, 11 zum rückwärtigen Kontext begründet?

In den Kommentaren mißt man der Stelle in der Regel keine besondere Bedeutung zu. Die Aussage wird lediglich am Rande berücksichtigt oder einfach übergangen[3]. Das exegetische Desinteresse an 5, 11, das im Blick auf den dürftig scheinenden Wortlaut des Satzes auch gar nicht verwunderlich ist, beruht jedoch auf der Verkennung des Verhältnisses von Situation und Text sowie auf einer darin begründeten Fehleinschätzung der Prägnanz paulinischer Terminologie. Bei näherem Zusehen zeigt sich, daß die Aussage in Wahrheit sehr viel aufschlußreicher ist, als es auf den ersten Blick den Anschein hat.

Wir fragen zunächst nach der Bedeutung von παρακαλεῖν im vorliegenden Zusammenhang. Man schwankt, ob das Verb an dieser Stelle im Sinn von ‚trösten'[4] oder eher in dem von ‚ermahnen'[5] gebraucht

---

[57] A. a. O., S. 213. [58] E. Fuchs, GA Bd. III, S. 343.
[59] E. Fuchs, ebd.
[1] Zu διό als konsekutiv koordinierender Konjunktion vgl. Bl-Debr § 451, 5.
[2] A. a. O., S. 574.
[3] Vgl. M. Dibelius, HNT 11/3. Aufl. 1937, S. 30 (vgl. ebd., S. 28).
[4] So G. Lünemann, a. a. O., S. 144.
[5] So W. M. L. de Wette, Kurze Erklärung des Briefes an die Galater und der Briefe an die Thessalonicher, 3. Aufl. 1864, S. 167; G. Wohlenberg, a. a. O., S. 114f.; E. v. Dobschütz, a. a. O., S. 214; O. Merk, a. a. O., S. 56; A. Grabner-Haider, a. a. O., S. 22.

ist[6]. Für die zuerst genannte Bedeutung wird auf 4,13ff. verwiesen. Doch ist dieser Hinweis irreführend, wenn unsere Analyse des Textes zutrifft. Wie gezeigt, gelten die Ausführungen des Abschnitts 4,13–17 nämlich keineswegs dem Trost betrübter Gemeindeglieder, sondern der Auseinandersetzung mit einer die Gemeinde beunruhigenden Agitation gnostischer Provenienz (vgl. insonderheit die polemisch akzentuierte Partie 4,15–17[7], ferner den ἵνα-Satz 4,13b, der nach der hier vertretenen Auffassung *warnend* auf die fatalen Konsequenzen aufmerksam machen will, die das von gnostischer Seite propagierte Denken in paulinischer Sicht mit Notwendigkeit nach sich zieht[8]). Auch im Blick auf die 5,11 unmittelbar vorausliegenden Aussagen von 5,1–10 erscheint es als verfehlt, den Imperativ παρακαλεῖτε ἀλλήλους im Sinne einer Aufforderung zum gegenseitigen Gewähren von Trost zu verstehen. Zwar ist nicht der Ton des *ganzen* Abschnitts „auf Ermahnung zur Wachsamkeit und Warnung vor leichtfertiger Sicherheit im Blick auf die Parusie" gestimmt, wie W. Schmithals behauptet[9]. Doch tragen die einleitenden Aussagen der V. (1)2f. eindeutig polemischen Charakter. Sie gelten in der Tat einer ‚Warnung vor leichtfertiger Sicherheit im Blick auf die Parusie'. Auch den ihrer Tendenz nach nicht polemisch gefärbten positiven Ausführungen von V. 4–8 ist insofern ein Moment der Kritik inhärent, als dort der Indikativ durch den Imperativ antignostisch präzisiert und gegenüber dem Enthusiasmus die Trias von Glaube, Liebe und Hoffnung geltend gemacht wird (vgl. auch das zu V. 10b Gesagte). Auf Grund dieser Erwägungen scheint es geraten, den Imperativ παρακαλεῖτε ἀλλήλους mit der Mehrzahl der Exegeten auf den Akt gegenseitiger mahnender Zurechtweisung zu beziehen (vgl. den Imperativ νουθετεῖτε 1Thess 5,14, der — wenn die literarische Integrität von 1Thess 4,3–5,28 vorausgesetzt werden dürfte — dem παρακαλεῖτε von 5,11 entspräche[10]). Und zwar gilt diese gegenseitige Zurechtweisung konkret der Abwehr der gnostischen Infiltration. Paulus hält die Gemeinde dazu an, dem von gnostischer Seite propagierten Denken standzuhalten. Wenn sich der eine oder andere von gnostischen Parolen beeindrucken oder gar gefangennehmen lassen sollte, ist die Gemeinde angewiesen, den betreffenden ἀδελφός unter Berufung auf das paulinische Kerygma zur Ordnung zu rufen.

---

[6] W. Bornemann (a.a.O., S. 226f.) und B. Henneken (a.a.O., S. 69) suchen beide Bedeutungen miteinander zu verbinden: „am ehesten eignet sich ‚gut zureden'" (Henneken, ebd.).

[7] Siehe o. S. 27ff. 46ff.

[8] Siehe o. S. 29ff.

[9] Paulus und die Gnostiker, S. 119.

[10] Vgl. Ph. Vielhauer, Oikodome, S. 101.

Erschließt sich von der angenommenen antignostischen Frontstellung der paulinischen Ausführungen in 1Thess 4,13–5,10 her auch das Verständnis des zweiten, parallel zu παρακαλεῖτε ἀλλήλους angeführten Imperativs οἰκοδομεῖτε εἷς τὸν ἕνα? Untersucht man die paulinische Verwendung von οἰκοδομεῖν/οἰκοδομή, so zeigt sich, daß beide Termini überwiegend in den Korintherbriefen begegnen — und zwar werden sie, sofern sie nicht auf „die missionarische Tätigkeit des Apostels“[11] bezogen sind (vgl. 1Kor 3,5–17; 2Kor 10,8; 12,19; 13,10; ferner Röm 15,20[12]), als „Bild für das Verhalten der Gemeinde“[13] gebraucht (vgl. 1Kor 8,1; 10,23f.; 14,3ff. 12. 17. 26; ferner Röm 14,19 und 15,2 — dieser Gruppe ist auch die Stelle 1Thess 5,11 zuzuordnen). Wie Ph. Vielhauer nachgewiesen hat, kennzeichnet οἰκοδομεῖν (bzw. das verbal gemeinte Substantiv οἰκοδομή) in der paulinischen Literatur die „Förderung, Kräftigung, Stärkung“ der christlichen *Gemeinschaft*[14]. Οἰκοδομεῖν „ist kein individualistischer, sondern ein Gemeinschaftsbegriff; mit ihm ist nie das ‚erbauende‘ Individuum, sondern immer die Gemeinschaft visiert, die Aufgabe für die Gemeinschaft, bzw. für den Nächsten, mit dem dadurch Gemeinschaft hergestellt wird“[15]. Auf Grund dieses Sachverhalts besitzt der Terminus „nicht nur den positiven, konstitutiven Sinn, sondern auch zugleich den kritischen, negativen und normativen“ (vgl. 1Kor 8; 10; 14): Wie „im apostolischen Wirken neben die οἰκοδομή als notwendiges Komplement die καθαίρεσις tritt (eben zur Durchführung der Oikodome!), so wird in der Gemeinde die Oikodome normativ, kritisch und negativ geltend gemacht gegen den anarchistischen Individualismus des gnostischen Pneumatikertums mit seinen libertinistischen und ekstatischen Äußerungen“[16].

---

[11] Ph. Vielhauer, ebd., S. 77.

[12] Gal 2,18 liegt offensichtlich eine für Paulus sonst nicht charakteristische Verwendung von οἰκοδομεῖν vor; denn das Verb „hat im Unterschied zum sonstigen paulinischen Sprachgebrauch hier negativen Charakter, ist kein irgendwie soteriologischer Terminus; denn es bedeutet ja Wiederherstellung der und Bekenntnis zu der antiquierten Ordnung des Gesetzes, also eben gerade das Gegenteil des sonstigen Sprachgebrauchs. Der Gebrauch von οἰκοδομεῖν Gal 2,18 ist durchaus singulär und gar nicht typisch“ (Ph. Vielhauer, ebd., S. 89; zur Diskussion um den Aussagewillen d.St. vgl. R. Bultmann, Zur Auslegung von Galater 2,15–18, in: Exegetica, S. 394ff.; W. Schmithals, Paulus und Jakobus, S. 60ff.; G. Klein, Individualgeschichte und Weltgeschichte bei Paulus, EvTh 24/1964, 132ff.).

[13] Ph. Vielhauer, a.a.O., S. 90.

[14] A.a.O., S. 93; vgl. ebd., S. 114f.

[15] Ebd., S. 114.

[16] Ebd., S. 115; vgl. S. 90ff.

Dies zeigt sich deutlich an 1 Kor 14, wo die Charismen daran gemessen werden, ob sie πρὸς οἰκοδομήν geschehen (vgl. 1 Kor 14,26, auch 14,4b.5 fin. 12). Charakteristisch für die paulinische Intention ist die Antithese in 14,4:

ὁ λαλῶν γλώσσῃ ἑαυτὸν οἰκοδομεῖ·
ὁ δὲ προφητεύων ἐκκλησίαν οἰκοδομεῖ.

Die dem οἰκοδομεῖν im Vorder- und Nachsatz jeweils beigefügten Objekte entscheiden die Differenz zwischen glossolalischer und prophezeiender Rede[17]. Während die erste, weil sie (nur) der Selbsterbauung dient, negativ qualifiziert ist, erweist sich die zweite, weil sie auf die Förderung und Stärkung der Gemeinschaft ausgerichtet ist, als Positivum. Um „die Antithese denkbar zugespitzt zum Ausdruck zu bringen“[18], erlaubt sich Paulus das terminologische Zugeständnis und verwendet οἰκοδομεῖν auch in der Protasis. *In Wahrheit disqualifiziert der Nachsatz das οἰκοδομεῖν von V. 4a und erweist es als Privation der οἰκοδομή.* Wer sich wie der Glossolale ‚*selbst* erbaut‘, verfehlt gerade die οἰκοδομή; denn diese ist ihrem Wesen nach auf das Wohl der anderen bedacht (vgl. 1 Kor 10,23 mit 10,24.33). Sachlich gesehen ist das ἑαυτὸν οἰκοδομεῖν für Paulus alles andere als eine — wenn auch weniger hoch zu bewertende — Erscheinungsform der οἰκοδομή. Es handelt sich dabei vielmehr um eine dem Begriff der οἰκοδομή zuwiderlaufende, sie faktisch aufhebende Existenzweise, die sich nach paulinischer Auffassung nur uneigentlich als ‚bauen‘ bezeichnen läßt.

Nicht undenkbar ist, daß man in Korinth die Parole ausgab: πάντα οἰκοδομεῖ (vgl. 1 Kor 10,23b)[19]. Paulus widersetzt sich dieser dem gnostischen Freiheitsbewußtsein Ausdruck gebenden Redeweise, indem er den Sinn von οἰκοδομεῖν auf ein τὸ τοῦ ἑτέρου ζητεῖν festlegt (1 Kor 10,24; vgl. 10,33) und den Terminus auf diese Weise seinen Gegnern in Korinth entwindet. Wie die Antithese 1 Kor 8,1b (ἡ γνῶσις φυσιοῖ, ἡ δὲ ἀγάπη οἰκοδομεῖ) zeigt, ist der eigentliche paulinische Gegenbegriff zu οἰκοδομεῖν das einem τὸ ἑαυτοῦ ζητεῖν (vgl. 1 Kor 10,24) gleichkommende φυσιοῦν[20]. Indem Paulus „gegen die korinthische Position die scharfe, bewußt allgemein formulierte These: ἡ γνῶσις φυσιοῖ“[21] aufbietet, unterstellt er den Gnostikern, daß sie „Gott . . . faktisch . . . zum Mittel der Emanzipation des einzelnen“ machen: „Erkenntnis wird zur Selbsterbauung auf Kosten des anderen“[22]. Man hat vermutet, daß der paulinischen Formulierung in 1 Kor 8,1bα möglicherweise die gnostische Parole ἡ γνῶσις οἰκοδομεῖ vorausliegt[23].

---

[17] Zur Sache vgl. auch E. KÄSEMANN, Die Legitimität des Apostels, S. 61ff.; DERS., Der gottesdienstliche Schrei nach der Freiheit, in: Paulinische Perspektiven, S. 228. 231; H. JONAS, Gnosis und spätantiker Geist, Teil II/1, S. 45f.

[18] Ph. VIELHAUER, a.a.O., S. 92.

[19] Diese Möglichkeit ist insofern erwägenswert, als man fragen kann, ob hinter ἀλλ᾽ οὐ in 1 Kor 10,23a und b (vgl. 1 Kor 6,12a) nicht jeweils ein Kolon einzufügen ist (E. FUCHS); vgl. auch die vielleicht einem gnostischen Schlagwort begegnende Formulierung von 1 Kor 8,1b (s.u.). Ferner ist auf 1 Kor 8,10 zu verweisen, wo Paulus vermutlich „eine korinthische Redensart und Praxis (ironisiert), nach welcher der ‚Schwache‘ zum gleichen Handeln ermutigt werden soll, wie es der ‚Starke‘ ihm vormacht“ (O. MICHEL, ThW Bd. V, 144; vgl. Ph. VIELHAUER, a.a.O., S. 94f.).

[20] O. MICHEL, ThW Bd. V, 144.

[21] H. CONZELMANN, MeyerK 5. Abt./11. Aufl. 1969, S. 166.

[22] H. CONZELMANN, ebd., S. 167 Anm. 13; vgl. H. JONAS, Gnosis und spätantiker Geist, Teil II/1, S. 45.

[23] Vgl. Ph. VIELHAUER, a.a.O., S. 97; O. MICHEL, ThW Bd. V, 144.

Dann „hat 8,1b den Sinn, dem οἰκοδομεῖν das richtige Subjekt zu geben; ‚eure Gnosis baut nicht auf, sondern bläht nur auf; was wirklich aufbaut, ist die Agape‘. Es geht um eine Berichtigung beider Begriffe, der Gnosis und des οἰκοδομεῖν ... Pls nimmt hier also wahrscheinlich einen den Korinthern zum Schlagwort gewordenen Begriff ab und gibt ihn korrigiert zurück. In welchem Sinne *sie* ihn gebraucht haben, ist deutlich: *sie* bezeichnen mit ihm die Wirkung der Ausübung ihrer in der Gnosis begründeten Exousia.“[24]

In diesem Zusammenhang ist auch auf die Formulierung von 1Kor 4,6fin. aufmerksam zu machen. In der Absicht, den Korinthern ein „Exempel der christlichen Existenz“[25] vor Augen zu führen, verweist Paulus auf sich und sein Verhältnis zu Apollos, ἵνα μὴ εἷς ὑπὲρ τοῦ ἑνὸς φυσιοῦσθε κατὰ τοῦ ἑτέρου (‚damit ihr euch nicht, einer für den andern, gegeneinander aufbläht‘[26] — vgl. Röm 12,3). Auf die Problematik der Ausdrucksweise[27] und die verschiedenen Deutungsmöglichkeiten des Satzes[28] kann hier nicht eingegangen werden. Wahrscheinlich „überschneidet sich Polemik gegen das Rühmen zugunsten eines Lehrers und gegen das Rühmen überhaupt“[29]. Daß der zuletzt genannte Gesichtspunkt im Vordergrund des Interesses steht, zeigen die folgenden, im Stil der Diatribe[30] abgefaßten Fragen von V. 7. Wie W. SCHMITHALS zu Recht bemerkt[31], greift V. 7 auf das φυσιοῦσθε von V. 6 fin. zurück. Paulus kritisiert die Position der Korinther u.a. durch die Vorhaltung: ‚Wer zeichnet dich aus?‘ (τίς ... σε διακρίνει; — V. 7). „Dem genauen Wortsinn von διακρίνειν nach betrachteten sich die angeredeten kor. Christen als von anderen unterschieden. Das Bewußtsein des Geschiedenseins von allen Nichtpneumatikern ist aber elementarster Ausdruck des Selbstgefühls des Gnostikers.“[32] Auf diese Selbstgefälligkeit des Pneumatikers, der sich selbst aufbläht und von allen anderen absetzt, bezieht sich das ironisch gemeinte τίς σε διακρίνει. Die Frage, die beim Hörer als Antwort ein ‚οὐδείς‘ evoziert[33], gilt einer „Zurechtweisung des überheblichen Selbstbewußtseins der Gnostiker“[34] und führt eben jene Emanzipation ad absurdum, die im ‚Sich-gegeneinander-Aufblähen‘ (vgl. V. 6 fin.) ihren Ausdruck findet (vgl. 1Kor 4,18f.; 5,2)[35].

Vergleicht man die Ausdrucksweise von 1Kor 4,6 fin. mit derjenigen von 1Thess 5,11, ist man geneigt, die Wendung εἷς ὑπὲρ τοῦ ἑνὸς φυσιοῦσθε κατὰ τοῦ ἑτέρου als das negative Pendant zu dem Imperativ οἰκοδομεῖτε εἷς τὸν ἕνα anzusehen. Doch selbst wenn man der antithetischen Korrespondenz der genannten Formulierungen weniger Gewicht beimißt, ist im Blick auf die skizzierte prägnant-terminologische Ver-

[24] VIELHAUER, ebd. (Hervorhebung von mir).
[25] H. CONZELMANN, a.a.O., S. 104.
[26] Nach der Übersetzung H. CONZELMANNS, ebd.
[27] Vgl. H. CONZELMANN, ebd., S. 105 Anm. 17.
[28] Vgl. W. SCHMITHALS, Die Gnosis in Korinth, 3. Aufl. 1969, S. 169.
[29] H. CONZELMANN, a.a.O., S. 105 Anm. 17; vgl. W. SCHMITHALS, ebd., S. 169
[30] H. CONZELMANN, a.a.O., S. 105.
[31] Ebd.
[32] W. SCHMITHALS, ebd., S. 170.
[33] Vgl. SCHMITHALS, ebd.
[34] SCHMITHALS, ebd., S. 169.
[35] Vgl. auch H. SCHLIER, BibLeb 4/1963, 30; W. SCHMITHALS, Paulus und die Gnostiker, S. 121 Anm. 164.

wendung von οἰκοδομεῖν/οἰκοδομή in 1Kor die Möglichkeit nicht von der Hand zu weisen, daß die Aufforderung zur gegenseitigen ‚Erbauung' in 1Thess 5,11 *nicht nur konstruktiv* gemeint ist, sondern *zugleich kritisch* auf das selbstgefällige, sich dem anderen gegenüber abschließende Vollkommenheitsbewußtsein des Pneumatikers Bezug nimmt. Unter der Prämisse, daß das οἰκοδομεῖτε εἷς τὸν ἕνα analog zu den angeführten Stellen aus 1Kor zu interpretieren ist, gewinnt die Aussage erst eigentlich an Schärfe, wird der Sachbezug zum rückwärtigen Kontext deutlich, ordnet sich die Mahnung zwanglos in den Zusammenhang von 1Thess 4,13–5,10 ein — vorausgesetzt natürlich, daß unsere Analyse des Textes zutrifft. Der in Frage stehende Imperativ fordert einerseits *positiv* jedes einzelne Glied der Gemeinde an, nicht das Seine zu suchen, sondern auf das Wohl des anderen bedacht zu sein (vgl. 1Kor 10,23f. 33; 14,17) und durch dieses Verhalten, das auf die Forderung und Stärkung der Gemeinschaft ausgerichtet ist, der ἀγάπη zu entsprechen (vgl. 1Kor 12,24b–27)[36]. Andererseits bezieht sich die Mahnung aber zugleich *negativ und kritisch* auf die selbstbezogene Überheblichkeit des Pneumatikers, der sich im Bewußtsein der schon erreichten Seligkeit von allen Nichtpneumatikern distanziert, die habituell beanspruchte Präsenz des Heils solipsistisch genießt (vgl. 1Thess 5,3a.5 sowie die Ausführungen zu 5,8) und — weil er sich der aus dem geschichtlichen Dasein erwachsenden Problematik entzogen weiß — die Verantwortung für den Bruder negiert[37].

Für den Fall, daß an der ursprünglichen Zusammengehörigkeit von 1Thess 5,1–11 und 5,12ff. trotz der verschiedentlich geltend gemachten Bedenken[38] festzuhalten ist, ließe sich für unsere an den Sachparallelen aus 1Kor orientierte Interpretation von 1Thess 5,11 noch ein weiteres Argument anführen, das wir einer Beobachtung Ph. VIELHAUERS verdanken. VIELHAUER macht darauf aufmerksam, daß das „Nebeneinander von παρακαλεῖν und οἰκοδομεῖν (sc. in 1Thess 5,11) ... unmittelbar an I.Kor 14,3" erinnert[39]. Er verweist dann auf die folgenden Paränesen (1Thess 5,12ff.), die s.E. „die Verwandtschaft der Thess.-Stelle mit I.Kor 14 ... noch deutlicher" werden lassen: „Obwohl 5,11 den Abschnitt über die Parusie abschließt, bildet er doch den Übergang zu den Schlußmahnungen 5,12–22. Nach dem Aufruf zur Hochachtung derer, die sich

[36] Freilich sind mit dieser Anforderung — dies will beachtet sein — keine „konkrete(n) Handlungen genannt, die im Verkehr mit dem Nächsten die Kirche bauen; οἰκοδομεῖν beschreibt — wie Agape — nicht das Was, sondern das Wie eines Tuns" (Ph. VIELHAUER, a.a.O., S. 97). Insofern entspricht der Imperativ οἰκοδομεῖτε κτλ. dem das Wie der eschatologischen Existenz explizierenden Kohortativ 1Thess 5,8.

[37] Auf Grund der Ausführungen zu οἰκοδομεῖν ist zu erwägen, ob in dem anerkennenden Zusatz καθὼς καὶ ποιεῖτε nicht ein ἐν τῇ ἀγάπῃ mitzudenken ist. Der Nachsatz zeigt, daß dem Apostel die Situation in Thessalonich „nicht so bedrohlich (erscheint) wie in Korinth zur Zeit des Tränenbriefes" (W. SCHMITHALS, Paulus und die Gnostiker, S. 103).

[38] Siehe o. S. 16 Anm. 1 und S. 18 Anm. 13.

[39] A.a.O., S. 101.

um die Gemeinde mühen V. 12 und 13, lesen sich die Verse 14–22 wie eine Erklärung des οἰκοδομεῖτε εἷς τὸν ἕνα, von V. 14, wo das παρακαλεῖν von 11 durch νουθετεῖν aufgenommen wird und auch παραμυθεῖσθαι auftritt, bis V. 15 unter dem ethischen Gesichtspunkt, V. 19–22 unter dem ‚kultischen' (Verwendung der Geistesgaben zum Heile der gesamten Gemeinde)."[40] Diese Ausführungen legitimieren indirekt den oben unternommenen Versuch, das οἰκοδομεῖν von 1 Thess 5, 11 im Horizont der Verwendung des Wortes in 1 Kor auszulegen. Freilich ist hervorzuheben, daß οἰκοδομεῖν in 1 Kor 14 pointiert kritisch gebraucht ist. Wenn also 1 Kor 14 tatsächlich als Sachparallele zu 1 Thess 5, 11 (vgl. 5, 12 ff.) gelten darf, wird man diesen kritischen Sinn des Verbs auch in 1 Thess 5, 11 mitzuberücksichtigen haben.

---

[40] Ebd.; vgl. O. Merk, a.a.O., S. 57.

V. Schlußbetrachtung

(1) Im Zentrum unserer exegetischen Besinnung stand zunächst die Frage nach dem Verhältnis von Situation und Text in 1 Thess 4,13–18. Ausgehend von der Feststellung, daß die von der traditionellen Exegese in verschiedenen Spielarten vertretene Sicht der Gemeindesituation auf unhaltbaren oder zumindest fragwürdigen Prämissen beruht, haben wir versucht, die Tendenz der paulinischen Ausführungen mit Hilfe eines anderen, an Beiträgen von W. LÜTGERT[1] und W. SCHMITHALS[2] orientierten Interpretationsansatzes zu erhellen. Nach der von W. SCHMITHALS vorausgesetzten Arbeitshypothese sind die Aussagen des Abschnitts 1 Thess 4,13–18 durch Nachrichten über eine die Lehre von der Auferstehung bestreitende Agitation gnostischer Provenienz motiviert[3]. Wie gezeigt, erweist sich diese Hypothese bei der Textauslegung als brauchbar, sofern man die ihr inhärenten Implikationen aufdeckt und mitberücksichtigt. Stellt man nämlich in Rechnung, daß der gnostischen Bestreitung der Auferstehung der Toten die positive Behauptung von der bereits vollzogenen Auferstehung der Lebenden korrespondiert[4], eröffnet sich folgende, das exegetische Urteil von SCHMITHALS z.T. revidierende Sicht der paulinischen Intention[5].

Paulus erfährt von innergemeindlichen Spannungen, die durch das Aufkommen eines die Toten abschreibenden und das Heil den Geistträgern reservierenden Enthusiasmus gnostischer Eigenart verursacht wurde. In der Absicht, die Gemeinde dem Einfluß dieser Agitation zu entziehen, weist der Apostel zunächst warnend auf die fatalen Konsequenzen hin, die nach seiner Überzeugung unausweichlich sind, sobald man sich jener die Toten preisgebenden Einstellung ausliefert (V. 13b)[6]. Das Schwergewicht der folgenden Ausführungen liegt auf dem die paulinische Christologie entfaltenden Satz V. 14. Paulus bindet die Gemeinde an das gemeinsame Glaubensbekenntnis und zeigt durch

[1] Die Vollkommenen im Philipperbrief und Die Enthusiasten in Thessalonich, S. 77ff.

[2] Paulus und die Gnostiker, S. 116ff.

[3] Vgl. a.a.O., S. 118f.

[4] Vgl. bereits W. LÜTGERT, a.a.O., S. 80f.

[5] Bedenken sind vor allem gegen die von SCHMITHALS (a.a.O., S. 116f.) vertretene Interpretation von 1 Thess 4,15 und die sich daraus ergebende Beurteilung von V. 15–17 zu erheben. Zur Kritik vgl. im einzelnen das o. S. 26ff. Gesagte sowie die das Verständnis von φθάνειν betreffenden Bemerkungen o. S. 19f. sowie S. 20 Anm. 3 und S. 27 Anm. 47.

[6] Siehe o. S. 29ff.

seine Auslegung des Credo, daß sich der dem Kerygma von Jesu Tod und Auferstehung entsprechende Glaube als *Hoffnung für die Toten* versteht. Der Satz widersteht somit indirekt einem sich von den Toten radikal distanzierenden Vollendungsbewußtsein gnostischer Prägung. Antignostische Tendenz könnte der Formulierung auch insofern zugrunde liegen, als sie auf die personale und zeitliche Differenz zwischen Jesus und den Seinen abhebt sowie den Erlöser auffälligerweise betont mit dem bloßen Jesusnamen kennzeichnet[7]. Die Ausführungen der V. 15–17 sind dem in V. 14 Gesagten sachlich subordiniert. Sie haben vornehmlich *kritische Funktion* und gelten ausdrücklich dem Abweis einer in Thessalonich propagierten These. Paulus spielt gegen diese These, die wohl auf dem Hintergrund gnostischen Selbstverständnisses die absolute Überlegenheit der Lebenden über die Toten zum Ausdruck brachte, einen ihm überlieferten urchristlichen Prophetenspruch aus. Er pointiert die traditionelle Aussage durch eigene Interpretamente und mit Hilfe einer vorgezogenen Zusammenfassung derart, daß sie zugleich als Antithese gegenüber jener in Thessalonich umlaufenden Behauptung zu wirken vermag[8].

Damit schien eine in sich geschlossene Interpretation des Aussagezusammenhangs von 1 Thess 4, 13–18 erreicht. Unsere Argumentation konnte freilich nur dann zwingend, das Ergebnis der Analyse erst dann akzeptabel sein, wenn es gelang, den Interpretationsansatz auch bei der Auslegung von 1 Thess 5, 1–11 festzuhalten.

(2) Schon W. Schmithals hatte vermutet, daß die Ausführungen von 1 Thess 5, 1 ff. nicht auf die Sicherheit des Skeptikers bezogen sind, der im Blick auf das vermeintlich ferne und darum unbedrohliche Eschaton über die Gegenwart als die ihm gehörende Zeit verfügt, sondern auf jene Heilssicherheit gnostischer Eigenart, wie sie sich z.B. auch in der 2 Thess 2, 2 fin. zitierten These bekundet: ἐνέστηκεν ἡ ἡμέρα τοῦ κυρίου[9]. Schmithals verkannte jedoch die Zäsur zwischen V. 3 und V. 4, ebnete die paulinischen Aussagen allzustark ein und sah den ganzen Abschnitt insonderheit „auf Ermahnung zur Wachsamkeit und Warnung vor leichtfertiger Sicherheit im Blick auf die Parusie"[10] ausgerichtet. Demgegenüber blieb festzustellen, daß nicht 5, 1–11 insgesamt, wohl aber die im Stil einer ‚praeteritio' abgefaßten Aussagen von 5, 1–3 ausgesprochen *polemisch-kritischen* Sinn tragen, und zwar gelten sie einer Destruktion jenes pneumatischen Selbstbewußtseins gnostischer Prägung, das sich unter Berufung auf das schon erreichte Telos aller im Horizont geschichtlicher Existenz geforderten Bindung

---

[7] Siehe o. S. 31 ff.
[8] Siehe o. S. 39 ff.
[9] Vgl. Paulus und die Gnostiker, S. 120 f. (bes. S. 120).
[10] Ebd., S. 119.

und Verantwortung entschlagen zu können meint. Paulus charakterisiert den Vollkommenheitsanspruch der gnostischen Pneumatiker, der die Ignoranz jeder Zukunftserwartung allererst begründet, analog zu 1Kor 15,32b ironisch, indem er ihn auf die in ähnlicher Weise bereits von den Heilspropheten proklamierte Parole fixiert: εἰρήνη καὶ ἀσφάλεια. Kritisch gibt er den Vertretern dieser schlagwortartig gekennzeichneten ‚securitas'-Position zu verstehen, daß sie unversehens und unentrinnbar von derselben eschatologischen Zukunft überfallen werden, die sie verachten und deren Relevanz sie leugnen. Drohend macht er darauf aufmerksam, daß der ‚Tag' des Kyrios ebenso überraschend wie unausweichlich alle diejenigen ereilen wird, die sich schon im Eschaton angelangt wähnen und das Pneuma als einen Besitz beanspruchen, der die Präsenz des Heils garantiert[11].

Wie gezeigt, trägt die paulinische Zurechtweisung des gnostischen Enthusiasmus in 1Thess 5,2f. *apokalyptischen* Charakter[12]. Die Aussagen von V. 2f. sind nicht antiapokalyptisch orientiert. Sie entsprechen vielmehr — wie vor allem eine motivgeschichtliche Untersuchung des Bildes von der in Wehen liegenden Schwangeren zeigt[13] — einer in der spätjüdischen Apokalyptik selbst wahrnehmbaren Tendenz und berühren sich sehr eng mit bestimmten apokalyptischen Äußerungen, die das Eschaton als unberechenbares, zur bestimmten Stunde unaufhaltsam und zwangsläufig hereinbrechendes Ereignis ausgeben. Sehr aufschlußreich ist die Beobachtung, daß einige mit 1Thess 5,2 sachlich verwandte Aussagen der urchristlichen Tradition, die (wie 1Thess 5,2) den eschatologischen Vorbehalt Gottes einschärfen und in Korrespondenz zu apokalyptischem Denken einer theozentrischen Zeitauffassung Ausdruck geben, an ihrer Stelle ebenfalls unverkennbar *kritischen* Sinn tragen. Und zwar sind sie innerhalb des jeweiligen Kontextes nicht etwa auf eine Abwehr des Zweifels abgezweckt, sondern fungieren bezeichnenderweise gerade als Beweismittel einer *antienthusiastisch* orientierten Argumentation (vgl. 2Petr 3,10 im Rahmen von 2Petr 3,4–10[14]; vielleicht auch Apk 3,3 innerhalb von Apk 3,1–6 und der Sendschreiben insgesamt[15]; zu verweisen ist ferner auf Mk 13,32 und die Funktion des Logions im Rahmen der markinischen Konzeption[16]; vgl. auch 2Thess 2,3–12 mit 2,1f.). Dieser auffällige Sachverhalt bestätigt indirekt die Annahme einer gnostischen Front in 1Thess

---

[11] Siehe o. S. 77ff.

[12] Siehe o. S. 74ff.

[13] Siehe o. S. 62ff.

[14] Siehe o. S. 98ff.

[15] Siehe o. S. 113ff.

[16] Vgl. dazu R. Pesch, Naherwartungen, S. 104f. 181ff.; bes. S. 193: „Hier mußte der Evangelist, um aller Unsicherheit und Verwirrung zu wehren, um den *Parusieschwärmern* die Möglichkeit einer Berufung auf Jesus zu nehmen, eine

5,1ff. oder läßt doch wenigstens die Möglichkeit als durchaus diskutabel erscheinen, daß es sich bei den eigentlichen Adressaten der V. 1–3 nicht um Gemeindeglieder handelt, die sich in der vermeintlichen „Sicherheit eines ‚Noch lange nicht'"[17] wiegen, sondern um Pneumatiker, die vorgeben, das Heil bereits erlangt zu haben.

(3) Die Ausführungen des Abschnitts 1Thess 5,4–10, der durch den Neueinsatz in V. 4 von den vorausliegenden Aussagen deutlich abgesetzt ist, gelten einer Explikation des paulinischen Evangeliums. Unter Rückgriff auf eine ältere christliche Tauftradition, die vermutlich stark enthusiastische Züge trug und einer präsentischen Eschatologie Ausdruck gab[18], entfaltet Paulus positiv das kerygmatisch begründete — und das heißt: im Wort des Evangeliums erschlossen *bleibende* — Selbstverständnis der *eschatologischen Existenz des Glaubenden*. Er teilt das auch gnostischer Denkweise entsprechende Interesse der ihm vorgegebenen Tauf überlieferung an der Präsenz des Heils und pointiert wie diese den für die Getauften schon erfolgten Situationswechsel (V. 4f.): Als Getaufte sind die Glaubenden bereits ‚eschatologische Personen', ‚Söhne des Lichtes und Söhne des Tages' (V. 5). Im Unterschied zur Tendenz der Tauftradition expliziert der Apostel die neue Situation der Getauften jedoch nicht allein als eine Veränderung des Raumes, sondern als einen (nur im Sinne einer Paradoxie *aussagbaren*) Wechsel der Zeit in der Zeit[19]. Er nimmt die eschatologische Zukunft der ἡμέρα des gekreuzigten Kyrios, die der selbstsicheren Welt zwangsläufig zum Verderben ausschlägt, zugleich als den heilvollen Bestimmungsgrund der Existenz der Getauften in Anspruch. Zum anderen — und darin liegt wohl die eigentliche Leistung seiner Denkbemühung — wehrt er dem naheliegenden enthusiastischen Mißverständnis der Aussage von der Präsenz des Heils, indem er den eschatologischen Indikativ (V. 4f.) in sachlicher Einheit mit dem eschatologischen Imperativ (V. 6–8) geltend macht.

---

ganz klare Sprache führen: Auch der Sohn kennt den genauen Termin nicht, nur der Vater!" (Hervorhebung von mir) PESCH charakterisiert freilich „das Gegenwärtigverkündigen des Endes" (ebd., S. 154) seitens der Parusieschwärmer voreilig als typisch apokalyptische Einstellung und unterstellt der markinischen Intention eine antiapokalyptische Tendenz (vgl. E. FUCHS, Hermeneutik, 4. Aufl. 1970, S. 205ff.), ohne der (a.a.O., S. 191 Anm. 868, selbst berücksichtigten!) Einsicht Rechnung zu tragen, daß eine Aussage wie Mk 13,32 gerade apokalyptische Züge trägt und sich mit bestimmten Äußerungen jüdisch-apokalyptischen Denkens durchaus im Einklang befindet. — Reizvoll wäre eine Untersuchung der Frage, wie sich die von R. PESCH herausgestellte enthusiastische Front in Mk 13 im Vergleich mit anderen im Neuen Testament begegnenden schwärmerischen Bewegungen (zumal gnostischer Eigenart) darstellt.

[17] O. MERK, a.a.O., S. 54.

[18] Siehe o. S. 117ff.

[19] Siehe o. S. 125ff.

(4) Wir haben zu zeigen versucht, daß den Ausführungen der V. 6–8 im Blick auf das in V. 4f. Gesagte eine *heuristische Funktion* zufällt[20]. Sie sind von der paulinischen Absicht bestimmt, „den Glauben an die Präsenz des Heils aus der Sphäre der Spekulation und des Enthusiasmus in die Sphäre eigentlicher menschlicher Existenz“ zu erheben, wie R. BULTMANN (allerdings ohne direkte Bezugnahme auf diese Stelle) formuliert[21]. Als fragwürdig erscheint der exegetische Versuch, den Imperativ von V. 6. 8aβ im Sinne einer ethischen Anweisung zu interpretieren. Wie dargelegt, wird der (vielleicht speziell auf den gnostischen Vollendungsanspruch anspielende und denselben in Frage stellende) Kohortativ νήφωμεν (V. 8aβ) durch den partizipial konstruierten Satzteil V. 8b expliziert[22]. Paulus versteht πίστις, ἀγάπη und ἐλπίς als die eigentlichen Vollzugsmöglichkeiten des νήφειν. Er fordert die Getauften an, die ihnen vorgegebene, durch das Evangelium erschlossene „Möglichkeit menschlichen Vorläufigseins in den Modi des Glaubens, der Hoffnung und der Liebe jeweilig“ zu leben[23], an ihrer Existenz präsent sein zu lassen[24]. Damit gewinnt das sich in der Gegenwart bekundende Heil den Charakter eines Geschehens, das in der geschichtlichen Existenz auf dem Spiel steht, ja mit dieser Existenz beantwortet sein will.

Abgekürzt läßt sich das Sachanliegen des Abschnitts 1Thess 5,4–8 *zusammenfassend* folgendermaßen kennzeichnen: Paulus legt dadurch, daß er den Indikativ von V. 4f. durch den Imperativ (V. 6. 8) präzisiert, im Gegenzug zum gnostischen Selbstverständnis die eschatologische Existenz des Christen als *werdende Existenz* aus. Diese Feststellung berührt sich mit Erwägungen, die E. FUCHS im Zusammenhang einer die Tendenz der paulinischen Paränese generell analysierenden Untersuchung vorbringt: „Wir sehen: das Zureden entspricht in der Gemeinde der Anrede, durch die sie ins Leben gerufen worden ist und bleibt. Und: die eschatologische ‚Existenz‘ *bedarf* solcher Zurede! Diese Existenz ist werdende Existenz. Sie nährt sich zwar aus der Zukunft, aber sie kämpft eben deshalb beständig mit der Verführung durch das, was vor Augen ist (2.Kor 4,16–18).“[25] Paulus löst also die Spannung zwischen Gegenwart und Zukunft nicht auf. Er identifiziert das eschatologische Sein, in das die Getauften schon jetzt berufen sind, nicht wie der Gnostiker mit dem ‚Auferstehungsleben jenseits des leiblichen Todes‘ (R. BULTMANN[26]). Zwar bekundet sich das eschatolo-

[20] Siehe o. S. 131ff.
[21] Exegetica, S. 480.
[22] Siehe o. S. 134ff.
[23] H. JONAS, Gnosis und spätantiker Geist, Teil II/1, S. 48.
[24] Vgl. E. GÜTTGEMANNS, a.a.O., S. 215.
[25] Hermeneutik, 4. Aufl. 1970, S. 259.
[26] Vgl. Bultmann, NT (5. Aufl. 1965), S. 348.

gische Heil bereits in der Gegenwart, aber — und darin liegt die fundamentale Differenz zum gnostischen Enthusiasmus — es bleibt gerade als gegenwärtiges Geschehen in einer eigentümlichen, seinem Wortcharakter entsprechenden ‚Schwebe' [27], geht somit nicht als Gegebenes in der Gegenwart auf. Wäre dies Letztere der Fall, blieben die Getauften in der Tat von Glaube, Liebe und Hoffnung dispensiert [28]. Doch Paulus wehrt diesem naheliegenden Mißverständnis, indem er den Sinn des eschatologischen Indikativs (V. 4f.) mit Hilfe des eschatologischen Imperativs (V. 6. 8) präzisiert. Der Getaufte ist zwar schon gegenwärtig als eschatologische Person ansprechbar. Er ist — wie der Indikativ bezeugt — der Zukunft gewiß, *hat* also Zeit. Aber — und auf diesen Vorbehalt zielt der Imperativ ab — „er *hat sie nicht* in historischer Sicht, sondern *nur* als den ihm durch das Evangelium angesagten Ursprung einer neuen Existenz *in* der Zeit (vgl. 1.Thess. 5,1–11 mit 2.Kor. 5,17 und 1.Kor. 15,20–22; Röm. 13,11–14)" [29]. Darum bleibt er mit seiner Existenz Schuldner [30] des Evangeliums. Er *ist* ‚eschatologische Person', sofern er sich zu πίστις, ἀγάπη und ἐλπίς herausgefordert weiß und im konkreten Vollzug seiner Existenz ein Glaubender, Liebender sowie ein — darauf scheint an dieser Stelle (1Thess 5,8) anders als 1Kor 13,13 besonders abgehoben — auf die σωτηρία allererst Hoffender *bleibt* [31].

(5) Der Satz 1Thess 5,9f. nennt im nachhinein ausdrücklich die sachliche Prämisse, von der her die Aussagen des Abschnitts 5,4–8 entworfen sind. Er begründet die eschatologische Existenz der Getauften christologisch, indem er sie auf das als Evangelium laut werdende περὶ (ὑπὲρ) ἡμῶν des Sterbens Christi zurückführt, das seinerseits dem ὑπὲρ ἡμῶν Gottes entspricht. Den V. 9f. liegt eine ältere christliche

[27] Der Begriff begegnet als Leitmotiv in der Analyse des Textes bei E. Fuchs, GA Bd. III, S. 358f. (vgl. S. 345. 353).

[28] Vgl. R. Bultmann, Karl Barth, „Die Auferstehung der Toten", in: GuV Bd. I, S. 64: „In gewissem Sinne, d.h. sofern wir zu Christus gehören, *sind* wir Auferstandene, sind ἀπαρχή, sind καινὴ κτίσις (vgl. 2.Kor. 5,14–17). Aber dies Auferstehungsleben ist nie ein Gegebenes; es ist zwischen Zeit und Ewigkeit. In *Gottes* Urteil sind wir die Gerechtfertigten, und die ‚allerletzte Möglichkeit', daß dies zur Wirklichkeit in unserem zeitlichen Leben wird, ist die ἀγάπη. Sofern der erste Korintherbrief nicht vom Thema des rechtfertigenden Glaubens geleitet ist, sondern vom Thema des zeitlichen Lebens der Gläubigen, ist K.(apitel) 13 sein eigentlicher Höhepunkt."

[29] E. Fuchs, Hermeneutik, 4. Aufl. 1970, S. 269. Zur Sache vgl. auch H. Jonas, Gnosis und spätantiker Geist, Teil II/1, S. 91 Anm. 1: „Inhalt des Glaubens ist ... ein Geschehen und dessen Anspruch, dem mit einem Selbstgeschehen geantwortet wird, und er selbst ist ... eben dies Antwortgeschehen: Gerufensein, Hören, Gehorchen, Nachfolge — zur Jenseitigkeit *in* der Welt."

[30] Vgl. Röm 8,12; s. auch E. Fuchs, GA Bd. III, S. 344. 348; Ders., Was hat die christliche Verkündigung zu sagen?, ebd., S. 430.

[31] Vgl. R. Bultmann, GuV Bd. III, S. 50f.; E. Fuchs, GA Bd. III, S. 358f.

Bekenntnistradition zugrunde, die vermutlich einer ausschließlich präsentischen Eschatologie Ausdruck gab und das Ereignis der Verherrlichung der Glaubenden bereits im Akt der Taufe als erfüllt ansah. Paulus greift diese ihm vorgegebene Bekenntnisaussage auf, appliziert sie jedoch durch sekundäre Interpretamente (vgl. εἴτε ... εἴτε ..., V. 10) auf die Briefsituation und biegt deren enthusiastische Tendenz ab, indem er sie durch die Einführung der Antithese in V. 9 theologisch im Sinne der Rechtfertigungslehre präzisiert[32].

Im Blick auf das zuvor Gesagte kommt dem christologischen Satz V. 9f. eine doppelte Funktion zu. Wie dargelegt, gilt *einerseits*, daß Paulus mit der Aussage von V. 9f., die der christlichen Heilsgewißheit Ausdruck verleiht, die vorausgehende Mahnung zur ἐλπὶς σωτηρίας begründet: „Das Heil ist dem Christen absolut gewiß, die Prädestination läßt diese σωτηρία weder in der Vergangenheit (als Bestimmung zu) noch in der Zukunft (beim Empfang) in irgendeiner Weise vom Christen abhängig sein. Freilich ist in dem περὶ ἡμῶν impliziert, daß nur die zum Heil bestimmt sind, die an Christus glauben. Explizit aber macht Paulus das Heil nicht vom Glauben abhängig, im Gegenteil! Paulus mahnt zwar in V. 8 zum christlichen Existieren in Glaube, Liebe und Hoffnung, aber er macht den Empfang des Heils gerade nicht von der Erfüllung der Mahnung abhängig, sondern er begründet die Mahnung in der Bestimmung zum Heil!“[33]

Zum anderen ist freilich nicht zu übersehen, daß V. 9f. den Indikativ von V. 4f. präzisiert. Die Getauften sind insofern schon gegenwärtig als υἱοὶ φωτός und υἱοὶ ἡμέρας ansprechbar, als Gott sie *um Jesu willen* nicht zum Zorn, sondern zum Besitz des Heils, nämlich zum Sein mit dem Kyrios (vgl. 1Thess 4, 17 fin.), zum ‚Leben‘ mit ihm bestimmt hat (vgl. Röm 5, 1f.). Als solche, die διὰ τοῦ κυρίου ἡμῶν Ἰησοῦ Χριστοῦ *zum* eschatologischen Heil bestimmt sind, sind sie schon jetzt *durch* das eschatologische Heil bestimmt: υἱοὶ ἡμέρας[34]. „Entscheidend ist“, — wie L. MATTERN[35] zu Recht feststellt — „daß die ἡμέρα κυρίου nicht über ὀργή und σωτηρία urteilt, sondern daß dieses Urteil in der Prädestination Gottes bereits gefällt ist und der Tag des Herrn für die Christen σωτηρία bedeutet, für die Nichtchristen dagegen ὀργή heißt.“ Den Getauften erweist sich die ἡμέρα κυρίου aber nur darum als ἡμέρα σωτηρίας (vgl. 2Kor 6, 2), weil für sie die ihnen rechtmäßig zustehende

---

[32] Siehe o. S. 143ff.

[33] L. MATTERN, a.a.O., S. 81f.

[34] Vgl. E. JÜNGEL, Paulus und Jesus, S. 265: „Nicht um Erwartungen geht es primär in der Eschatologie, sondern um ein Bestimmtsein durch das Eschaton, das so etwas wie Erwartung überhaupt erst möglich macht.“ Zur Sache vgl. auch W. THÜSING, Erhöhungsvorstellung und Parusieerwartung in der ältesten nachösterlichen Christologie, S. 41f.

[35] A.a.O., S. 81.

ὀργή durch das Evangelium überholt und zur vergangenen Wirklichkeit wurde. Der Welt hingegen steht die ἡμέρα κυρίου weiterhin drohend als ἡμέρα ὀργῆς (vgl. Röm 2,5) bevor (vgl. 1 Thess 5,2f.), weil sie sich ohne das Evangelium bei der Sünde und dem ihr entsprechenden Verhängnis der ὀργή (bzw. des ὄλεθρος, 1 Thess 5,3), d.h. bei der sich sub lege zwangsläufig vollziehenden „unheilsgeschichtlichen Kontinuität"[36] der „Herrschaft von Sünde und Tod"[37] behaften lassen muß.

(6) Mit dem zuletzt Gesagten ist noch einmal das hermeneutische Problem thematisiert, das auf der zwischen den Aussagen der V. 1–3 und 4–10 bestehenden inneren Spannung und Sachdifferenz beruht. Welche Konsequenzen ergeben sich aus der Analyse von V. 4–10 für die Frage nach dem Textgefälle und der Funktion der ‚praeteritio' (V. 1–3) innerhalb des Abschnitts V. 1–10? Zunächst ist festzustellen, daß der Einblick in den Aussagezusammenhang von V. 4–10 bestätigt, was bereits auf Grund stilkritischer Beobachtungen zu V. 1–3 zu vermuten war[38]: Das Schwergewicht der paulinischen Ausführungen liegt eindeutig auf dem in V. 4–10 Gesagten. Die einleitenden Sätze der V. (1) 2f. sind den Aussagen der V. 4–10 sachlich subordiniert. Sie werden durch das Folgende — wie auch E. Jüngel zu Recht betont[39] — faktisch *überboten* (vgl. nur V. 2f. mit V. 5). Dieser Sachverhalt wird verkannt, wenn man die zwischen V. 3 und V. 4 deutlich wahrnehmbare, alles entscheidende Zäsur übersieht und — wie E. v. Dobschütz[40] — den angeblich in sich einheitlichen Abschnitt V. 2–5 (Ausführung des in V. 1 genannten Themas) als Motivbasis der folgenden Mahnung (V. 6–8) in Anspruch nimmt oder — wie z.B. H.-A. Wilcke[41] — V. 2f. als grundsätzliche Lösung des in V. 1 angeschnittenen Problems versteht und in den V. 4–10 nur weitere Erläuterungen zu dem in V. 2f. prinzipiell Gesagten erblickt. Demgegenüber ist nachdrücklich hervorzuheben, daß die durch den Einschnitt zwischen V. 3 und V. 4 als zusammengehörig erwiesenen Aussagen der V. 1–3 als ‚praeteritio' gewürdigt sein wollen. Sie schärfen kritisch einen Vorbehalt ein, ohne selbst schon die Pointe der Ausführungen von V. 1–10 zu enthalten. Was der Apostel positiv zu sagen hat, findet sich erst in den auf das Credo (vgl. V. 9f.) abzielenden Aussagen der V. 4–10, die das paulinische Evangelium geltend machen und in denen Paulus mit Hilfe indikativisch und imperativisch geprägter Formulierungen entfaltet, wie sich die christliche Existenz, die durch das Kerygma von Jesu Tod

[36] E. Jüngel, ZThK 60/1963, 47.
[37] Ebd., 48.
[38] Siehe o. S. 52ff.
[39] Paulus und Jesus, S. 241 Anm. 6.
[40] Vgl. a.a.O., S. 202f. 204. 208.
[41] A.a.O., S. 112.

und Auferweckung begründet ist und begründet bleibt, angesichts der zukünftigen ἡμέρα des als Kyrios verstandenen Gekreuzigten vollzieht.

Allerdings scheint das als Evangelium gekennzeichnete Positive nicht ohne den zuvor geäußerten Vorbehalt geltend gemacht werden zu können. Paulus überbietet zwar das in V. 2f. kritisch Bemerkte durch die folgenden Ausführungen (V. 4–10), aber er setzt es dort als gesagt voraus. Die apokalyptischen Aussagen in V. 2f. haben demnach nicht nur eine (nach außen gerichtete) *kritische*, sondern ebenfalls eine (nach innen gerichtete) *heuristische* Funktion. Denn sie gelten nicht nur (negativ) der Abwehr eines möglichen Mißverständnisses der paulinischen Botschaft, sondern sichern andererseits auch (positiv) deren Eindeutigkeit. Hätte Paulus die an die Adresse der τέλειοι gerichtete Warnung von V. 2f. unterlassen, wäre der Indikativ von V. 5 von vornherein zwangsläufig als Ausdruck eben jener gnostischen Heilssicherheit verstanden worden, die in V. 3 mit dem Schlagwort εἰρήνη καὶ ἀσφάλεια negativ charakterisiert wird, nicht aber als Ausdruck der nie habituell erfahrbaren Heilsgewißheit des Glaubens, die vom Wort des Evangeliums abhängig bleibt.

Strukturell gesehen entspricht die Beziehung von V. 1–3 und V. 4–10 innerhalb der literarischen Einheit von 1 Thess 5, 1–10 dem Verhältnis von Negation und Position innerhalb der paulinischen Antithese. Wie die Negation der Antithese nicht als die nur ornamental bedeutsame, sachlich aber unerhebliche Folie der Position, sondern als deren unabdingbares Korrektiv anzusehen ist, so sind die kritischen Aussagen von V. (1) 2f. nicht als belangloser Hintergrund der eigentlichen, in den V. 4–10 zum Ausdruck kommenden paulinischen Position zu beurteilen, sondern als notwendige Abgrenzung, die der Position Raum schafft und das rechte Verständnis des Evangeliums ermöglicht.

Literaturverzeichnis

D. v. Allmen, L'apocalyptique juive et le retard de la parousie en II Pierre 3 : 1–13, RThPh XVI/1966, 255–274.
Die apostolischen Väter (SQS 2. Reihe, 1. Heft, 1. Teil), Neubearbeitung der Funkschen Ausg. von K. Bihlmeyer, 1. Teil, 2. Aufl. Tübingen 1956.
H.K. McArthur, Mark XIV. 62, NTS IV/1957–58, 156–158.
H. R. Balz, Heilsvertrauen und Welterfahrung. Strukturen der paulinischen Eschatologie nach Römer 8,18–39 (BEvTh Bd. 59), München 1971.
E. Bammel, Judenverfolgung und Naherwartung. Zur Eschatologie des Ersten Thessalonicherbriefs, ZThK 56/1959, 294–315.
G. Barth, Erwägungen zu 1. Korinther 15,20–28, EvTh 30/1970, 515–527.
K. Barth, Das christliche Verständnis der Offenbarung. Eine Vorlesung, ThEx N.F. 12/1948.
H.-W. Bartsch, Das Thomas-Evangelium und die synoptischen Evangelien. Zu G. Quispels Bemerkungen zum Thomas-Evangelium, NTS VI/1959–60, 249–261.
W. Bauer, Griechisch-deutsches Wörterbuch zu den Schriften des Neuen Testaments und der übrigen urchristlichen Literatur, 5. Aufl. Berlin 1963.
— Rechtgläubigkeit und Ketzerei im ältesten Christentum (BHTh 10), 2. Aufl. (hrsg. von G. Strecker) Tübingen 1964.
H. Becker, Die Reden des Johannesevangeliums und der Stil der gnostischen Offenbarungsrede (FRLANT 68), Göttingen 1956.
J. Becker, Das Heil Gottes. Heils- und Sündenbegriffe in den Qumrantexten und im Neuen Testament (Stud. zur Umwelt des NT Bd. 3), Göttingen 1964.
— Erwägungen zur apokalyptischen Tradition in der paulinischen Theologie, EvTh 30/1970, 593–609.
J. Behm, Die Offenbarung des Johannes (in: NTD 3, 1./2. Aufl.), Göttingen 1935.
— Artikel μετανοέω, ThW IV, 985ff.
P. Benoit, Qumrân et le Nouveau Testament, NTS VII/1960–61, 276–296.
R.L. Bensly, The Fourth Book of Ezra (TSt III, No. 2), Cambridge 1895.
Biblia Hebraica. Adiuvantibus W. Baumgartner (u.a.) ed. R. Kittel. Textum masoreticum curavit P. Kahle, 9. Aufl. Stuttgart 1954.
Biblia sacra iuxta Vulgatam Clementinam divisionibus, summariis et concordantiis ornata, Typis Societatis S. Joannis Evang. Romae, Tornaci, Parisiis 1956.
C.J. Bjerkelund, Parakalô. Form, Funktion und Sinn der parakalô-Sätze in den paulinischen Briefen (Bibliotheca Theologica Norvegica No. 1), Oslo 1967.
F. Blass und A. Debrunner, Grammatik des Neutestamentlichen Griechisch, 11. Aufl. Göttingen 1961.
W. Bornemann, Die Thessalonicherbriefe (MeyerK 10. Abt./5. u. 6. Aufl.), Göttingen 1894.
G. Bornkamm, Glaube und Vernunft bei Paulus, in: Studien zu Antike und Urchristentum, GA Bd. II (BEvTh Bd. 28), München 1963, S. 119–137.
— Die Verzögerung der Parusie. Exegetische Bemerkungen zu zwei synoptischen Texten, in: Geschichte und Glaube, 1. Teil, GA Bd. III, München 1968, S. 46–55.

W. Bousset, Die Offenbarung Johannis (MeyerK 16. Abt./6. Aufl.), Göttingen 1906.
— Die Religion des Judentums im späthellenistischen Zeitalter (HNT 21), 3. Aufl. (hrsg. von H. Greßmann) Tübingen 1926.
E. Brandenburger, Adam und Christus. Exegetisch-religionsgeschichtliche Untersuchung zu Röm. 5,12–21 (1. Kor. 15) (WMANT Bd. 7), Neukirchen 1962.
— Die Auferstehung der Glaubenden als historisches und theologisches Problem, WuD 9/1967, 16–33.
G. Braumann, Vorpaulinische christliche Taufverkündigung bei Paulus, Stuttgart 1962.
H. Braun, Zur nachpaulinischen Herkunft des zweiten Thessalonicherbriefes, ZNW 44/1952–53, 152–156.
— Spätjüdisch-häretischer und frühchristlicher Radikalismus. Jesus von Nazareth und die essenische Qumransekte, Bd. I.: Das Spätjudentum; Bd. II: Die Synoptiker (BHTh 24), Tübingen 1957.
— Qumran und das Neue Testament, Bd. I/II, Tübingen 1966.
M. Brückner, Die Entstehung der paulinischen Christologie, Straßburg 1903.
R. Bultmann, Jesus, Tübingen 1951.
— Das Urchristentum im Rahmen der antiken Religionen, 2. Aufl. Zürich/Stuttgart 1954.
— Das Evangelium des Johannes (MeyerK 2. Abt./14. Aufl. mit Ergänzungsheft), Göttingen 1956.
— Die Geschichte der synoptischen Tradition, 3. Aufl. mit Ergänzungsheft, Göttingen 1957.
— Geschichte und Eschatologie, Tübingen 1958.
— Jesus Christus und die Mythologie. Das Neue Testament im Licht der Bibelkritik (Stundenbuch 47), Hamburg 1964.
— Theologie des Neuen Testaments, 5. Aufl. Tübingen 1965.
— Karl Barth, „Die Auferstehung der Toten“, in: Glauben und Verstehen, GA Bd. I, 2. Aufl. Tübingen 1954, S. 38–64.
— Christus des Gesetzes Ende, in: Glauben und Verstehen, GA Bd. II, Tübingen 1952, S. 32–58.
— Der Mensch zwischen den Zeiten nach dem Neuen Testament, in: Glauben und Verstehen, GA Bd. III, 3. Aufl. Tübingen 1965, S. 35–54.
— Geschichte und Eschatologie im Neuen Testament, ebd., S. 91–106.
— Das Problem der Ethik bei Paulus, in: Exegetica. Aufsätze zur Erforschung des Neuen Testaments (hrsg. von E. Dinkler), Tübingen 1967, S. 36–54.
— Glossen im Römerbrief, ebd., S. 278–284.
— Zur Geschichte der Lichtsymbolik im Altertum, ebd., S. 323–355.
— Zur Auslegung von Galater 2,15–18, ebd., S. 394–399.
— Adam und Christus nach Römer 5, ebd., S. 424–444.
— ΔΙΚΑΙΟΣΥΝΗ ΘΕΟΥ, ebd., S. 470–475.
— Ist die Apokalyptik die Mutter der christlichen Theologie? Eine Auseinandersetzung mit Ernst Käsemann, ebd., S. 476–482.
— Artikel γινώσκω, etc., ThW I, 688ff.
— Artikel ἐλπίς, etc., ThW II, 515ff. 525ff.
— Artikel πιστεύω, etc., ThW VI, 174ff. 197ff.
M. Burrows, The Dead Sea Scrolls, London 1956.
— More Light on the Dead Sea Scrolls. New Scrolls and New Interpretations, New York, 1958.
A. M. Ceriani, Monumenta sacra et profana. Opera collegii doctorum Bibliothecae Ambrosianae, tom. V, fasc. I/II, 1868/71.

R. H. Charles, The Apocalypse of Baruch, London 1896.
— The Apocrypha and Pseudepigrapha of the Old Testament in English, Vol. I: Apocrypha; Vol. II: Pseudepigrapha, Oxford 1913.
— A Critical and Exegetical Commentary on the Revelation of St. John (ICC), Bd. I/II, Edinburgh 1950.
C. Colpe, Artikel ὁ υἱὸς τοῦ ἀνθρώπου, ThW VIII, 403ff.
H. Conzelmann, Gegenwart und Zukunft in der synoptischen Tradition, ZThK 54/1957, 277–296.
— Grundriß der Theologie des Neuen Testaments, 2. Aufl. München 1968.
— Die Rechtfertigungslehre des Paulus: Theologie oder Anthropologie?, EvTh 28/1968, 389–404.
— Der erste Brief an die Korinther (MeyerK 5. Abt./11. Aufl.), Göttingen 1969.
— Artikel: Gericht Gottes, III. Im NT, RGG 3. Aufl., Bd. II, 1419–1421.
— Artikel: Parusie, RGG 3. Aufl., Bd. V, 130–132.
— Artikel: Zorn Gottes, III. Im Judentum und NT, RGG 3. Aufl., Bd. VI, 1931f.
— Artikel σκότος, etc., ThW VII, 424ff.
— Artikel φῶς, etc., ThW IX, 302ff.
O. Cullmann, Heil als Geschichte. Heilsgeschichtliche Existenz im Neuen Testament, Tübingen 1965.
F. W. Danker, II Peter 3 : 10 and Psalm of Solomon 17 : 10, ZNW 53/1962, 82–86.
D. Daube, The Sudden in the Scriptures, Leiden 1964.
R. Deichgräber, Gotteshymnus und Christushymnus in der frühen Christenheit. Untersuchungen zu Form, Sprache und Stil der frühchristlichen Hymnen (Stud. zur Umwelt des NT Bd. 5), Göttingen 1967.
G. Delling, Artikel ἡμέρα, ThW II, 945ff.
M. Dibelius, An die Thessalonicher I. II. An die Philipper (HNT 11), 3. Aufl. Tübingen 1937.
E. Dinkler, Prädestination bei Paulus. Exegetische Bemerkungen zum Römerbrief, in: Signum Crucis. Aufsätze zum Neuen Testament und zur Christlichen Archäologie, Tübingen 1967, S. 241–269.
E. v. Dobschütz, Die Thessalonicher-Briefe (MeyerK 10. Abt./7. Aufl.), Göttingen 1909.
C. H. Dodd, The Parables of the Kingdom, New York 1961.
A. Dupont-Sommer, Les écrits esséniens découverts près de la Mer Morte, Paris 1959.
J. Dupont, ΣΥΝ ΧΡΙΣΤΩΙ. L'union avec le Christ suivant Saint Paul, Paris 1952.
K.-G. Eckart, Der zweite echte Brief des Apostels Paulus an die Thessalonicher, ZThK 58/1961, 30–44.
C.-M. Edsman, The Body and Eternal Life. A Comparative and Exegetical Study, in: HS, I Mélanges Johs. Pedersen, Fasc. II, Stockholm 1946.
W. Eichrodt, Der Herr der Geschichte. Jesaja 13–23 und 28–39 (Die Botschaft des Alten Testaments Bd. 17/II), Stuttgart 1967.
E. Fascher, Artikel: Petrusbriefe, RGG 3. Aufl., Bd. V, 257–260.
A. Feuillet, Le Christ. Sagesse de Dieu d'après les épîtres pauliniennes (Études bibliques), Paris 1966.
P. Fiebig, Altjüdische Gleichnisse und die Gleichnisse Jesu, Tübingen/Leipzig 1904.

G. Fitzer. Artikel φθάνω, etc., ThW IX, 90ff.

W. Foerster, Artikel σῴζω, etc., ThW VII, 966ff.

G. Fohrer, Das Buch Hiob (KAT XVI), Gütersloh 1963.

— Das Buch Jesaja. 1. Bd.: Kapitel 1–23 (Zürcher Bibelkommentare), 2. Aufl. Zürich/Stuttgart 1966.

G. Friedrich, Ein Tauflied hellenistischer Judenchristen. 1.Thess. 1,9f., ThZ 21/ 1965, 502–516.

E. Fuchs, Die Freiheit des Glaubens. Römer 5–8 ausgelegt (BEvTh Bd. 14), München 1949.

— Verheißung und Erfüllung (Untersuchungen zur eschatologischen Verkündigung Jesu von Werner Georg Kümmel), in: Zur Frage nach dem historischen Jesus, GA Bd. II, Tübingen 1960, S. 66–78.

— Glaube und Geschichte im Blick auf die Frage nach dem historischen Jesus. Eine Auseinandersetzung mit G. Bornkamms Buch über „Jesus von Nazareth", ebd., S. 168–218.

— Das Zeitverständnis Jesu, ebd., S. 304–376.

— Zur Frage nach dem historischen Jesus. Ein Nachwort, in: Glaube und Erfahrung, GA Bd. III, Tübingen 1965, S. 1–31.

— Hermeneutik?, ebd., S. 116–135.

— Über die Möglichkeit, Gott zu erfahren, ebd., S. 174–192.

— Alte und neue Hermeneutik, ebd., S. 193–230.

— Die Spannung im neutestamentlichen Christusglauben, ebd., S. 280–297.

— Die Zukunft des Glaubens nach 1.Thess 5,1–11, ebd., S. 334–363.

— Was hat die christliche Verkündigung zu sagen?, ebd., S. 416–432.

— 1.Thessalonicher 1,2–10, GPM 18/1963–64, 299–303.

— Das urchristliche Sakramentsverständnis, 2. Aufl. Bad Cannstatt 1965.

— Marburger Hermeneutik (HUTh 9), Tübingen 1968.

— Hermeneutik, 4. Aufl. Tübingen 1970.

H. J. Gabathuler, Jesus Christus. Haupt der Kirche – Haupt der Welt. Der Christushymnus Colosser 1,15–20 in der theologischen Forschung der letzten 130 Jahre (AThANT 45), Zürich/Stuttgart 1965.

B. Gärtner, The Theology of the Gospel According to Thomas, New York 1961.

H. M. Gale, The Use of Analogy in the Letters of Paul, Philadelphia 1964.

K. Galling, Jesaia 21 im Lichte der neuen Nabonidtexte, in: Tradition und Situation. Studien zur alttestamentlichen Prophetie (Festschrift A. Weiser zum 70. Geb., hrsg. von E. Würthwein und O. Kaiser), Göttingen 1963, S. 49–62.

W. Gesenius, Hebräisches und aramäisches Handwörterbuch über das Alte Testament (in Verbindung mit H. Zimmern u. a. bearb. von F. Buhl), 17. Aufl. Leipzig 1921.

H. Gollinger, „Ihr wißt nicht, an welchem Tag euer Herr kommt". Auslegung von Mt 24,37–51, BibLeb 11/1970, 238–247.

L. Goppelt, Artikel ὕδωρ, ThW VIII, 313ff.

A. Grabner-Haider, Paraklese und Eschatologie bei Paulus. Mensch und Welt im Anspruch der Zukunft Gottes (NTA N. F. Bd. 4), Münster 1968.

E. Grässer, Das Problem der Parusieverzögerung in den synoptischen Evangelien und in der Apostelgeschichte (BZNW 22), 2. Aufl. Berlin 1960.

— Bibelarbeit über 1.Thess. 4,13–18, in: Bibelarbeiten, gehalten auf der rheinischen Landessynode 1967 in Bad Godesberg.

R. M. Grant/D. N. Freedman, Geheime Worte Jesu. Das Thomas-Evangelium, Frankfurt a. M. 1960.

M. Green, The Second Epistle General of Peter and the General Epistle of Jude. An Introduction and Commentary (The Tyndale New Testament Commentaries), London 1968.

L. Gry, Les dires prophétiques d'Esdras (IV. Esdras), Bd. I/II, Paris 1938.

E. Güttgemanns, Der leidende Apostel und sein Herr. Studien zur paulinischen Christologie (FRLANT 90), Göttingen 1966.

F. Guntermann, Die Eschatologie des Hl. Paulus (NTA XIII. Bd., 4./5. H.), Münster 1932.

E. Haack, Eine exegetisch-dogmatische Studie zur Eschatologie über 1. Thessalonicher 4,13–18, ZSTh 15/1938, 544–569.

W. Hadorn, Die Abfassung der Thessalonicherbriefe in der Zeit der dritten Missionsreise des Paulus (BFChTh 24. Bd., 3./4. H.), Gütersloh 1919.

— Die Offenbarung des Johannes (ThHK XVIII), Leipzig 1928.

E. Haenchen, Die Botschaft des Thomas-Evangeliums, Berlin 1961.

— Literatur zum Thomasevangelium, ThR N. F. 27/1961, 147–178. 306–338.

F. Hahn, Christologische Hoheitstitel. Ihre Geschichte im frühen Christentum (FRLANT 83), Göttingen 1963.

W. Harnisch, Verhängnis und Verheißung der Geschichte. Untersuchungen zum Zeit- und Geschichtsverständnis im 4. Buch Esra und in der syr. Baruchapokalypse (FRLANT 97), Göttingen 1969.

W. Harrington, Understanding the Apocalypse, Washington-Cleveland 1969.

L. Hartman, Prophecy Interpreted. The Formation of some Jewish Apocalyptic Texts and of the Eschatological Discourse Mark 13 Par. (Coniectanea Biblica, New Testament Series 1), Lund 1966.

E. Hatch/A. Redpath, A Concordance to the Septuagint and the other Greek Versions of the Old Testament (Including the Apocryphal Books), Bd. I–III, Graz 1954.

H. Hegermann, Die Vorstellung vom Schöpfungsmittler im hellenistischen Judentum und Urchristentum (TU Bd. 82), Berlin 1961.

B. Henneken, Verkündigung und Prophetie im Ersten Thessalonicherbrief. Ein Beitrag zur Theologie des Wortes Gottes (Stuttgarter Bibelstudien 29), Stuttgart 1969.

M.-L. Henry, Glaubenskrise und Glaubensbewährung in den Dichtungen der Jesajaapokalypse. Versuch einer Deutung der literarischen Komposition von Jes. 24–27 aus dem Zusammenhang ihrer religiösen Motivbildungen (BWANT H. 86), Stuttgart/Berlin/Köln/Mainz 1967.

P. Hoffmann, Die Toten in Christus. Eine religionsgeschichtliche und exegetische Untersuchung zur paulinischen Eschatologie (NTA N. F. Bd. 2), Münster 1966.

G. Hollmann/W. Bousset, Der Brief des Judas und der zweite Brief des Petrus, in: Die Schriften des Neuen Testaments, 3. Bd., Göttingen 1917, S. 292–318.

S. Holm-Nielsen, Hodayot. Psalms from Qumran (Acta Theologica Danica Vol. II), Aarhus 1960.

T. Holtz, Die Christologie der Apokalypse des Johannes (TU Bd. 85), Berlin 1962.

U. Holzmeister, Das Gleichnis vom Diebe in den Evangelien und beim hl. Paulus, ZKTh 40/1916, 704–736.

F. Horst, Artikel μακροθυμία, etc., ThW IV, 377ff.

A. Huck/H. Lietzmann, Synopse der drei ersten Evangelien, 10. Aufl. Tübingen 1950.

G. Jeremias, Der Lehrer der Gerechtigkeit (Stud. zur Umwelt des NT Bd. 2), Göttingen 1963.

J. Jeremias, Unbekannte Jesusworte, Zürich 1948; neubearb. Lizenzausg. Zürich 1951; 3. Aufl. Gütersloh 1963.
— Die Gleichnisse Jesu, 7. Aufl. Göttingen 1965.
— Artikel: Versprengte Herrenworte, bei E. Hennecke, Neutestamentliche Apokryphen, 3. Aufl. (hrsg. von W. Schneemelcher), Bd. I: Evangelien, Tübingen 1959, S. 52–55.
J. Jervell, Imago Dei. Gen 1,26f. im Spätjudentum, in der Gnosis und in den paulinischen Briefen (FRLANT 76), Göttingen 1960.
H. Jonas, Gnosis und spätantiker Geist, Teil I: Die mythologische Gnosis (FRLANT 51), 3. Aufl. Göttingen 1964; Teil II/1: Von der Mythologie zur mystischen Philosophie (FRLANT 63), Göttingen 1954.
A. Jülicher, Die Gleichnisreden Jesu, I/II, Darmstadt 1963 (Nachdruck der Ausg. Tübingen 1910).
E. Jüngel, Paulus und Jesus. Eine Untersuchung zur Präzisierung der Frage nach dem Ursprung der Christologie (HUTh 2), Tübingen 1962.
— Das Gesetz zwischen Adam und Christus. Eine theologische Studie zu Röm 5,12–21, ZThK 60/1963, 42–74.
R. Kabisch, Die Eschatologie des Paulus in ihren Zusammenhängen mit dem Gesamtbegriff des Paulinismus, Göttingen 1893.
E. Käsemann, Die Legitimität des Apostels. Eine Untersuchung zu II Korinther 10–13, Darmstadt (Sonderausg.) 1956.
— Eine urchristliche Taufliturgie, in: Exegetische Versuche und Besinnungen, Bd. I, Göttingen 1960, S. 34–51.
— Eine Apologie der urchristlichen Eschatologie, ebd., S. 135–157.
— Erwägungen zum Stichwort „Versöhnungslehre im Neuen Testament“, in: Zeit und Geschichte. Dankesgabe an R. Bultmann zum 80. Geb., hrsg. von E. Dinkler, Tübingen 1964, S 47–59.
— Der Ruf der Freiheit, Tübingen 1968.
— Der gottesdienstliche Schrei nach der Freiheit, in: Paulinische Perspektiven, Tübingen 1969, S. 211–236.
— Artikel: Formeln, II. Liturgische Formeln im NT, RGG 3. Aufl., Bd. II, 993–996.
E. Kautzsch, Die Apokryphen und Pseudepigraphen des Alten Testaments, Bd. I: Die Apokryphen des Alten Testaments; Bd. II: Die Pseudepigraphen des Alten Testaments, Tübingen 1900 (Neudruck 1921).
— W. Gesenius' hebräische Grammatik, 28. Aufl. Leipzig 1909.
W. Kayser, Das sprachliche Kunstwerk. Eine Einführung in die Literaturwissenschaft, 14. Aufl. Bern/München 1969.
N. Kehl, Der Christushymnus im Kolosserbrief. Eine motivgeschichtliche Untersuchung zu Kol 1,12–20, Stuttgart 1967.
K. Kertelge, „Rechtfertigung“ bei Paulus. Studien zur Struktur und zum Bedeutungsgehalt des paulinischen Rechtfertigungsbegriffs (NTA N. F. Bd. 3), Münster 1967.
G. Klein, Individualgeschichte und Weltgeschichte bei Paulus. Eine Interpretation ihres Verhältnisses im Galaterbrief, EvTh 24/1964, 126–165.
— Gottes Gerechtigkeit als Thema der neuesten Paulus-Forschung, VuF 12/1967, 1–11.
E. Klostermann, Das Matthäusevangelium (HNT 4), 2. Aufl. Tübingen 1927.
O. Knoch, Eigenart und Bedeutung der Eschatologie im theologischen Aufriß des ersten Clemensbriefes. Eine auslegungsgeschichtliche Untersuchung (Theophaneia 17), Bonn 1964.
R. Knopf, Die Briefe Petri und Judä (MeyerK 12. Abt./7. Aufl.), Göttingen 1912.

L. Koehler/W. Baumgartner, Lexicon in Veteris Testamenti libros, Leiden 1958.
H. Koester, Synoptische Überlieferung bei den Apostolischen Vätern (TU Bd. 65), Berlin 1957.
— Die außerkanonischen Herrenworte als Produkte der christlichen Gemeinde, ZNW 48/1957, 220–237.
— The Purpose of the Polemic of a Pauline Fragment (Philippians III), NTS VIII/1961–62, 317–332.
— One Jesus and Four Primitive Gospels, HThR 61/1968, 203–247.
W. Kramer, Christos, Kyrios, Gottessohn. Untersuchungen zu Gebrauch und Bedeutung der christologischen Bezeichnungen bei Paulus und den vorpaulinischen Gemeinden (AThANT 44), Zürich/Stuttgart 1963.
H.-J. Kraus, Psalmen (BK XV/1), Bd. I, 2. Aufl. Neukirchen 1961; (BK XV/2), Bd. II, 2. Aufl. Neukirchen 1961.
J. Kroll, Die Lehren des Hermes Trismegistos (BGPhMA Bd. XII, Heft 2–4), Münster 1914.
— Gott und Hölle. Der Mythos vom Descensuskampfe (Studien der Bibliothek Warburg XX), Leipzig/Berlin 1932.
E. Kühl, Die Briefe Petri und Judae (MeyerK 12. Abt./6. Aufl.), Göttingen 1897.
W. G. Kümmel, Verheißung und Erfüllung. Untersuchungen zur eschatologischen Verkündigung Jesu (AThANT 6), 3. Aufl. Zürich 1956.
— Die Naherwartung in der Verkündigung Jesu, in: Zeit und Geschichte. Dankesgabe an R. Bultmann zum 80. Geb., hrsg. von E. Dinkler, Tübingen 1964, S. 31–46.
— Das literarische und geschichtliche Problem des ersten Thessalonicherbriefes, in: Heilsgeschehen und Geschichte, GA 1933–1964 (Marburger Theologische Studien 3), Marburg 1965, S. 406–416.
— (P. Feine/J. Behm) Einleitung in das Neue Testament, 16. Aufl. Heidelberg 1969.
M. Künzi, Das Naherwartungslogion Matthäus 10,23. Geschichte seiner Auslegung (BGE 9), Tübingen 1970.
H.-W. Kuhn, Enderwartung und gegenwärtiges Heil. Untersuchungen zu den Gemeindeliedern von Qumran mit einem Anhang über Eschatologie und Gegenwart in der Verkündigung Jesu (Stud. zur Umwelt des NT Bd. 4), Göttingen 1966.
— Der irdische Jesus bei Paulus als traditionsgeschichtliches und theologisches Problem, ZThK 67/1970, 295–320.
K. G. Kuhn, Konkordanz zu den Qumrantexten, Göttingen 1960.
— Artikel ὅπλον, etc., ThW V, 297ff.
E. Kutsch, Die Wurzel עצר im Hebräischen, VT II/1952, 57–69.
H. Lausberg, Handbuch der literarischen Rhetorik. Eine Grundlegung der Literaturwissenschaft, Bd. I u. II (Reg.-Bd.), München 1960.
— Elemente der literarischen Rhetorik, 3. Aufl. München 1967.
J. Leipoldt/H.-M. Schenke, Koptisch-gnostische Schriften aus den Papyrus-Codices von Nag-Hamadi (ThF XX), Hamburg-Bergstedt 1960.
H. Lenhard, Ein Beitrag zur Übersetzung von II Ptr 3,10d, ZNW 52/1961, 128f.
J. P. Lewis, A Study of the Interpretation of Noah and the Flood in Jewish and Christian Literature, Leiden 1968.
I. Lévi, The Hebrew Text of the Book of Ecclesiasticus (Semitic Study Series No. III), Leiden 1904.

H. G. Liddell/R. Scott, A Greek-English Lexicon. A New Edition ... by H. St. Jones, Oxford 1940.
H. Lietzmann, An die Römer (HNT 8), 4. Aufl. Tübingen 1933.
J. Lindblom, Die Jesaja-Apokalypse. Jes. 24–27 (LUÅ N. F. Avd. 1, Bd. 34, Nr. 3), Lund/Leipzig 1938.
E. Linnemann, Gleichnisse Jesu. Einführung und Auslegung, 5. Aufl. Göttingen 1969.
K. E. Løgstrup, Die ethische Forderung, Tübingen 1959.
E. Lövestam, Über die neutestamentliche Aufforderung zur Nüchternheit, StTh XII/1958, 80–102.
— Spiritual Wakefulness in the New Testament (LUÅ N. F. Avd. 1, Bd. 55, Nr. 3), Lund 1963.
H. Löwe, Christus und die Christen. Untersuchungen zum Verständnis der Kirche in den großen Paulusbriefen und im Kolosser- und Epheserbrief, Diss. theol. Heidelberg 1965 (Typoskript).
E. Lohmeyer, ΣΥΝ ΧΡΙΣΤΩΙ, in: Festgabe f. A. Deißmann zum 60. Geb., Tübingen 1927, S. 218–257.
— Die Offenbarung des Johannes (HNT 16), 2. Aufl. (hrsg. von G. Bornkamm), Tübingen 1953.
E. Lohse, Die Offenbarung des Johannes (NTD 11/10. Aufl.), Göttingen 1971.
— Die Texte aus Qumran, Darmstadt 1964.
— Die Briefe an die Kolosser und an Philemon (MeyerK 9. Abt., 2. Bd./14. Aufl.), Göttingen 1968.
D. Lührmann, Die Redaktion der Logienquelle (WMANT Bd. 33.), Neukirchen 1969.
W. Lueken, Der erste Brief an die Thessalonicher (SNT 2. Bd.: Die paulinischen Briefe und die Pastoralbriefe), 3. Aufl. Göttingen 1917.
G. Lünemann, Kritisch exegetisches Handbuch über die Briefe an die Thessalonicher (MeyerK 10. Abt./4. Aufl.), Göttingen 1878.
W. Lütgert, Die Vollkommenen im Philipperbrief und Die Enthusiasten in Thessalonich (BFChTh 13. Jg./1909, 6. Heft), Gütersloh 1909.
U. Luz, Das Geschichtsverständnis des Paulus (BEvTh Bd. 49), München 1968.
J. Maier, Die Texte vom Toten Meer, Bd. I/II, München 1960.
H. Malmede, Die Lichtsymbolik im Neuen Testament, Diss. phil. Köln 1960 (Typoskript-Auszug).
W. Marxsen, Der „Frühkatholizismus“ im Neuen Testament (Bibl. Stud. Heft 21), Neukirchen 1958.
— Einleitung in das Neue Testament. Eine Einführung in ihre Probleme, Gütersloh 1963.
— Die Auferstehung Jesu von Nazareth, Gütersloh 1968.
— Auslegung von 1 Thess 4,13–18, ZThK 66/1969, 22–37.
Ch. Masson, Les deux épîtres de Saint Paul aux Thessaloniciens (Commentaire du Nouveau Testament XIa), Neuchâtel/Paris 1957.
L. Mattern, Das Verständnis des Gerichtes bei Paulus (AThANT 47), Zürich/Stuttgart 1966.
R. Mayer, Die biblische Vorstellung vom Weltenbrand. Eine Untersuchung über die Beziehungen zwischen Parsismus und Judentum (Bonner Orientalistische Studien N. S. Bd. 4), Bonn 1956.
O. Merk, Handeln aus Glauben. Die Motivierungen der paulinischen Ethik (Marburger Theologische Studien Bd. 5), Marburg 1968.
E. Meyer, Ursprung und Anfänge des Christentums, Bd. I: Die Evangelien, Darmstadt 1962 (Nachdruck der 4./5. Aufl. Stuttgart/Berlin 1924).

W. Michaelis, Die Gleichnisse Jesu. Eine Einführung (Die urchristliche Botschaft, 32. Abt.), 3. Aufl. Hamburg 1956.
O. Michel, Der Brief an die Römer (MeyerK 4. Abt./13. Aufl.), Göttingen (4. Aufl.) 1966.
— Artikel οἰκοδομέω, ThW V, 139ff.
— Artikel οἰκοδομή, ThW V, 147ff.
H. Montefiore, A Comparison of the Parables of the Gospel According to Thomas and of the Synoptic Gospels, NTS VII/1960–61, 220–248.
A. L. Moore, The Parousia in the New Testament (Suppl. to NovTest Vol. XIII), Leiden 1966.
— 1 and 2 Thessalonians (The Century Bible), London 1969.
L. Morris, The First and the Second Epistles to the Thessalonians (The New London Commentary on the New Testament), London/Edinburgh 1959.
J. H. Moulton, A Grammar of New Testament Greek, Bd. I, 3. Aufl. Edinburgh (1908) 1957; Bd. II, Edinburgh (1929) 1956; Bd. III, Edinburgh 1963.
W. Neil, St. Paul's Epistles to the Thessalonians (Torch Bible Commentaries), London 1957.
P. Nepper-Christensen, Das verborgene Herrnwort. Eine Untersuchung über 1. Thess. 4, 13–18, StTh 19/1965, 136–154.
F. Neugebauer, In Christus. ΕΝ ΧΡΙΣΤΩΙ. Eine Untersuchung zum Paulinischen Glaubensverständnis, Göttingen 1961.
L. Nieder, Die Motive der religiös-sittlichen Paränese in den paulinischen Gemeindebriefen. Ein Beitrag zur paulinischen Ethik (MThS I. Hist. Abt., 12. Bd.), München 1956.
E. Norden, Agnostos Theos. Untersuchungen zur Formengeschichte religiöser Rede, 4. Aufl. Darmstadt 1956 (Sonderausg.).
H. Odeberg, The Fourth Gospel. Interpreted in its Relation to Contemporaneous Religious Currents in Palestine and the Hellenistic-Oriental World, Uppsala 1929.
A. Oepke, Die Briefe an die Thessalonicher, in: Die kleineren Briefe des Apostels Paulus (NTD 8./9. Aufl.), Göttingen 1962, S. 155–185.
— Artikel ὅπλον, etc., ThW V, 292ff. 300ff.
P. von der Osten-Sacken, Gott und Belial. Traditionsgeschichtliche Untersuchungen zum Dualismus in den Texten aus Qumran (Stud. zur Umwelt des NT Bd. 6), Göttingen 1969.
W. Ott, Gebet und Heil. Die Bedeutung der Gebetsparänese in der lukanischen Theologie (Stud. zum Alten und Neuen Testament Bd. XII), München 1965.
Patrologia Syriaca. Complectens opera omnia SS. Patrum, doctorum scriptorumque catholicorum. Accurante R. Graffin, pars prima, tom. secundus, cuius textum syriacum vocalium signis instruxerunt, latine verterunt, notis illustraverunt I. Parisot, F. Nau, M. Kmosko, Parisiis 1907.
R. Pesch, Naherwartungen. Tradition und Redaktion in Mk 13 (Kommentare und Beiträge zum Alten und Neuen Testament), Düsseldorf 1968.
— Heilszukunft und Zukunft des Heils. Eschatologie und Apokalyptik in den Evangelien und Briefen, in: Gestalt und Anspruch des Neuen Testaments (hrsg. von J. Schreiner), Würzburg 1969, S. 313–329.
E. Peterson, Die Einholung des Kyrios, ZSTh 7/1930, 682–702.
— Artikel ἀπάντησις, ThW I, 380.
O. Plöger, Theokratie und Eschatologie (WMANT Bd. 2), Neukirchen 1959.
— Artikel: Esrabücher, IV. Das 5. und 6. Esrabuch, RGG 3. Aufl., Bd. II, 699f.

O. Pöggeler, Der Denkweg Martin Heideggers, Pfullingen 1963.
H. Preisker, Artikel κλέπτω, etc., ThW III, 753ff.
G. v. Rad, Theologie des Alten Testaments, Bd. I: Die Theologie der geschichtlichen Überlieferungen Israels, München 1957, 4. Aufl. München 1962; Bd. II: Die Theologie der prophetischen Überlieferungen Israels, München 1960, 4. Aufl. München 1965.
— Artikel εἰρήνη, etc., ThW II, 400ff.
R. Reitzenstein, Die hellenistischen Mysterienreligionen nach ihren Grundgedanken und Wirkungen, 3. Aufl. 1927, Nachdruck Darmstadt 1956.
P. Rießler, Altjüdisches Schrifttum außerhalb der Bibel, Augsburg 1928.
B. Rigaux, Saint Paul. Les épîtres aux Thessaloniciens (Études bibliques), Paris/Gembloux 1956.
A. T. Robertson, A Grammar of the Greek New Testament in the Light of Historical Research, 3. Aufl. New York 1919.
J. M. Robinson, Kerygma und Geschichte im Neuen Testament, ZThK 62/1965, 294–337.
J. Rohde, Häresie und Schisma im ersten Clemensbrief und in den Ignatius-Briefen, NovTest X/1968, 217–233.
A. Satake, Die Gemeindeordnung in der Johannesapokalypse (WMANT Bd. 21), Neukirchen 1966.
K. H. Schelkle, Die Petrusbriefe. Der Judasbrief (HThK Bd. XIII: Fasz. 2), Freiburg/Basel/Wien 1961.
G. Schille, Frühchristliche Hymnen, Berlin 1965.
— Die Liebe Gottes in Christus. Beobachtungen zu Rm 8,31–39, ZNW 59/1968, 230–244.
A. Schlatter, Paulus. Der Bote Jesu, Stuttgart 1934.
H. Schlier, Auslegung des 1. Thessalonicherbriefes (4,13–5,11), BibLeb 4/1963, 19–30.
P. W. Schmiedel, Die Briefe an die Thessalonicher und an die Korinther (HC Bd. II/1), Freiburg 1891.
W. Schmithals, Paulus und Jakobus (FRLANT 85), Göttingen 1963.
— Die Thessalonicherbriefe als Briefkompositionen, in: Zeit und Geschichte. Dankesgabe an R. Bultmann zum 80. Geb., hrsg. von E. Dinkler, Tübingen 1964, S. 295–315.
— Die Häretiker in Galatien, in: Paulus und die Gnostiker. Untersuchungen zu den kleinen Paulusbriefen (ThF XXXV), Hamburg-Bergstedt 1965, S. 9–46.
— Die historische Situation der Thessalonicherbriefe, ebd., S. 89–157.
— Die Gnosis in Korinth. Eine Untersuchung zu den Korintherbriefen (FRLANT 66), 3. Aufl. Göttingen 1969.
— Das Verhältnis von Gnosis und Neuem Testament als methodisches Problem, NTS XVI/1969–70, 373–383.
— Rezension von P. Hoffmann, Die Toten in Christus, ThLZ 93/1968, 914f.
A. Schmoller, Handkonkordanz zum griechischen Neuen Testament, 10. Aufl. Stuttgart 1953.
R. Schnackenburg, Die Aufnahme des Christushymnus durch den Verfasser des Kolosserbriefes, in: EKK 1, Zürich/Einsiedeln/Köln/Neukirchen 1969, S. 33–50.
J. Schneider, Die Briefe des Jakobus, Petrus, Judas und Johannes. Die Katholischen Briefe (NTD 10/9. Aufl.), Göttingen 1961.
— Artikel ἔρχομαι, etc., ThW II, 662ff.
— Artikel ὄλεθρος, ThW V, 169f.

N. Schneider, Die rhetorische Eigenart der paulinischen Antithese (HUTh 11), Tübingen 1970.

J. Schniewind, Die Leugner der Auferstehung in Korinth, in: Nachgelassene Reden und Aufsätze (Theol. Bibl. Töpelmann, hrsg. von K. Aland, H. Frick, K. G. Kuhn u. E. Schlink, Bd. 1), Berlin 1952, S. 110–139.

W. Schrage, Das Verhältnis des Thomas-Evangeliums zur synoptischen Tradition und zu den koptischen Evangelienübersetzungen. Zugleich ein Beitrag zur gnostischen Synoptikerdeutung (BZNW 29), Berlin 1964.

— Die Stellung zur Welt bei Paulus, Epiktet und in der Apokalyptik. Ein Beitrag zu 1Kor 7,29–31, ZThK 61/1964, 125–154.

Die Heilige Schrift des Alten und Neuen Testaments. Zürcher Bibel, Lizenzausg. 2. Aufl. Berlin 1951.

E. Schürer, Geschichte des jüdischen Volkes im Zeitalter Jesu Christi, Bd. I–III, 4. Aufl. Leipzig 1901–1909.

G. Schunack, Das hermeneutische Problem des Todes. Im Horizont von Römer 5 untersucht (HUTh 7), Tübingen 1967.

R. Schuster, Evangelium das Wort. Untersuchung zum Verständnis des Wortsinns von Evangelium bei Paulus, Diss. theol. Marburg 1967 (Typoskript).

A. Schweitzer, Die Mystik des Apostels Paulus, Tübingen 1930.

E. Schweizer, Der Menschensohn (Zur eschatologischen Erwartung Jesu), in: Neotestamentica. Deutsche und englische Aufsätze 1951–1963, Zürich/Stuttgart 1963, S. 56–84.

— Die Kirche als Leib Christi in den paulinischen Antilegomena, ebd., S. 293–316.

— Kolosser 1,15–20, in: EKK 1, Zürich/Einsiedeln/Köln/Neukirchen 1969, S. 7–31; wieder abgedruckt in: Beiträge zur Theologie des Neuen Testaments. Neutestamentliche Aufsätze (1955–1970), Zürich 1970, S. 113–145.

— Die „Mystik“ des Sterbens und Auferstehens mit Christus bei Paulus, ebd., S. 183–203.

Septuaginta, id est Vetus Testamentum graece iuxta LXX interpretes, ed. A. Rahlfs, 6. Aufl. Stuttgart (o. J.).

Septuaginta. Vetus Testamentum Graecum. Auctoritate Societatis Litterarum Gottingensis editum, Göttingen 1926ff.

J. A. Sint, Parusie-Erwartung und Parusie-Verzögerung im paulinischen Briefcorpus, ZKTh 86/1964, 47–79.

R. Smend, Die Weisheit des Jesus Sirach, Berlin 1906.

— Griechisch-syrisch-hebräischer Index zur Weisheit des Jesus Sirach.

C. Spicq, Agapè dans le Nouveau Testament (Études bibliques), Bd. II, Paris 1959.

— Les épîtres de Saint Pierre (Sources bibliques), Paris 1966.

F. Spitta, Der zweite Brief des Petrus und der Brief des Judas, Halle 1885.

L. R. Stachowiak, Die Antithese Licht – Finsternis — ein Thema der paulinischen Paränese, ThQ 143/1963, 385–421.

E. Stauffer, Artikel ἵνα, ThW III, 324ff.

H. L. Strack, Die Sprüche Jesus', des Sohnes Sirachs. Der jüngst gefundene hebräische Text mit Anmerkungen und Wörterbuch (Schriften des Institutum Judaicum in Berlin, Nr. 31), Leipzig 1903.

— /P. Billerbeck, Kommentar zum Neuen Testament aus Talmud und Midrasch, Bd. I–IV (Bd. V: Rabbinischer Index, hrsg. von K. Adolph, München 1956), 3. Aufl. München 1961.

W. Straub, Die Bildersprache des Apostels Paulus, Tübingen 1973.

A. Strobel, Untersuchungen zum eschatologischen Verzögerungsproblem auf Grund der spätjüdisch-urchristlichen Geschichte von Habakuk 2,2ff. (Suppl. to NovTest II), Leiden/Köln 1961.
— In dieser Nacht (Luk 17,34). Zu einer älteren Form der Erwartung in Luk 17,20–37, ZThK 58/1961, 16–29.
— Zum apokalyptischen Thema von „Entrückung" und „Erhöhung", in: Kerygma und Apokalyptik. Ein religionsgeschichtlicher und theologischer Beitrag zur Christusfrage, Göttingen 1967, S. 64–71.
— Die apokalyptische Terminfrage im Wirken Jesu und in der Urkirche, ebd., S. 85–100.
K. Stürmer, Auferstehung und Erwählung. Die doppelte Ausrichtung der Paulinischen Verkündigung (BFChTh, 2. Reihe, 53. Bd.), Gütersloh 1953.
P. Stuhlmacher, Gerechtigkeit Gottes bei Paulus (FRLANT 87), Göttingen 1965.
— Erwägungen zum Problem von Gegenwart und Zukunft in der paulinischen Eschatologie, ZThK 64/1967, 423–450.
— Das paulinische Evangelium, I. Vorgeschichte (FRLANT 95), Göttingen 1968.
H. B. Swete, Theodori episcopi Mopsuesteni in epistolas B. Pauli commentarii. The Latin Version with the Greek Fragments, Bd. I/II, Cambridge 1880/1882.
Synopsis quattuor evangeliorum, locis prarallelis evangeliorum apocryphorum et patrum adhibitis ed. K. Aland, Stuttgart 1964.
Ch. H. Talbert, II Peter and the Delay of the Parousia, VigChr 20/1966, 137–145.
ΤΑΜΙΕΙΟΝ ΤΩΝ ΤΗΣ ΚΑΙΝΗΣ ΔΙΑΘΗΚΗΣ ΛΕΞΕΩΝ sive Concordantiae omnium vocum Novi Testamenti Graeci cura C. H. Bruder, 7. Aufl. Göttingen 1913.
The Greek New Testament, ed. by K. Aland, M. Black, B. M. Metzger, A. Wikren, Stuttgart 1966.
Novum Testamentum graece cum apparatu critico curavit E. Nestle, novis curis elaboraverunt Erwin Nestle et K. Aland, 25. Aufl. Stuttgart 1963.
Veteris Testamenti Concordantiae hebraicae atque chaldaicae . . . summa cura collegit et concinnavit S. Mandelkern (Editio altera . . .), Graz 1955.
K. Thieme, Die Struktur des Ersten Thessalonicher-Briefes, in: Abraham unser Vater. Juden und Christen im Gespräch über die Bibel, Festschrift O. Michel zum 60. Geb., hrsg. von O. Betz, M. Hengel, P. Schmidt, Leiden/Köln 1963, S. 450–458.
W. Thüsing, Per Christum in Deum. Studien zum Verhältnis von Christozentrik und Theozentrik in den paulinischen Hauptbriefen (NTA N. F. Bd. 1), Münster 1965.
— Erhöhungsvorstellung und Parusieerwartung in der ältesten nachösterlichen Christologie, Stuttgart (o. J.).
F. Tillmann, Die Wiederkunft Christi nach den paulinischen Briefen (BSt XIV. Bd., 1. u. 2. Heft), Freiburg 1909.
H. E. Tödt, Der Menschensohn in der synoptischen Überlieferung, 2. Aufl. Gütersloh 1963.
W. C. van Unnik, Evangelien aus dem Nilsand, Frankfurt a. M. 1960.
Ph. Vielhauer, Oikodome. Das Bild vom Bau in der christlichen Literatur vom Neuen Testament bis Clemens Alexandrinus, Karlsruhe 1939.
— Gottesreich und Menschensohn in der Verkündigung Jesu, in: Aufsätze zum Neuen Testament (ThB Bd. 31), München 1965, S. 55–91.

— Jesus und der Menschensohn. Zur Diskussion mit Heinz Eduard Tödt und Eduard Schweizer, ebd., S. 92–140.

— Ein Weg zur neutestamentlichen Christologie? Prüfung der Thesen Ferdinand Hahns, ebd., S. 141–198.

— ΑΝΑΠΑΥΣΙΣ. Zum gnostischen Hintergrund des Thomasevangeliums, ebd., S. 215–234.

— Artikel: Die Apokalyptik, bei Hennecke Bd. II (3. Aufl. 1964), S. 408–421; Apokalyptik des Urchristentums (1. Einleitung), ebd., S. 428–454.

B. Violet, Die Esra-Apokalypse (IV. Esra). Erster Teil: Die Überlieferung (GCS 18), Leipzig 1910.

— Die Apokalypsen des Esra und des Baruch in deutscher Gestalt (GCS 32), Leipzig 1924.

A. Vögtle, Das Neue Testament und die Zukunft des Kosmos (Kommentare und Beiträge zum Alten und Neuen Testament), Düsseldorf 1970.

P. Volz, Die Eschatologie der jüdischen Gemeinde im neutestamentlichen Zeitalter nach den Quellen der rabbinischen, apokalyptischen und apokryphen Literatur dargestellt, 2. Aufl. des Werkes ‚Jüdische Eschatologie von Daniel bis Akiba', Tübingen 1934.

F. R. Walton, Artikel: Entrückung, RGG 3. Aufl., Bd. II, 499f.

K. Wegenast, Das Verständnis der Tradition bei Paulus und in den Deuteropaulinen (WMANT Bd. 8), Neukirchen 1962.

H. Weinel, Artikel: Das sechste Buch Esra, bei Hennecke (1. Aufl. 1904), S. 311–318; (2. Aufl. 1924), S. 394–399.

— Artikel: Das sechste Buch Esra, in: Handbuch zu den Neutestamentlichen Apokryphen (hrsg. von E. Hennecke), Tübingen 1904, S. 336–339.

A. Weiser, Das Buch Jeremia (ATD 20/21), 5. Aufl. Göttingen 1966.

— Das Buch der zwölf Kleinen Propheten (ATD 24/I), 4. Aufl. Göttingen 1963.

J. Weiß, Das Urchristentum (hrsg. von R. Knopf), Göttingen 1917.

— Der erste Korintherbrief (MeyerK 5. Abt./10. Aufl.), Göttingen 1925.

K. Wengst, Christologische Formeln und Lieder des Urchristentums, Diss. theol. Bonn 1967 (Typoskript).

H. Werdermann, Die Irrlehrer des Judas- und 2. Petrusbriefes (BFChTh 17. Jg., 6. Heft), Gütersloh 1913.

C. Westermann, Das Buch Jesaja. Kapitel 40–66 (ATD 19), Göttingen 1966.

— Grundformen prophetischer Rede (BEvTh Bd. 31), 3. Aufl. München 1968.

— Das Loben Gottes in den Psalmen, 4. Aufl. Göttingen 1968.

— Der Frieden (Shalom) im Alten Testament, in: Studien zur Friedensforschung (hrsg. von G. Picht u. H. E. Tödt), Bd. 1, Stuttgart 1969, S. 144–177.

W. M. L. de Wette, Kurze Erklärung des Briefes an die Galater und der Briefe an die Thessalonicher (Kurzgefaßtes exegetisches Handbuch zum Neuen Testament Bd. II/3), 3. Aufl. bearb. von W. Moeller, Leipzig 1864.

— Kurze Erklärung der Briefe des Petrus Judas und Jakobus (Kurzgefaßtes exegetisches Handbuch zum Neuen Testament Bd. III/1), 3. Ausg. bearb. von B. Brückner, Leipzig 1865.

H.-A. Wilcke, Das Problem eines messianischen Zwischenreichs bei Paulus (AThANT Bd. 51), Zürich/Stuttgart 1967.

U. Wilckens, Die Missionsreden der Apostelgeschichte. Form- und traditionsgeschichtliche Untersuchungen (WMANT Bd. 5), Neukirchen 1961.

— Der Ursprung der Überlieferung der Erscheinungen des Auferstandenen. Zur traditionsgeschichtlichen Analyse von 1.Kor. 15,1–11, in: Dogma und Denkstrukturen (hrsg. von W. Joest und W. Pannenberg), Göttingen 1963, S. 56–95.

H. Windisch, Die katholischen Briefe (HNT 4/2), Tübingen 1911; (HNT 15) 2. Aufl. Tübingen 1930; 3. Aufl. bearb. von H. Preisker, Tübingen 1951.

G. Wohlenberg, Der erste und zweite Thessalonicherbrief (KNT Bd. XII), 2. Aufl. Leipzig 1909.

H. W. Wolff, Dodekapropheten 1. Hosea (BK XIV/1), Neukirchen 1961.

— Das Zitat im Prophetenspruch. Eine Studie zur prophetischen Verkündigungsweise, in: Ges. Studien zum Alten Testament (ThB Bd. 22), München 1964, S. 36–129.

A. S. van der Woude, Die messianischen Vorstellungen der Gemeinde von Qumrân (Studia Semitica Neerlandica Bd. 3), Neukirchen 1957.

W. Wrede, Die Echtheit des zweiten Thessalonicherbriefs (TU N. F. IX. Bd., 2. Heft), Leipzig 1903.

Th. Zahn, Die Offenbarung des Johannes (KNT Bd. XVIII/1), Leipzig/Erlangen 1924.

G. Ziener, Die Sicherung der rechten Lehre. Formen der Auseinandersetzung mit der Irrlehre in neutestamentlicher Zeit, in: Gestalt und Anspruch des Neuen Testaments (hrsg. von J. Schreiner), Würzburg 1969, S. 299–312.

Stellenregister

I. *Altes Testament*